岩波講座　世界歴史　23

冷戦と脱植民地化 II

二〇世紀後半

岩波講座

世界歴史 23

冷戦と脱植民地化 II

二〇世紀後半

岩波書店

第23巻【責任編集】木畑洋一
中野　聡

目次

焦点 *Focus*

コラム | *Column*

展　望 | *Perspective*

はしがき

第二三巻は、第二二巻とともに、二〇世紀後半――おおむね第二次世界大戦の終結(一九四五年)から二〇世紀末まで――の世界史を扱う。二二巻は主として政治的領域を扱い、本巻は社会・経済・文化領域を扱うが、所収した各論考の問題意識は言うまでもなく超領域的であり、二〇世紀後半の世界をそのような二分法が許されない時代として人々は生きてきた。あくまで両巻を合わせた諸論考をもって本講座における二〇世紀後半の世界歴史であることを述べておきたい。以下、本巻の構成・概要を紹介する。

第二三巻「展望」論文「大加速の時代」(中野聡)では、地球システム科学から新たな地質年代として問題提起された人新世と「大加速」論をふまえ、第二次産業革命の時代から始まる「長い二〇世紀」の後半における「大加速」をどのように捉えるべきか、また「大加速」論から冷戦・体制間競争や日本・アジアの経済発展などを、「大加速」に向けて社会と人間のあり方が最適化されていく過程としてどのように捉え得るかなどの問題を考える。

次に「問題群」には、「冷戦と地球規模環境問題」(芝崎祐典)、「冷戦と東西文化外交」(齋藤嘉臣)、「グローバリゼーションと新自由主義」(小沢弘明)の三論考を収める。

芝崎は、これまで検討されてこなかった冷戦と地球規模環境問題の相互連関を考究し、気候変動へのグローバルな対策の枠組み形成の最初の動きが、冷戦期の核実験反対運動やベトナム反戦運動における環境破壊への注目など市民のダイナミズムと連動していたことなどを明らかにする。

齋藤は、体制間競争としての冷戦における重要な一側面であった文化外交について、クラシック音楽・ジャズ・バレエを事例として検討し、自由と民主主義を象徴するアメリカ文化が共産圏を下から崩壊させたとする「アメリカ文化外交」勝利の言説を、文化外交における高級文化《ハイ・カルチャー》の重みや、芸術家・受容者の自律性に注目して相対化する。

小沢は、一九七〇年代にオイルショックなどを契機として福祉国家型資本主義の再編から生まれた新自由主義が、グローバリゼーション政策とともに「第三世界プロジェクト」を終焉させ、社会主義圏の解体・アパルトヘイト解体後の諸体制を規定するなど、一九九〇年代には世界体制化して二一世紀の現在に到った歴史過程を解剖する。

本巻「焦点」には、八論考を収める。

「ソ連の異論派と西側市民の協働――ゆらぐ冷戦構造下の越境的ネットワーク」(松井康浩)、「東欧のロック音楽と民主主義」(福田宏)は、いずれも冷戦期後半におけるソ連・東欧圏の人権運動・民主化について新たな視角から考察を加える。松井は、一九六八年に始まる「長い一九七〇年代」におけるソ連異論派と西側支援者の越境的交流とその事業に光を当てる。福田は、チェコ「憲章七七」の背景となったロック音楽と民主化の関係に注目して、両者の関係を単純化せず、一九八九年東欧革命の意味を問い直す視点を提示する。

「日本経済――高度成長からバブル経済へ」(原山浩介)、「アジア新興諸国の発展」(高木佑輔)、「中国の変貌と大国への道」(丸川知雄)は、日本・アジア・中国の経済成長をめぐる歴史経験を、それぞれ独自の角度から考察する。原山は、日本の大衆消費社会をめぐって、高度成長がもたらした均質・平等な社会像とその揺らぎ、バブル期における共生・多様性への気づきや消費者像の変化に着目する。高木は、二一世紀も含めて著しい経済発展を遂げてきたアジア新興諸国の発展経路を、経済運営における専門知の重視、地域化、グローバル化など多様な角度から考察する。丸川は、一九七八年に改革開放が手さぐりで始まって以降、中国経済が成長軌道に着くのに大きく貢献した要因として、対外開放(外国貿易)と委託加工の展開、農業の変革、民間企業の誕生などを論じる。

「ブラック・パワーとリベラリズムの相剋――デトロイトの黒人自由闘争」(藤永康政)は、二〇世紀アメリカ社会運動の基調としての普遍的リベラリズムを、ブラック・パワー運動との関係性から批判的に考察する。「福祉国家とジェンダー――欧米諸国における「男性稼ぎ主モデル」の変容」(佐藤千登勢)は、欧米諸国の性別役割分業を軸にした社会保障制度が、ジェンダー関係や家族のあり方の変容、経済状況の悪化や新自由主義の台頭とともに、一九九〇年代までにどのような変容を遂げたのかを考察する。「宗教と現代政治」(森本あんり)は、世俗化論を裏切った二〇世紀後半における宗教の再興をめぐって、脱工業化社会の到来との関係、宗教的ナショナリズムが興隆するイスラム圏に対する西洋的な無理解の帰結などを論じる。

「コラム」には、「ドイツ「過去の克服」の系譜」(星乃治彦)、「「光州は生きている!」――光州事件がはらむ「構造」の連続性と普遍性」(真鍋祐子)、「開発独裁」(玉田芳史)、「香港返還」(谷垣真理子)、「イギリス帝国、アメリカ帝国、「ビートルトピア」」(武藤浩史)の五本を収める。いずれも、所収論文では論じることができなかった問題・視点から二〇世紀後半史を照射する。

本巻「展望」の視点から捉えるとき、「問題群」「焦点」「コラム」の各論考は、人新世・二〇世紀後半「大加速」時代の様々なシグナルを捉えた考察としても興味深い示唆を得ることができる。これらの点については「展望」本論において必要に応じて言及していきたい。

(中野 聡)

展望 | *Perspective*

「大加速」の時代

中野 聡

一、地球システム科学からの問題提起

人新世

世界各地の人々がどのような統治のもとに置かれてきたのかという関心から捉えるとき、二〇世紀後半の世界史は、第二次世界大戦の終結、脱植民地化、冷戦とその終焉(ソ連・社会主義圏の解体)、資本主義世界におけるアメリカの覇権の盛衰、地域主義・地域統合やグローバル・ガバナンスの進展あるいは戦争・紛争などをめぐる政治的な出来事を中心に描くことができるだろう。その一方、たとえば二〇〇三年生まれのスウェーデン人で、若き環境活動家として二〇一九年国連気候行動サミットの壇上から世界の指導者たちに向かって大人世代の不作為を痛烈に批判したグレタ・トゥーンベリのように(Thunberg 2021: 59-60)、地球環境と人類の生存に破壊的な影響を及ぼす気候変動への対処こそが人類最優先の課題でなければならないとする立場からは、世界史もまたその関心から叙述されるべきだということになる。この後者の関心と重なり合う考え方として、近年、人新世(Anthropocene)(1)をめぐる議論が注目を集めている。二〇世紀後半を扱う本巻の観点から興味深いのは、この議論のなかで、二〇世紀後半が地球史における「大

加速」(Great Acceleration)の時代として重要な位置づけを与えられていることである。

人新世は、現在、正式な採用に向けて検討が進んでいる新しい地質年代の呼称である。オゾン層破壊問題をめぐる一九八〇年代の国際協力(本巻芝崎論文:八八頁)に科学的根拠を与えたことで知られる研究者のひとりとして一九九五年にノーベル化学賞を受賞したパウル・クルッツェンが、二〇〇〇年、地球圏・生物圏国際共同研究計画(International Geosphere-Biosphere Programme: IGBP)の会議中に問題提起したことをきっかけに、この言葉は、まず自然科学者コミュニティの間で大きな関心を集めるようになった。IGBPは「地球の生物・化学・物理プロセスと人間システムとの地球規模・地域規模での相互作用」を研究することを目的として、国際科学会議(International Council for Scientific Unions: ICSU)の主導により一九八七年に発足し、二〇一五年まで約三〇年間にわたって継続したプログラムである。大気、海洋、生態系、気候変動などの横断的な分野で国際共同研究を推進し、二〇一二年の段階で七〇カ国一万人を超える研究者が参加、地球環境の変動を学際的に探究する地球システム科学の成立と発展に大きく寄与した(植松 二〇一二)。

会議での反響の大きさを受けて、クルッツェンは、実はすでに一九八〇年代からこの言葉を使用していた湖沼生態学者のユージン・ストーマーとすぐに連絡をとり、共著でIGBPのニュースレターに寄稿して人新世を最新の地質年代とすることを提案した(Crutzen and Stoermer 2000)。それは、現在に到る最新の地質年代とされてきた完新世(Holocene)——およそ一万一〇〇〇年前以後。さらに紀元前二二五〇年以降は完新世を三区分したなかで最終期にあたるメガラヤン期と呼ばれる——では、地球史上の現段階を表現する言葉としてはもはや不適切であり、地球の気候と生態系に人間の活動が顕著な影響を与える新たな地質年代がすでに始まっているのではないかという仮説であり、問題提起であった。以来、人新世の概念は大きな注目を集め、現在、国際地質科学連合(International Union of Geological Science)において地質年代としての公式採用に向けた検討が進められている。そして、地球システム科学の領域から発せられた地球環境を圧倒する存在にまでなった人間に対する問いかけは、人文社会科学の問題でもあるという受け止めが急速に拡がりつつあるのである（寺田・ナイルズ 二〇二一）。

人新世の始点をめぐる模索

地質年代を新たに定めるためには、その始点を決定し、その根拠となる境界模式層（前後の地質年代の層序・境界を特定できる痕跡を有する地層）の断面および境界を定義できる確認可能な地層面上の一点（ポイント）を確認・選定しなければならない。一九六一年に発足した国際地質科学連合は、これら地質年代の名称と分類を国際的に定め、世界中の候補から当該地質年代を代表するただひとつのGSSP（Global Boundary Stratotype Section and Point：国際境界模式層断面とポイント）――同連合の用語によれば「ゴールデン・スパイク」――を選定する認証機関としての責務を担っている。二〇二〇年一月、千葉県市原市の地層「千葉セクション」が同連合の執行理事会によってGSSPとして選定され、中期更新世（約七七万四〇〇〇年前–約一二万九〇〇〇年前）が新たに「チバニアン」と名付けられたことは、そのような国際認証の一例である（岡田 二〇二〇）。

人新世を提案した二〇〇〇年当時、クルッツェンらは、その始点として産業革命が始まる一八世紀後半を想定していた。この時期から温室効果ガスである二酸化炭素（以下CO_2）・メタン・窒素酸化物などの大気中濃度が増加し始めたことが、氷床コアの解析から確認できることなどが根拠であった。しかし、過去数十万年にわたる温室効果ガスの大気中濃度の変動のなかで、産業革命の開始前後に検出できる変動は必ずしも顕著で不可逆的ではない。ゴールデン・スパイクを一八世紀後半に見いだすことは簡単ではなかったようだ。

人新世の始点としては、農耕の開始（約一万一〇〇〇年前）、拡大（八〇〇〇年前）、メタン排出量が大きい水田稲作の開始（六五〇〇年前）なども候補に挙がってきた。一六一〇年も、その興味深い候補のひとつとして検討された。同年を提案した科学者たちが注目したのは、第一一巻「展望」でも論じられている、コロンブスのアメリカ到達(一四九二年)およびヨーロッパによる南北アメリカ征服・併合がもたらした、新旧大陸両世界の生物相の大規模な混合、いわゆる「コロンブス交換」である(本講座第一一巻島田竜登論文:二五―二七頁)。そのひとつの結果として旧世界にジャガイモなどが、新世界に家畜やサトウキビ・麦などがもたらされて世界各地の栽培作物が変化した年代は、海底・湖底堆積物に含まれる化石化した花粉などから検出できる。しかし、興味深いことに、科学者たちはGSSP候補として一六一〇年前後の地質境界を示す南極大陸東部のポインセット岬付近ロー・ドーム氷床に注目した。新世界・南北アメリカでは、「コロンブス交換」で旧世界から持ち込まれた天然痘などの感染症などにより人口が急減、メソアメリカ文明が破壊されたために、農耕面積が縮小して火の使用も減少した。その結果、五〇〇〇万ヘクタールにのぼる森林・緑地が回復して大気中のCO_2が吸収され、その濃度が七から一〇ppm程度低下、一六一〇年前後に最低値二七一・八ppmを記録したことが、ロー・ドームの氷床コアから検出できるというのである(Lewis & Maslin 2015: 175)。

一六一〇年説は、「コロンブス交換」に地質科学的境界を見出した点で近代世界システム論とも呼応する。メソアメリカ文明の破壊による地球規模での人口減少に注目した点でも、自然科学の側から世界史認識に一石を投じる仮説である。しかし、その後の科学者コミュニティの議論のなかで、一六一〇年は地質年代境界としての最終候補には残らなかった。人新世が提唱された場であるIGBPは、何よりも気候変動に対する危機感を背景に発展してきたプログラムである。提案者のクルッツェンも「もしわれわれ人間がこのままその力を増大させ続けるならば、人間はいずれ絶滅してしまうだろうし、地球環境も壊滅的なダメージを受ける」と述べていた(寺田・ナイルズ 二〇二一:二四頁)。このような危機感を背景に探求が始まった人新世の始点として、人口減・人間活動縮小の影響で大気中CO_2濃度が下降した局面を捉える一六一〇年説には、少し無理があったのだろう。

このように様々の候補の検討を経て、クルッツェンらの問題提起から二〇年近くを経た二〇一九年五月、国際地質科学連合の第四紀層序学小委員会「人新世」作業部会(以下、作業部会)は、(1)人新世をGSSPによって定義される公式の地質年代層序の単位として取り扱うこと、(2)人新世と完新世の境界を導く指標は、西暦紀元二〇世紀半ば頃の層序を示すシグナルのひとつとすること、以上の二点について投票の結果、いずれも二九票対三票で、必要とされる大多数(六割以上)の賛成を得て、今後、GSSPの選定に向けて本格的な検討を進めていくことを発表した。

それでは、どのような地質科学的特徴を人新世はもっていると地質科学者たちは考えているのだろうか。

都市化や農業に伴う侵食や土砂流出の桁外れの増加。炭素、窒素、リン、各種金属などの元素および新たな化学物質の循環において人為的に生じた顕著かつ急激な擾乱。これらの擾乱によって生じた地球温暖化、海面上昇、海洋酸性化、海洋「デッドゾーン」の拡大などの環境変動。生息地の喪失、捕食、家畜の爆発的な増加、種の侵入による陸と海の生物圏の急激な変化。コンクリート、フライアッシュ、プラスチック、およびこれらや他の材料から生成される無数の「テクノ化石」による多くの新しい「鉱物」や「岩石」の蔓延と全球的散乱。

これら人新世に関連すると思われる現象がもたらす変化が、現在堆積されつつあり遠い将来まで保存される可能性のある特徴的な地層に反映されつつあり、それらは二〇世紀半ばに始まった「人口増加・工業化・グローバリゼーションの〝大加速〟がもたらした結果」であるというのが、作業部会の科学者たちが到達したコンセンサスであった(Anthropocene Working Group 2019)。

その後も議論は続いている。今後、GSSPが特定されるのか、またそれが必ず国際地質科学連合の執行理事会で承認されるかは予断を許さない。しかし、作業部会の主要メンバーは人新世とその開始を告げる「大加速」の地質科学的検証に自信を持っているようだ。主要メンバーが参加した共著論文によれば、二〇二一年の時点で、大分県別府湾を有力候補に含む地球各地の一二地点がGSSP候補として検討されている(Head et al. 2022: 369-371)。やがて候補が絞り込まれて「チバニアン」のように承認されれば、その瞬間から人新世が最新の地質年代となり、教科書など世界中の地質科学の記述が書き換えられていくことになるのである。

二〇世紀後半の「大加速」

「人新世」作業部会が言及する「大加速」とは、二〇〇四年、IGBPが国際共同研究の集大成のひとつとして世界に向けて刊行した『グローバル変動と地球システム』のなかで強調されている二〇世紀後半の事象を指している。同書は次のように述べている。

> 二〇世紀後半は、人類が地球上に存在した歴史の中でも特異な時代である。多くの人間の活動が二〇世紀のある時期にテイクオフし、世紀末に向けて急加速してきた。過去五〇年間は、間違いなく、人類史上最も急速に自然界と人間の関係が変化した時期なのである。(Steffen et al. 2004: 131)

この見方の根拠として同書は、人間活動の加速と地球システムの変化を示すそれぞれ一二個の指標を選び、印象深くグラフ化して見せた。

同書が選んだ一二の人間活動指標のうち、人口(図1-1:①)、実質GDP(以下同:②)、都市人口④、化学肥料使用⑥、大規模ダムの数⑦、水資源利用⑧、紙生産⑨、自動車台数⑩、(固定・携帯)電話契約数⑪の九項目は、人口や経済成長・開発に伴う地球規模における人間活動の総和を示している。残る三項目には、海外直接投資③、マクドナルド・レストラン店舗の総数、海外旅行(入国者数、⑫)が採用され、グローバリゼーションの加速を示す指標となっている。なかでも興味深いのはマクドナルド・レストラン店舗の総数だろう。一九五四年にはカリフォルニアで営業する一レストランに過ぎなかったマクドナルドは、二〇〇〇年には世界一二一カ国に二万九〇〇〇店舗を数える世界最大のグローバル・レストラン・チェーンに成長した。一九九〇年、モスクワのプーシキン広場に開店したマクドナルドは、冷戦の終わりに伴うグローバリゼーション加速の象徴となった。効率・統制・消費パターンの均質

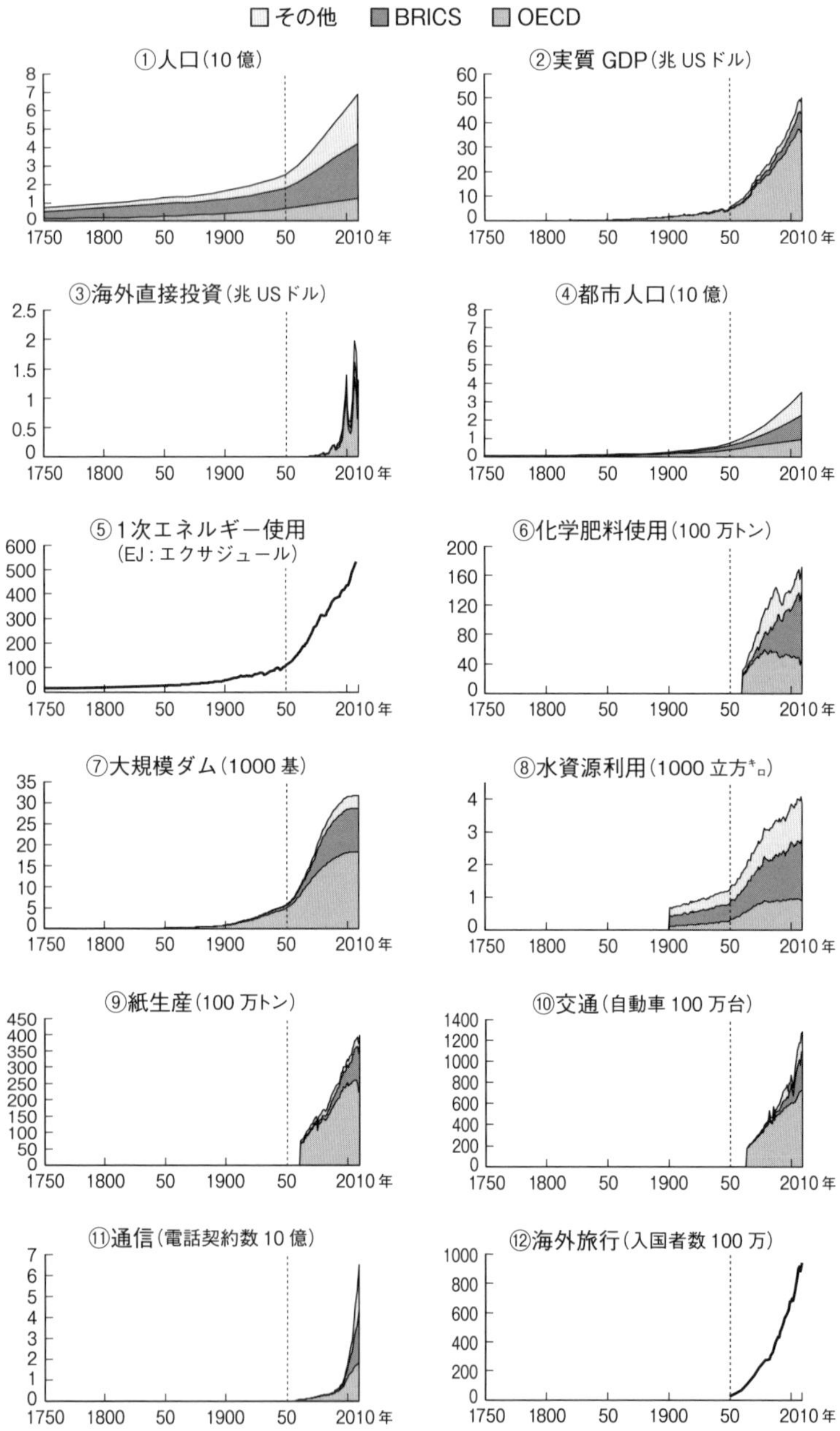

図 1-1 「大加速グラフ群：社会経済トレンド」（単位）
出典：IGBP（2015）より作成

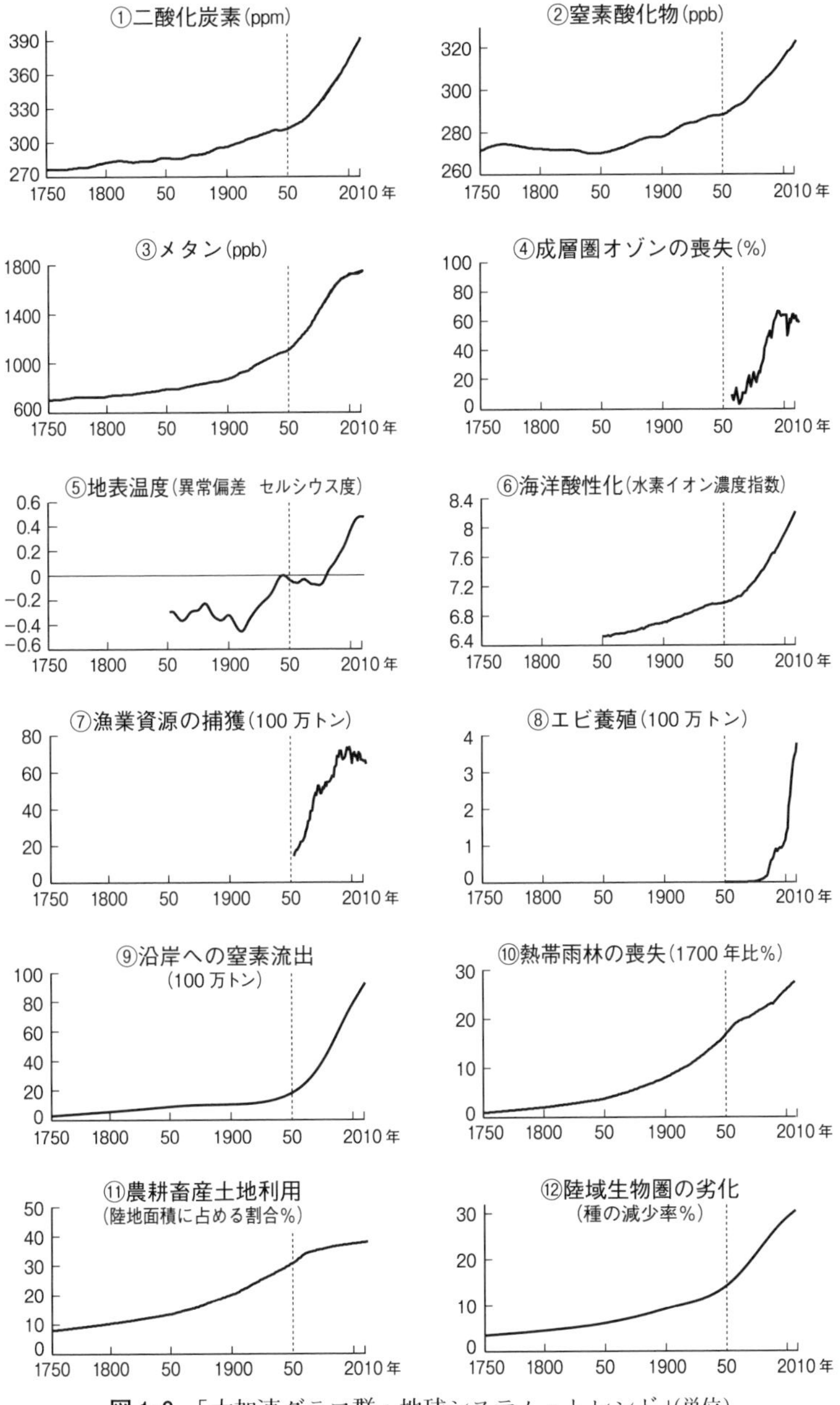

図 1-2　「大加速グラフ群：地球システム・トレンド」(単位)
出典：IGBP(2015)より作成

化などをもたらしてきたファストフードという業態を世界各国に拡げる先駆けとなったマクドナルドは、ジョージ・リッツァが「マクドナルド化する社会」(リッツァ　一九九九)と呼んだように、二〇世紀後半における大量生産・大量消費・グローバル資本主義を代表する存在だった。

次に同書が選んだ一二の地球システム指標のうち、CO_2(図1-2：①)・窒素酸化物(以下同：②)・メタンの大気中濃度(③)、成層圏オゾンの喪失(④)、地表温度の異常偏差(平均気温との上下変動、⑤)、大洪水(一〇〇年に一度の洪水発生頻度)の六項目は、大気・気候の変動を示している。残る六項目には、漁業資源の捕獲量(⑦)、養殖エビ生産量(⑧)、沿岸部への窒素流出(生活排水・工場排水・農業畜産その他排水の影響を示す、⑨)、熱帯雨林の喪失率(一七〇〇年比、⑩)、陸地面積に占める農耕畜産土地利用率(⑪)、そして種の絶滅数が選ばれた。種の絶滅数以外は人間活動そのものを表す指標と言ってもよいが、例えば養殖エビ生産量は沿岸域の人工的改変の度合いを示す代替指標(プロキシ)として採用されている。樹木年輪が古気候を復元するためのデータとして解析されることはプロキシの分かりやすい例であるが、ここで選ばれた諸指標からは、社会経済の様々な営みをプロキシとして読み取り、人間活動が地球環境に影響を与えていく複雑な機序を解明しようとする地球システム科学者たちの問題関心が浮かび上がる。

以上二グループ各一二個の指標を、『グローバル変動と地球システム』はいずれも同一フォーマットで(データが存在しない時期も含めて)一七五〇―二〇〇〇年を横軸とするグラフとして示した。人間活動の一二指標はいずれも一九五〇年前後から指数関数的に急上昇する曲線を描く。地球システム一二指標は人間活動ほどにテイクオフの境界は明確ではないが、やはり二〇世紀後半に向けて不可逆的な変化が加速した様子が示される。こうして人間活動の急加速と地球環境の急激で不可逆的な変化がほぼ同時に進行した事実を示すことにより、二四のグラフは、二〇世紀後半が「人類史上最も急速に自然界と人間の関係が変化した時期」であることをビジュアルに主張したのである。

二〇一二年、地球環境研究・サステナビリティ科学の新たな国際的プラットフォームとして新たにフューチャー・

アースが発足したことにより、二〇一五年、ＩＧＢＰは三〇年にわたる活動を終了した。これに先立ち、二〇一〇年までのデータを更新した「社会経済(人間活動から名称変更)」・「地球システム」二グループ各一二指標のエクセル・ファイルとグラフ群が「ＩＧＢＰ大加速データ・コレクション」として公開された。なお、更新されたデータ・コレクションではデータの精度を高めるとともに採用指標も若干の入れ替えが行われ、マクドナルド・レストラン店舗の総数に換えて一次エネルギー使用量(図１-１：⑤)が、大洪水に換えて海洋酸性化(海洋中の水素イオン濃度、図１-２：⑥)が指標として選ばれ、種の絶滅数については陸域生物圏の劣化を示す新たな指標(モデル化された種の平均数の減少率、同：⑫)に置き換えられている(Steffen et al. 2015: 83-84)〔**図１-１・１-２**〕。

二、「大加速」論との対話

人新世・「大加速」論と歴史学

一九九九年の歴史学研究会全体会「世界史における二〇世紀(Ⅳ) 再考――方法としての戦後歴史学」で、「発展段階論の現代的再生」を問題提起する立場から報告を行った石井寛治は、近代資本制社会が生み出した空前の「生産力」は「破壊力」とイコールでもあって、二〇世紀前半が「核兵器に代表される未曽有の破壊力をもちいた世界戦争による人間破壊の時代」であったとすれば、二〇世紀後半は「経済活動の活発化による地球の生態系の破壊がいちじるしく進んだ時代」となり、いまや世界は「南北の生活水準格差を解消する努力が仮に実現したとしても、そのことが、地球環境問題のさらなる深刻化を招いてしまう袋小路」に陥っていると論じた(石井 一九九九：九頁)。地球システム科学からの問題提起を待つまでもなく、二〇世紀とくにその後半における世界経済の成長加速に伴い拡大した公害・環境破壊・地球環境問題や人口問題に対する危機意識は、本巻芝崎論文がその経緯を辿っているように、長年にわたり世界の大きな関心事であり続けてきた。

とりわけ、一九七二年に出版されたローマ・クラブ報告『成長の限界』は、刊行と同時に全世界で大きな反響を呼んだ。地球規模で進行する「幾何級数的成長」の性質と限界を論じ、コンピューター・シミュレーションを活用した同報告は「世界人口、工業化、汚染、食糧生産、および資源の使用の現在の成長率が不変のまま続くならば、来たるべき一〇〇年以内に地球上の成長は限界点に到達するであろう。もっとも起こる見込みの強い結末は人口と工業力のかなり突然の、制御不可能な減少であろう」(メドウズほか 一九七二：一一頁)などと結論して「ゼロ成長」への転換を提唱した。しかし、同書には各専門分野からの反発も強く、シミュレーションの前提や手法も強い批判を浴びて、早くも一九八〇年代には「外れた未来予測」として扱われるようになった。

予測の当否を論じるには、まだあと半世紀残されている。食糧生産などでは『成長の限界』論を突破するような増産が実現した。世界経済の成長は続いており、とくに同書の出版後、工業化と経済成長の波は先進主要工業国から東アジア・東南アジアの新興工業諸国、中国、インドなどに拡がってきた。『グローバル変動と地球システム』にも、同書への格別の言及はない。しかし、『成長の限界』が地球を一つのシステムとして捉えるマクロ予測モデルの先駆となり、その延長線上に「大加速」論が位置していることは明らかである。異なるのは『成長の限界』が未来予測であったのに対して、「大加速」論は地球史認識の問題――すでに起きてしまった出来事――として提起されたという点だ。とりわけ歴史学が人新世論・「大加速」論との対話を求められている所以もそこにある。

ディペシュ・チャクラバルティが二〇〇九年に発表したエッセイ「歴史の気候」は、人新世論に対する歴史学からの本格的な応答として議論が拡がる契機となり、二〇二一年には著書として出版された(チャクラバルティ 二〇二〇、Chakrabarty 2021)。その議論を通じて浮かび上がるのは、結局のところ、近現代の歴史学が宿命的に背負ってきた人間中心主義をどのように評価するべきかという本質的な問いである。杉原(二〇二〇)など、グローバル経済史の分野でも人新世論との対話が始まっている。地球システム科学の視点と関心は基本的には定量的であり、全球的・空間的視点を前提としている点では文字通りグローバルである。人新世論が、定量的関心という点ではデータ検証型社会科学としての経済史と、空間的関心という点ではグローバル・ヒストリーと相性が良いのは当然だろう。このように議論が拡がりつつあるとは言え、人新世論を歴史学・世界史叙述がどのように受けとめるべきかについての本格的な検討は、まだこれからである。日本の歴史学界においても、石井(一九九九)の問題提起を受け継ぐ議論が、その後、深められてきたとは言えない。

地球システム科学が問題提起してきた人新世の概念は、例えば前節において「コロンブス交換」について検討したように、歴史学との対話に開かれたいくつもの可能性がある。チャクラバルティらが論じる歴史学の本質論は本巻「展望」のよくなし得るところではない。以下では、「二〇世紀後半」を世界史に位置付ける本巻「展望」の立場から、とくに「大加速」論が世界史叙述に提起している課題について、四つの論点——「大加速」呼称の含意、プルトニウム同位体への注目の意味、「大加速」論が導く時代区分としての「長い二〇世紀」、そして「短い二〇世紀」・「二〇世紀システム」論からの示唆——を考えてみたい。

「大加速」と『大転換』

まず注目したいのは、「大加速」の呼称が提起する問題である。

二〇二四のグラフ群が示す二〇世紀後半の現象を地球システム科学者たちが「大加速」と呼ぶようになったのは、『グローバル変動と地球システム』刊行の翌二〇〇五年、ベルリンで行われた「統合された歴史と地球上の人々の未来」(Integrated History and Future of People on Earth: IHOPE)ワークショップで、環境史学者J・R・マクニールが提唱したことを契機とする。ここで興味深いことは、その呼称がカール・ポラニーによる一九四四年の著書『大転換』

(*Great Transformation*)へのオマージュとされている点である。マクニールらによれば、同書でポラニーは市場経済が近年の構築であるとともに経済学は社会的文脈を見落としてはならず、経済を社会の伝統・習俗・知的習慣に埋め込まれた存在として捉える必要性を主張しているが、全く同様に、地球規模で生態を人為的に変化させている駆動力もまた社会とその伝統に埋め込まれており、人類の全歴史は生物・地球環境の展開に埋め込まれている――このような認識から、『大転換』を念頭において「大加速」の呼称が提案されたという(McNeill & Engelke 2014: 213)。

地球システム科学者の間では、ポラニーに関してこれ以上の議論は行われていない。そのことが意図的であるかどうかは判断材料に欠けるのでここでは論じない。しかし「大加速」が『大転換』へのオマージュだとすれば、その含意は右の指摘に留まらないはずである。よく知られているように、『大転換』は、一九世紀ヨーロッパにおいて生成・発展して金本位制と共に世界を覆うに至った自由市場経済の行き過ぎ・専横やその自動調整機能の限界に対して、社会が自らを防衛するために自己調整的市場原理を放棄した一連の結果として、二〇世紀前半の社会主義・ファシズム・ニューディールを捉える世界史認識を示した。そのうえで同書の終章では、来るべき「複合社会」においては、社会の統治権力が市場の行き過ぎを規制・管理する強制力を持つべきだと論じたうえで、そのような権力・強制と――近代において市場経済自由主義と分かちがたく結びつけて理解されてきた――自由との両立を課題として提示して、予想される自由主義者からの批判に応答している。

とりわけ、同書の結語は示唆的である。人間は、個体としての死が不可避であるという真実に身を委ねることでみずからの自由を打ち立てたと述べて、個体の死が不可避であることを自覚するがゆえに、人間は自らの無制限な自由よりも――社会の存続、究極的には種の保存につながる――利他的選択をすべき存在であることに期待を示したうえで、ポラニーは同書を次のように結んでいる。

忍耐強く社会の現実を受け入れれば、人間は除去しうるあらゆる邪悪と隷属を排除する不屈の勇気と力を与えられるだろう。また人間が万人のために溢れるばかりの豊かな自由を創造するという自己の使命に忠実であるかぎり、権力と計画化が人間の意に背き、それらを道具として使いながら打ち立てようとしていた自由を破壊するという事態を恐れる必要はない。これが、複合社会における自由の意味であり、この使命の重要性が、われわれの必要とするすべての確信を与えてくれるのである。（ポラニー 二〇〇九：四六八頁）

地球システム科学者たちが唱える「大加速」論もまた、その根底にある問題関心は、クルッツェン（本稿九頁）に代表されるように、個体の死を超えて種を保存すること、さらには特定の種の保存を超えて地球環境を保全することである。そしてそのためには地球環境を圧倒する存在となった人間による活動の過熱と専横を管理・制御して、地球環境と共存する持続可能な発展を可能にするような「地球システム・ガバナンス」を構築することが必要だというのが、彼らの訴えである。このことを踏まえると、自己調整的市場経済の限界に対して社会が自己防衛のために自由——とりわけ経済的自由——を制限しなければならないという社会の現実を忍耐強く受け入れるべきだというポラニーの論理は、二一世紀においては、地球環境もまた人間活動に対する規制・計画・強制によって防衛されなければならないという現実を受け入れること、と読み直すことができる。さらに、「万人の」他者の「自由を創造」するために企業・富裕層などの経済的自由の濫用を規制することは、むしろ弱者の自由を拡大し、社会全体から見れば自由の拡大を意味するというポラニーの主張は、「地球システム・ガバナンス」において、気候変動の被害を受けやすい弱者としての立場とともに経済成長の権利を主張する「グローバルサウス(2)」をめぐる「公平性」（エクィティ）の課題意識と深く共鳴するものだと言えるだろう。

ここで見逃せないのは、地球環境に対する人々の関心が高まった二〇世紀第4四半期を通じて、本巻小沢論文が詳しく論じるように、新自由主義が欧米・日本さらには工業化をめざす途上国に大きな影響を与え始め、一九九〇年代には冷戦後の旧社会主義圏の市場経済化をはじめグローバリゼーションの加速を支える政策・思潮として大きな役割を果たしたことである。『大転換』改訂版は、まさに新自由主義とグローバリゼーションの功罪をめぐる論争が高まる最中の二〇〇一年に刊行された。同版に序文を寄せた経済学者ジョセフ・スティグリッツは、新自由主義に基づく世界経済政策の基調としてのワシントン・コンセンサスを厳しく批判して、IMF主導による強引な市場自由化政策がソ連崩壊後のロシアやアジア経済危機後のインドネシアの経済を破綻させたとする持論を展開している(ポラニー二〇〇九:vii－xxi頁)。このように新自由主義批判の書として二一世紀に改めて注目を集めた『大転換』の文脈をふまえれば、二一世紀版「複合社会」論としての「地球システム・ガバナンス」の課題は、新自由主義との間で、まさにポラニーが問題提起した意味において不可避的な緊張関係に置かれていることは明らかなのである。

プルトニウム同位体

第二の論点として注目したいのは、人新世の地質年代を定めるシグナルとして、放射性核種であるプルトニウム同位体が注目を集めていることと、その意味である。作業部会委員が参加した共著論文は、「大加速」が地球環境に大きな影響を与えた現実であることを強調する一方で、「大加速」の諸事象だけでは人新世を地質年代として定義できず、GSSPの特定が必要だとする地質科学の大原則を強調する(Head et al. 2022: 369)。そして、GSSPは、当該地質年代を特徴づける――局地的にではなく全球的に等時性を確認できる――シグナルを、最も典型的に、また良い状態で保存していなければならない。シグナルは、様々の要因により層序間で移動せず、通時性や逆行性をもたないことも重要とされている。そして、これらの条件に合致する最も有望なシグナルとして作業部会が提案しているのが、「一九五〇年代初頭からの熱核実験によって全球に拡散した人工放射性核種」とりわけプルトニウム239をはじめとするプルトニウム同位体である。

自然界にはごく例外的に微量に存在するに過ぎないプルトニウム同位体は、一九四五年七月一六日に、アメリカ・

ニューメキシコ州で行われたプルトニウム型原子爆弾を使用した人類最初の核爆発（トリニティ核実験）で初めて大量に大気中に放出された。同年八月六日には広島にウラニウム型原爆が投下され、九日には長崎にプルトニウム型原爆が投下された。さらに、一九五二年以降、南太平洋などで本格化した大気中核実験（本講座第二巻竹峰誠一郎論文）では、一九四五年をはるかに上回る放射性核種が大気に放出され、地球規模の放射性降下物（グローバル・フォールアウト）が堆積したことが氷床コアや海底堆積物から確認できる。

地質科学者コミュニティにおけるこれまでの議論では、プルトニウム同位体をシグナルとしてGSSPを選定する場合、頻繁に実施された大気中核実験によるグローバル・フォールアウトの方が明瞭なシグナルを検出できることから、人新世の始点を一九五〇年代初頭あるいは大気中核実験がピークに達した一九六三年前後に求める見方が有力のようだ。ただし、一九五〇年代のそれよりは微量ではあっても、一九四五年の一連の核爆発についても、とくに上空五六〇メートルで起爆されたために大気圏に広くプルトニウムが放出されたと考えられる長崎原爆のグローバル・フォールアウトが北極の氷床コア解析から確認されていることには留意しておきたい（馬原・工藤 二〇〇五）。

プルトニウム同位体をシグナルとすることについては、はたして大量破壊兵器の放射性副産物の採用が世界の地質科学者コミュニティの間で歓迎されるだろうかという疑問も表明されている（Gibbard et al. 2022: 396）。このような懸念も意識しているのか、作業部会の科学者たちは、プルトニウムを推す根拠については、その歴史的含意によるのではなく、あくまでGSSPを選定するうえでの層位学的有用性にのみ基づくことを強調している。

しかし、「大加速」論のポランニー的含意の場合と同様に、歴史学の立場からは、プルトニウム同位体のグローバル・フォールアウトをシグナルとして選定することの世界史的意味を見逃すわけにはいかない。冷戦においては、核兵器の存在と相互確証破壊戦略（MAD）によって、対立する核保有国・諸大国同士が直接に相互を破壊する戦争を回避することにより、先進諸国は「長い平和」を享受した一方、冷戦期の破壊と殺戮の大半は第三世界で展開した（本講座第二巻青野利彦論文）。このことを地球環境史的観点から言い換えれば、朝鮮戦争・ベトナム戦争にせよ、植民地独立戦争にせよ、インドネシア・カンボジア・ルワンダなどで次々と発生したジェノサイドにせよ、これらの破壊と殺戮は面積・人口比CO_2の排出量やその増加率が――それぞれの出来事の当時にあっては――極めて低い国々を舞台として展開したのである。その一方、欧米や日本などの国々は「長い平和」のもとで、朝鮮戦争特需・ベトナム戦争特需のように場合によっては局地戦争の軍需をテコにさえして、「大加速」を先導し、主導したのである。

このように捉えるならば、一九四五年から始まり一九六三年にピークを迎えた大気中核爆発によるプルトニウム同位体のグローバル・フォールアウトと、二〇世紀後半「大加速」との間には、冷戦の原因物質であるプルトニウムがもたらした「長い平和」が、まず主要工業国に経済成長をもたらした結果として「大加速」現象が始まったという意味で、明瞭な因果関係を求めることさえ可能である。だとすれば、プルトニウム同位体は、その地質科学的有用性だけでなく、むしろ大量破壊兵器の放射性副産物であったがゆえに、GSSPを定めるシグナルとして採用すべきなのだと、歴史学の立場からは言えるのである。

「長い二〇世紀」後半としての「大加速」の時代

第三の論点として、時間軸――時代区分の問題――を考えてみたい。

二〇世紀後半に「自然界と人間の関係が変化した」という「大加速」論は、一見、二〇世紀半ばを境界とする歴史の非連続性や断絶を前提としているように見えるかもしれない。二〇世紀後半の直前には第二次世界大戦という人類史上最大規模の戦争があり、とりわけ「戦前」から「戦後」への変化が国民的記憶に埋め込まれている日本では、歴史の断絶面に目が向けられがちである。しかし、「大加速」論が示している諸現象は、断絶ではなく、むしろ人間活動加速の連続性がもたらした変化である。

ここで、培地の入った試験管で行う酵母や細菌など細胞の生長（増殖）実験を思い浮かべてみよう。細胞が培地に適応する前後でその生長速度は、緩慢な「誘導期」から指数関数的に増殖する「対数期」へと急激に加速する（パッカー一九七三：一六〇—一六二頁）。そして、「対数期」の生長速度が描く曲線は「大加速」グラフ群と酷似する。二〇世紀後半における人間活動の「大加速」とは、まさにこの実験のように一定の環境・条件が保たれているなかで起きた現象なのだと考えると——およそいかなる時代区分も、連続と非連続、継承と断絶の両面から、あるいはその複雑な組み合わせから考察・叙述されるべきことは言うまでもないが——「大加速」論は、二〇世紀後半をそれ以前との連続面で捉えることを後押しする見方のひとつに数えることができるのである。

それでは、どの時代からの、どのような現象の連続面として「大加速」の時代を捉えることが有用であろうか。すでに見たように、「大加速」グラフ群は産業革命を起点とする人間活動の加速に注目する見方から一七五〇年を時間軸の原点としている。しかし、ここで考えたいのは原点をどこに遡らせるかではない。すでに見たように、「社会経済トレンド」各グラフは地球規模における人間活動の総和を示していて、その前半部分（一八世紀後半—一九世紀前半）は、右の実験で言えば細胞の生長速度がまだ緩慢な「誘導期」の相を示している。しかし、周知のとおり、この時期においてすでにイギリスでは、工業化・人口成長の「対数期」が始まっていた。

その後、イギリスの成長速度は細胞増殖実験における「定常期」と同様に鈍化する。その一方、いわゆる第二次産業革命の時代——おおむね一九世紀第4四半期から第一次世界大戦まで——には、南北戦争終結後のアメリカや帝国成立後のドイツで工業化と経済成長が「対数期」を迎え、欧米から遠く隔たった日本でも工業化が始まった。地球規模の総和で示される各グラフの成長曲線の伸びはまだ緩やかだが、この時代以降、欧米・日本などが、それぞれ異なる時期に急速な工業化と高度経済成長・人口急増・急速な都市化などを含む成長の「対数期」を迎えていく。

このようにふり返るならば、工業化と経済成長のメカニズムは、それが一八世紀後半にイギリスで始まったこと以上に、それが第二次産業革命の時代以降、世界に向けて拡大したこと――工業化のグローバリゼーション――に、やがて地球社会が「大加速」に向かう画期としての意味が求められなければならない。とりわけ東アジアの日本という、地理的にも歴史的にも欧米から隔絶した国で、第二次産業革命の時代に工業化が始まったことは地球史における重要なシグナルとして捉えることができるだろう。

第二次産業革命の時代からの連続面を重視する見方は、帝国主義世界分割の時代(一九世紀第4四半期から第一次世界大戦まで)から始まる「長い二〇世紀」を――支配・被支配の構図をもつ――帝国世界の形成から解体までの時代として捉える世界史像(木畑 二〇一四)と重なり合う。帝国主義・帝国支配と世界各地域の工業化・開発の行方とは同じコインの裏表の関係にあったと言えるのだから、それも当然である。帝国主義の時代に世界を割拠した諸帝国は、工業力=軍事力を競いあう主要工業国でもあった。また諸帝国が帝国である所以は、公式支配としての植民地統治および勢力圏に対する非公式支配を通じて、帝国(中枢)の利益を優先して周辺の開発や工業化を、場合によっては阻み、また場合によってはその段階や方向を統制・支配することにあった(Bent 2021: 1350-56)。帝国世界が動揺と再編の時代を迎えた両大戦間期において、植民地独立を求める民族主義者の多くが独立後のビジョンとして工業化の未来を思い描いたのも、また当然のことであった。

帝国世界の歴史としての「長い二〇世紀」において、「大加速」の時代――第二次世界大戦後の世界史――は、帝国世界の解体期と位置付けられる。そしてこの観点からは、冷戦が脱植民地化の過程に与えた影響、米ソ両超大国それぞれの帝国的性格、脱植民地化=帝国解体が生み出した新たな国際秩序をどのように評価するかなどが、検討すべき大きな課題となる(木畑 二〇一四)。本講座第二二巻「展望」(峯陽一)は、この見方を共有する立場から、国際連合の成立、冷戦、脱植民地化などに焦点を当てつつ、二〇世紀後半期の広い意味における国際秩序の展開を、第三世界・周辺・人間(人権)の視点から大胆に見直す視点を提示している。そしてこれらの問題群もまた、世界各地の開発や工業化のあり方と深く結びついて展開したのであり、「長い二〇世紀」後半における「大加速」時代を取り巻いた政治環境として捉えることが可能である。

第二次世界大戦後に発足した国際連合の加盟国数は、発足時の五一から冷戦終焉後の一九九四年には一八五カ国に達した。このように、二〇世紀後半を通じて地球上のより広い地域を、より多くの主権国家が覆うようになったことは、巨視的・長期的には、工業化・開発政策に対して主権を行使する政府が統治する地理的範囲が拡大したという意味において「大加速」の政治的条件を構築したと捉えることも可能である。しかし、第二次世界大戦後の長い期間にわたって、実際には、脱植民地化と旧植民地諸国・地域の開発・工業化は、独立前にナショナリストたちが夢見たようには直結しなかった。むしろアジア・アフリカ諸国の多くでは、脱植民地化と冷戦が絡みあう独立戦争や内戦の混乱が続いたことに加えて、アメリカを中心に再編された資本主義世界システムにおける中心・周辺関係や、ソ連社会主義の帝国的性格のもとで、帝国世界の周辺が「低開発の発展」を強いられる構造が持続した。その一方、一九五〇年代から六〇年代にかけて、「大加速」グラフ群が示す「対数期」の始まりを主導したのは、すでに指摘したように――プルトニウムによる――「長い平和」のもとで戦後復興と高度成長を実現した社会主義圏を含むヨーロッパや日本など既存の主要工業国であり、同時期のアジア・アフリカ諸国の大半は、開発・工業化の歩みが始まっていたとしても、その成長速度はまだ「誘導期」に留まっていた。

帝国世界で被支配の立場に置かれてきた歴史をもつ地域から、いよいよ成長の「対数期」を迎える国々が現れるのは、おおむね二〇世紀が第4四半期に入る前後からである。すなわち、一九七〇年代から八〇年代にかけて、既存の主要工業国の成長速度が鈍化する一方でアジア新興諸国の高度成長が始まった(本巻高木論文)。一九九〇年代からは中国本土で、二〇〇〇年代からはインドなどで、それぞれ経済成長が「対数期」を迎えていく。その結果、例えば中国の世界GDP比(歴史的推計を含む)は、一八二〇年には三三%と圧倒的比重を占め、一九五〇年には五%にまで低下したのが、二〇〇八年には一七％まで回復した(杉原 二〇二〇：二一三頁)。このような事象は、一九世紀以降、資本主義世界システム・帝国世界の歴史のなかで劣後を強いられてきた諸地域の歴史的復権という側面をもつ。二〇一二年一一月、中国共産党中央委員会総書記に就任した習近平が行った「中国夢」演説で「中華民族の偉大な復興の夢を必ず実現できる」と謳ったのは、そのような歴史認識の一例である(林 二〇一七：二四頁)。さらに近年、過去の帝国支配により深く傷つけられてきたアフリカが、しばしば世界経済成長の「最後のフロンティア」と呼ばれている。二一〇〇年にはアフリカの急速な人口成長を背景としてアフリカとアジア(アフラシア)が世界人口の八割を占めて世界地図の重心が大きく変化する可能性も論じられている(峯 二〇一九)。歴史的復権という観点からも注目される見方である。

このように人間活動の総和を示す「大加速」グラフ群は、その背後に、それぞれ異なる時期に「対数期」を迎えていく地域・国々の順序と変遷の経緯に帝国世界の歴史的展開が埋め込まれている。そしてここでも「公平性」の問題が浮かび上がる。二〇〇四年発表時のグラフ群のデータでは、人間活動に関するいずれの指標も地球規模の総和が示されているだけであることが批判を受けて、二〇一四年に更新されたデータ・コレクションでは、一二指標中一〇指標について、いわゆる「先進国クラブ」としてのOECD加盟諸国(二〇一〇年時点)、BRICS諸国(ブラジル・ロシア・インド・中国・南アフリカ)、その他諸国に分けたデータを基礎としてグラフ群が作成された。それらによれば、二〇一〇年においては、世界人口のおよそ一八％を占めるに過ぎなかったOECD諸国が依然としてGDPの七四％を占めていた。言い換えれば、人類が地球システムに与えてきた影響の大部分は、これまで先進諸国からもたらされてきたものであり、そこには、「大加速」の恩恵のグローバルな分配における、先行した国々・劣後した国々の間に存在する深刻な歴史的不平等が反映しているのである(Steffen et al. 2015: 91-92)。

「短い二〇世紀」・「二〇世紀システム」論からの示唆

時期の異なる「対数期」成長の総和として「大加速」を捉える視点は、右に述べた「公平性」の視点とともに、それぞれの経済成長をもたらしてきた世界各地における発展経路の複数性という問題を提起する。この観点から「長い二〇世紀」論と対比すべきは、体制間競争の時代として二〇世紀を捉える「短い二〇世紀」論であろう。

エリック・ホブズボーム『二〇世紀の歴史――両極端の時代』(二〇一八、原著一九九四)は、代表的な二〇世紀史論として広く読まれている。同書は第一次世界大戦が勃発した一九一四年からソ連が崩壊した一九九一年までを「短い二〇世紀」と呼び、これを三分して、まず一九四五年までを二度にわたる世界大戦を経験した「破滅の時代」と呼び、さらに第二次世界大戦後からソ連崩壊までを一九七〇年代初頭を分水嶺とする二つの時期に分け、前半を米ソ両超大国間の「冷戦」のもとでかつてない経済的繁栄が続いた「黄金時代」、ソ連解体に終わる後半を「世界が方向性を見失い、不安と危機」へと陥った「危機の時代」と呼ぶ。発展経路の複数性は、世界史において必ずしも対立・紛争の要因になってきたわけではない。しかし、「短い二〇世紀」は、それが全体主義対民主主義、社会主義対自由主義というように二項対立的に捉えられ、世界戦争や冷戦をもたらし、一九九〇年代に至って最終的には自由主義を標榜する資本主義体制へと収斂していった時代であった。

一九一七年生まれのホブズボームが「ロシア革命の影響によって形作られた世界」の「一九八〇年代の終わりに砕け散る」までの時代を自らの同時代として語り尽くした「短い二〇世紀」論は、鋭く魅力的な歴史批評が全編を貫く一方で、視点が西欧の歴史経験に大きく偏っている。また西欧共産主義知識人としての矜持とも関連して、二〇世紀後半を「黄金時代」と「危機の時代」に二分して光陰に描き分けた時代区分は、むしろ「黄金時代」に冷戦の犠牲(熱戦の舞台)となり、「危機の時代」にようやく戦乱を脱して繁栄の時代に向かったアジアから見ると違和感があるなど批判も呼んだ(エヴァンズ 二〇二一:下巻二二八―二二九頁)。二〇世紀後半を二分する見方は、時代区分という点では「大加速」論とも相容れない。その一方、ホブズボームによる「黄金時代」の叙述は、巨大な変化の時代としての「大加速」の本質に迫る鮮やかな描写と批評に溢れている。

ホブズボームと同様に二〇世紀末に刊行された『二〇世紀システム』(東京大学社会科学研究所 一九九八、全六巻)は、第一次世界大戦以降の国際的政治経済関係の基本を「二〇世紀システム」と規定したうえで、空前の高い経済力を有したアメリカをシステムのセンターに位置するサブシステムと捉え、アメリカのシステムを受容した日本など西側諸国、対抗システムとしてのソ連・社会主義圏、両システムの拡張・防衛の戦いの場としての第三世界(発展途上国)の開発主義などを体系的に比較考察した諸論考を収めた。体制間競争に注目する点はホブズボームと同様だが、二〇世紀を「経済成長の時代」として位置づけたうえで、生産方式・競争政策・技術開発・(国営)企業・労使関係・開発体制などの諸側面にわたってアメリカ・ソ連・日本・発展途上国の諸事例を検討した比較史的考察は、多様な発展経路の具体像を示し、「大加速」時代の歴史像を考察する示唆に富む。これらの比較から浮かび上がるのは、体制間競争の二項対立的な「両極端の時代」というよりも、いずれの体制も工業化と経済成長を目指した点では共通していたという歴史像である。

それでは、ソ連・社会主義圏の崩壊と体制間競争の終焉をもって終わる「短い二〇世紀」ではなく、工業化・経済成長の連続性に注目して「長い二〇世紀」を時代区分として採用するとき、それはいつ終わったと言えるだろうか。あるいは、そもそも現時点(二〇二〇年代前半)においてそれは終わっている、と言えるのだろうか。

歴史学において現在の評価は常に鬼門である。とはいえ、「大加速」を指標とする限りでは「長い二〇世紀」がすでに終わったと評価することは難しい。たしかに、日本を筆頭として韓国・中国などの東アジア諸国で——日本の場合、細胞増殖実験で言えば「死滅期」を思わせる曲線を描いて(国土交通省 二〇一四：一六頁)——かなり急速な人口減少が始まっていることは重要なシグナルである。日本の人口減少が始まった二〇〇九年が「大加速」時代の終わりの始まりであったと言われる日がやがて来るかもしれない。しかし、すでに述べたように、少なくとも二〇一〇年までは「社会経済トレンド」の大多数の指標において「大加速」は継続しており、地球環境の破壊も深刻の度を増すばかりである。COVID-19が与えた各国の経済成長に対する影響は無視できないが、「大加速」を終わらせるような出来事ではなかったことが明らかになりつつある。いまのところ、二〇世紀後半は「大加速」の時代ではなく、「大加速」が始まった時代、という位置づけになる可能性が強いようだ。

それでは、「大加速」が終わらない一方で、何をもって「長い二〇世紀」が終わったと言えるだろうか。二〇世紀末に書かれた『二〇世紀システム』「序」は、対抗システム(ソ連・社会主義圏)の崩壊により「二〇世紀システム」の統合が完了したが、そのことがシステムの変質を促し、「宗教、民族、氏族などの相違」から対立が生まれ、システム周辺における撹乱的事件が頻発しているとして、「二一世紀システム」の構図はまだ見えていないと述べていた(橋本 一九九八a：一六—一七頁)。同シリーズが検討の中心に据えた経済成長は、二一世紀の現在も、依然としてほとんどの主権国家の政策目標であり続けている。新自由主義は、一九九〇年代に「世界体制」化したのちリーマン・ショック(二〇〇八年)をも乗り越えて「不死身」の持続性を示していると、本巻小沢論文は指摘する(一四三頁)。

このように、「長い二〇世紀」の終わりについて結論は出ない。時代の転換点とは、往々にしてその渦中にいるとき、私たちには時代がどこに向かっていくのか、その方向が見えない。その一方、あり得べき「二一世紀システム」の課題については、すでに二〇世紀末において本巻「展望」が参照してきた著者たちの間に幅広いコンセンサスを確認できる。ホブズボームは「二つの重要な、そして長い目でみると運命を決する問題」として「人口と生態系」を挙げ、「ソヴィエト共産主義の亡骸を満足げに眺めることではなく、資本主義に内在する欠陥を、いま一度見直すこと」を提唱し、新しい千年紀において「人類の運命は公的な機能が復活できるか否かにかかっている」と述べる(ホブズボーム 二〇一八：下巻五五九—五七六頁)。その問題意識は、明らかにポラニーと重なり合う。『二〇世紀システム』「序」

もまた「環境復元と世界を覆う飢餓の撲滅は解決不能の二律背反の課題」としながら、それこそが「二一世紀システム」が解決すべき課題であると述べる(橋本 一九九八a：一九頁)。石井(一九九九)も同様の考え方から「先進国を先頭に大量生産・大量消費・大量廃棄型の社会を適正消費・資源循環型の未来社会へと転換しなければならない」と述べていた(九頁)。これらの立場を本巻「展望」の観点から言い換えれば、帝国世界の成立から解体を通じて地球規模の経済成長「大加速」に向けて最適化され統合されてきた「二〇世紀システム」に代わり、「暴力や抑止によらない国際秩序」(本巻芝崎論文：九三頁)としての「地球システム・ガバナンス」が確立されなければならず、その確立、または確立に向けた契機をもって、新たな時代区分が構想されていくべきだということになるだろう。

以上いくつかの論点にわたって、「大加速」論と二〇世紀(後半)世界史の対話を試みてきた。そこからは、一方にポラニー『大転換』が提起する「複合社会」論(経済的自由の制限論)と新自由主義政策・思潮との対峙が、もう一方に総和としての「大加速」を構成する個別の地域・諸国の経済成長史における発展経路の複数性および先行・劣後の関係性が、全体を貫く問題群として浮かびあがる。そしてこれらの問題は、帝国世界と工業化が重なり合う「長い二〇世紀」、体制間競争の「短い二〇世紀」後半の「長い平和」それぞれの内実とも深く絡みあっている。このような問題意識を念頭において、次節では、世界史における二〇世紀後半「大加速」の時代を考える幾つかの論点を——同時代の言葉を繋ぎながら——点描風に示していきたい。

三、「大加速」時代の諸相

科学技術イノベーションと大量消費社会

世界は前と同じでないことを私たちは悟った。笑う人もいた。泣く人もいた。大部分の人はおし黙っていた。

（藤永 二〇二一：二四〇頁）

マンハッタン計画を主導した物理学者ロバート・オッペンハイマーが、一九四五年七月一六日午前五時二九分、ニューメキシコ州アラモゴード射爆場で実施したトリニティ核実験で、プルトニウム型原子爆弾による人類史上初めての核爆発を目撃したときの様子を、のちに回想して語った言葉である。プルトニウム同位体が人新世のGSSPを定めるシグナル候補とされているという点でも、二〇世紀後半世界史の点描は、この瞬間から始められなければならないだろう。

それはまた、二〇世紀科学技術イノベーションの最も劇的な到達点であっただけでなく、科学技術が歴史を駆動する時代の幕開けを告げる出来事でもあった。一般的な世界史・各国史の通史や教科書において、科学的発明・発見や技術革新、それらの推進力となった企業や組織の歴史は、政治経済史の後段で副次的・補論的に、あるいは個別のジャンルとして扱われがちである。しかし、たとえば核開発と冷戦のように、科学技術と歴史の因果と機序が絡み合う二〇世紀の、とりわけ後半においては、歴史叙述についても再考が必要である。科学技術イノベーションの歴史的衝撃に着目するとき、「長い二〇世紀」とその後半「大加速」の時代はどのように映るだろうか。

第二次産業革命の時代を起点とする「長い二〇世紀」論は、科学技術イノベーションの歴史においても有用である。アメリカでトーマス・エジソンが研究開発の事業化を目指してニュージャージー州メンロ・パークに研究所を開設したのは一八七六年のことだった。同研究所による白熱電球の開発成功を起爆剤として事業化されていった電気をはじめとして、第二次産業革命の時代には、とりわけアメリカとドイツにおいて今日の社会を支える多くの画期的な発見・発明が相次いだ。

具体例として、「大加速」グラフ群に採用された三指標——電話回線の契約数（通信手段の発達と普及、図1-1：⑪）、自動車台数（モータリゼーション、同：⑩）、海外旅行入国者数（その前提となる航空の発達、⑫）——に注目してみよう。それらの実用化・事業化・標準化の歴史的起点もまた、一八七六年のグラハム・ベルによる電話機の特許取得、一八七〇年代から八〇年代にかけてのゴットリープ・ダイムラーやカール・ベンツらによるガソリンエンジンや自動車の開発、一九〇三年のライト兄弟による初の有人飛行に到るまでの航空技術の開発競争など、おおむね第二次産業革命の時代に遡る。

二〇世紀前半には、これらの技術革新に対する積極的な資本投入による事業化が進み、イノベーションと需要(軍事・民需)が相互を牽引しつつ、先進工業国を中心に三指標ともに成長を続けた。そして、テイラー・システム(科学的管理手法)、フォード・システム(大量生産方式)、フレキシブル大量生産・マーケティング・会計手法など現代企業経営の基礎を確立したスローン主義など、生産方式・経営ノウハウの発達との好循環が働いて、ドイツのシーメンス、BASFやアメリカのGE、フォード、デュポン、GMなど、二〇世紀を代表する大企業群が次々と成長した。

二〇世紀後半には、三指標をめぐる消費の大衆化・高度化・グローバル化がいよいよ加速して、地球規模における成長の「対数期」を迎えた。本巻原山論文は、多品目にわたる耐久消費財の普及について、日本と中国をそれぞれ農家・非農家に分けて比較している(一九六頁)。その分析からも、異なる「対数期」の総和が地球規模での消費の「大加速」をもたらしてきたことが窺われる。そして「大加速データ・コレクション」によれば、二〇一〇年時点においても、他の「社会経済トレンド」の多くと同様に、これら三指標もまた「大加速」が継続しているのである。

ここで例示した科学技術イノベーションとその社会実装・普及のプロセスは、市場経済の競争的環境のもとであれ、指令経済や戦時体制の非競争的環境のもとであれ、人間社会や国家の様々な欲望を実現する方向に向けてイノベーションがシステム化されてきた二〇世紀「物質文明」のあり方を反映している。もちろん、失敗・偶然・試行錯誤に満ちた発明や発見は、二〇世紀の科学技術史において欠かせない役割を果たし続けた。例えば、ヤン・チョクラルスキーが、メモを取りながらの実験中にインク壺と間違えてスズを溶かした坩堝にペン先を入れなければ、のちの半導体デバイス開発に不可欠なシリコンウェーハ製造技術の基礎となる単結晶の作製方法(チョクラルスキー法、一九一六年)は発見されず、二〇世紀後半の半導体開発は大幅に遅れるか、あるいは全く異なった発展経路を辿っていたかもしれない(Tomaszewski 2002: 1-2)。

二〇世紀「物質文明」の発展は、その多くを物質や生命の様々な性質の発見に負っており、毎年繰り返されるノーベル賞受賞者たちの物語は、チョクラルスキーと同様の失敗・偶然・試行錯誤に満ちている。しかしそれら無数の試みから生まれる成功物語としての幸福な偶然(セレンディピティ)は、一個人・天才の営為である以上に、社会から企業・研究機関・国家などの組織に対して資本・人材・ノウハウを継続的に投入・調達する仕組みがあって初めて可能となった確率論的必然であり、発見・発明から事業化までが可能となる営みだった。チョクラルスキーの発見も、ベルリンでドイツ大手電機会社AEGの技術者として研究開発に取り組んでいる最中の出来事であった。

発見と同様に、あるいはそれ以上に、応用と進化はシステム化されたイノベーションにおいて不可欠の要素だった。チョクラルスキー法の発見から三〇年あまり後の一九四七年、アメリカでAT&Tベル研究所の三人の研究者が同法を応用して半導体デバイスおよびトランジスタの発見・発明に成功(一九五六年にはノーベル物理学賞を受賞)、エレクトロニクスの世界でやがて半導体が真空管に取って代わることになる。そして半導体集積度の対数的増加に関する「ムーアの法則」に象徴されるような連続的に進化するエレクトロニクスの「大加速」が世界を変貌させていく。映画・ラジオ・テレビなどの音声・映像メディア、家電、コンピューター、通信など、ほかにも「長い二〇世紀」を通じてイノベーションがもたらした常に進化し続けるモノ・製品とコト・消費体験は、大量生産・大量消費社会の不可欠の構成要素となって、世界や人々の暮らしを不断に変化させてきたのである。

このように、二〇世紀は、科学技術イノベーションと経済成長が相互を牽引するシステムが稼働して、絶え間ない技術革新が進み、社会と人間活動のあり方を大きく変化させた。その変化において重要なことは、技術革新そのものよりも、むしろ持続的な革新・改革・成長の追求——実現していく欲望、高度化していく消費体験——を前提とする世界観が社会のうちに内面化されたことかもしれない。そして、二〇世紀後半とは、そのような不断の社会改造——さらに言えば人間改造——のプロセスが、アメリカそして主要工業国から世界へと拡大しつつ「大加速」した時代として捉えることができるのではないかと思われるのである。

アラモゴードから

体制間競争の「勝者」・資本主義体制における中心国としてのアメリカの優位性は、「大加速」論および発展経路の複数性の観点からどのように理解すべきだろうか。いま一度、アラモゴードに舞台を戻して考えてみよう。

あの早朝のアラモゴードで原子時代の幕開けを見た〔中略〕私たちは、今や、人間は労を惜しまぬ意志さえあれば、ほとんどいかなることでも成し遂げられるということを知っているのです。(Groves 1962: 415)

陸軍軍人としてマンハッタン計画を統括したレズリー・グローヴス准将の回顧録結語からの引用である。その溢れる自信と自己肯定感は、このとき確かに事実によって裏付けられていた。アメリカの核兵器開発は、一九三九年に核分裂連鎖反応が実験で確認され、ドイツによる核開発を憂慮する物理学者たちを代表してアルバート・アインシュタインがフランクリン・ローズヴェルト大統領に書簡を送ってから六年、計画開始(一九四二年八月)からわずか三年で核兵器の実戦使用にまで到った。ドイツや日本でも同じ時期に核兵器開発が検討・試行されたものの実を結ばなかったことはよく知られている。

マンハッタン計画では、テネシー州オークリッジにウラン濃縮施設等、ワシントン州ハンフォードに本格的なプルトニウム生産炉等をもつ巨大な工場群が、ニューメキシコ州に核兵器開発を主導するロスアラモス研究所がそれぞれ建設され、常時一〇万人を超える人員が施設の建設、工場稼働、研究開発、運営管理のために動員・雇用された。このような巨大プロジェクトを短期間のうちに設計・実行できたのは、「生産技術、製品・製法技術、流通システム、経営管理ノウハウ」など、あらゆる側面にわたり優れた分厚い技術蓄積がアメリカに存在していたからだった(橋本一九九八b)。

グローヴスは、同じ結語で「マンハッタン計画を成功させた五つの要因」として、①目的の明瞭さ、②タスク・デリゲーションに基づく効率的な分業システム、③目的の共有、④既存組織の活用、⑤政府による無制限の支援を、経営管理の教科書風に列挙している。実際のところ、オッペンハイマーとグローヴスが二人三脚で成功に導いたマンハッタン計画は、経営管理の教科書的な成功事例として二一世紀の今日も繰り返し参照されている「語り草」である。グローヴスは退役後、ジャイロスコープの製造から出発して軍需によって大きく成長した機械・電気メーカーで、コンピューター生産にも乗り出していくスペリー社の副社長に就任した。第二次世界大戦は、軍民を跨いだ経営人材育成の場でもあった。

しかし、アラモゴードや第二次世界大戦の成功体験だけでは、アメリカの優位性を説明できない。ソ連もまた総力戦でドイツに勝利し、さらにアメリカに遅れることわずか四年後の一九四九年八月、核実験に成功したからだ。一九四四年にはサイクロトロンを組み上げるなど基礎研究が進んでいたソ連は、アメリカの原爆開発・使用の衝撃を受けて、スターリンの号令のもと国家最優先のプロジェクトとして大規模・急速に資源・人員を動員して独自に核開発を進めたのである。オッペンハイマーとグローヴスの役割をソ連で担ったのは、核物理学者のイーゴリ・クルチャートフと、軍人で軍需工業指導者のボリス・ヴァンニコフだった(市川 二〇二二：二六一—四八頁)。宇宙開発でもソ連はアメリカをリードして、一九五七年一〇月四日には世界初の人工衛星スプートニク一号の軌道投入に成功、アメリカ・西側諸国を「スプートニク・ショック」が襲った。一九六一年にはユーリイ・ガガーリンが世界最初の宇宙飛行に成功、六三年にはワレンチナ・テレシコワが女性初の宇宙飛行に成功した。ソ連の指令経済・中央集権体制は、目標が明確で市場性が問われない軍需や宇宙開発では、少なくとも一九五〇年代から一九六〇年代にかけてアメリカに伍する科学技術力・巨大プロジェクトの遂行能力を示したのである。

軍需の民生転用では、資本主義体制における軍産複合体の方が社会主義体制と比較して優っていたとは言えるだろう。冷戦による準戦時体制の恒久化は、世界最大の軍事大国となったアメリカの軍産複合体に莫大な利益をもたらし、ボーイング社、ロッキード社などの航空機産業などに代表されるように民需・軍需の双方を取り込んだ多くの大企業が成長するとともに、軍需で開発された技術は、重化学工業、トランジスタ、集積回路(IC)などのエレクトロニクス技術、NC工作機械などへ転用され普及した。

しかし、軍産複合体だけでは、体制間競争における資本主義の優位も、資本主義体制におけるアメリカの中心性も十分には説明できない。大量消費社会との関係では、むしろアメリカの軍産複合体も、競争の不在による生産性の低さという弱みを抱えていた点でソ連の国営企業と同類であったからだ。トランジスタ、IC、NC工作機械なども、開発したのはアメリカだったが、トランジスタ・ラジオやテレビなど民需での利用が拡がるにつれて、軍需の政府調達に依存しがちな米企業に対して民需を競う日本企業等の方がコスト削減や品質改善で優位に立った。一九七〇年代までアメリカが七割近いシェアをもっていたICも、一九八六年には日米のシェアが逆転するなど、アメリカは各分野で大きくシェアを日欧企業に奪われた(藤田 二〇一八:三二頁)。一九七〇年代から八〇年代にかけて製造業を中心にアメリカ衰退論が囁かれたときには、中核産業として軍産複合体を抱える超大国であることは、むしろ製造業の競争力低下の要因でさえあったのである。

アップルへ

衰退論を裏切ってアメリカ経済が再生の方向に向かい、冷戦に「勝利」し、一九九〇年代には「ニュー・エコノミー」とさえ呼ばれた長期の好況を実現して、冷戦後の資本主義世界体制と高度化した進化し続ける大量消費社会のなかで競争力と中心性を維持できた最大の要因は、ＩＣＴ(情報通信技術)分野での圧倒的な先行・優位にあった。半導体(一九四七年)に始まり、ＩＣ(一九五八年)、中央処理装置・ＣＰＵ(一九七一年)の開発などを背景とする大型コンピューターの小型化(一九六〇年代)、パーソナル・コンピューター(ＰＣ)(一九八〇年代)、インターネット(一九九〇年代)、モバイル通信(二〇〇〇年代)の爆発的普及に到る展開は、「大加速」時代の核心をなす産業革命・ＩＣＴ革命であり、一九六〇年代から現在まで長期にわたって社会を連続的に改造してきた。それは資本主義世界のなかでグローバルに展開したとはいえ、右に示した開発事例の全てを含めて、その圧倒的中心はアメリカだった。他方、ＩＣＴ革命を起こすことができず、またその模倣・複写《クローニング》にも限界があったことは、のちに検討するサハロフらの書簡(本稿四二頁)が危惧したように、ソ連・社会主義圏に体制転換をもたらす一因となっていく。

　ここで注目すべきことは、ＩＣＴ革命を主導したのが、多くの場合、既存の大企業ではなく、既存組織を離職した、あるいは企業・組織への就業経験を持たないことさえあり得るような、わずか数名の仲間が集まって起業するスタートアップから成功をつかんだ新興企業群だった点である。それぞれ技術者仲間で設立した、一九五七年創業のＤＥＣ社は大型コンピューター市場を独占するＩＢＭに対して小型コンピューター市場で大成功し、一九六八年に創業したインテル社は半導体開発で既存企業を淘汰して急成長した。さらに一九七六年、二〇代の青年スティーヴ・ジョブズとスティーヴン・ウォズニアックが、いわゆるガレージ・カンパニーとして創業したアップル・コンピューター社は、その前年にビル・ゲイツとポール・アレンが創業したマイクロソフト社などと並んで、ＰＣの世界で先陣を切って巨大な成功を収め、その後もビッグ・テック企業としてＩＣＴ革命を主導して今日に到る、間違いなく「大加速」時代の主役企業のひとつとなった。

　ＤＥＣやアップルのような成功を生み出していくためには、数多くのスタートアップ企業群に投資し、ほんの一握りの投資先の成功から莫大な利益を獲得することを目指す投資方法を事業化したベンチャーキャピタルの存在が大きな役割を果たした。このような資金調達システムや、それを支える文化・風土におけるアメリカの優位性には、リスク投資が必要だった一九世紀ニューイングランドの遠洋捕鯨ビジネスにおけるファイナンスなどに遡る歴史があることが指摘されている(ニコラス 二〇二二:二七ー六二頁)。より現代的な起源としては、第二次世界大戦復員兵たちによる起業を支援する目的で一九四六年に設立されたARD(American Research and Development Corporation)が知られている。同社が体系的にスタートアップ企業群に投資してDEC社への投資から莫大な利益を収めたことは、ベンチャーキャピタル事業の出発点となった。一九七八年、創業直後のアップル社に五〇万ドルを投資したベンチャーキャピタル法人のベンロックは、三年半後には一億一六六〇万ドルの利益を獲得した(同:二四〇頁)。こうしたスタートアップ企業やベンチャー投資の成功譚は、ICT革命が体制間競争の行方や「大加速」に与えた影響を考えれば、経営大学院の教材(ケース)として以上の意味を汲み取る必要があるだろう。

インテル(サンタクララ郡マウンテンビュー)、アップル(同郡クパティーノ)などIT革命を主導した企業の多くは、カリフォルニア州サンフランシスコ湾ベイエリア一帯の、いわゆるシリコンバレーで起業・成長した。なぜシリコンバレーだったのか。ニコラス(二〇二二)は——明るい気候風土が生み出した開放的な文化を強調するとともに——UCバークレー、スタンフォードをはじめとするベイエリアの大学・研究拠点が若く優秀な人材を引きつけたことに加えて、第二次世界大戦以来、テクノロジー・エレクトロニクス分野の軍需がカリフォルニア州とりわけシリコンバレーに集中したことを背景に、大学と軍部の投資が早くからスタートアップ企業を繁栄させてきたことを指摘する(二六一ー二六九頁)。DEC創業者の二人は国防総省がMITと設立したリンカーン研究所の出身であり、初期半導体の開発は資金を国防総省に多く依存していた。よく知られているように、一九九〇年に開放されたインターネットは一九六九年にアメリカ国防高等研究計画局(ARPA)が軍事目的で開発したARPAネットに起源をもち、国防総省によるGPS開発は一九七三年に始まり、一九九三年、全球を二四のGPS衛星がカバーするシステムが完成した。ICT革命と軍需、アップルとアラモゴードは深い縁で結ばれてきたのである。

いまひとつ指摘したいのは、ICT革命を通じて称揚されてきた起業家精神と結びつく独立自尊の人間類型である。アップル創業者スティーヴ・ジョブズが、がんを宣告された後の二〇〇五年、スタンフォード大学卒業式で行った祝辞に残した言葉からはその一端を窺うことができる。

あなたの時間は限られているのだから、誰かの人生を生きることに浪費してはいけない。〔中略〕最も重要なのは、自分の心と直感に従う勇気を持つことです。それらは、あなたが本当になりたいものを、なぜかすでに知っているのだから。

(Stanford News 2005)

死は避けられないのだから、限られた人生、あくまで自分の直感を信じて自己実現に向けて迷わずに歩めと若者を勇気づけるジョブズの感動的なスピーチは長く記憶され、スタンフォード大学YouTube公式チャンネルでの再生回数は二〇二三年現在で四一〇〇万回を超えている(https://youtu.be/UF8uR6Z6KLc)。同じ個体の死の不可避性の認識から、利他的選択の可能性を語ったポラニーとは異なり、ジョブズは、新自由主義時代の美徳として極限の自由と個性の賛歌を力強く語った。「ステイ・ハングリー、ステイ・フーリッシュ」の結語が示す、独創を貫くために成熟を拒否する人生観はまた、ソ連において称揚された——超人的能力でノルマを超過達成したとして生産性向上運動の象徴となった炭鉱夫アレクセイ・スタハノフ、無着陸飛行の世界記録を樹立してスターリンが絶賛した飛行士ヴァレリー・チカロフ、さらに冷戦下で「豊かな精神性、道徳的純粋性、身体的完全性を調和」させた英雄として称えられた宇宙飛行士ガガーリンらに代表される——「新しいソビエト人」(Gerovitch 2007: 135)の人間類型ともかけ離れていたのである。

台所論争

ロシアを対象とする「長期経済統計」研究によれば、一九一三—九〇年のロシア共和国一人当たりGDP成長率は欧米諸国の水準を大きく上回っており、スターリン時代の第一次高度成長期(一九二八—四〇年)は群を抜くなど、ソ連期ロシア共和国は相対的に安定した恒常的成長軌道を歩んできた。一九六〇年代以降、生産性低下の問題や停滞感が次第に強まったことは事実だとしても、一九七〇年代から八〇年代にかけても経済成長は継続しており、「GDPの量的な問題」だけではソ連崩壊は説明できない(久保庭ほか 二〇二〇:一九九—二〇五頁)。また、「歴史の敗者」としてのイメージがついて回るソ連・社会主義圏については、とりわけ二〇世紀を知らない世代の間で、資本主義世界・自由主義と「両極端」に位置する価値観が支配していた社会であったと捉えられがちである。確かにスティーヴ・ジョブズと「新しいソビエト人」たちは水と油の関係にあるかもしれない。しかし、この「両極端」な世界像には訂正が必要である。

あなたはロシア人がこれら(ユニット・キッチンなどのアメリカ製品)を見て吃驚するだろうと思っているんだろうが、実際のところ新築のロシア住宅は今まさにこういう設備を備えていますよ。(Krushchev 1959)

一九五九年七月、アメリカ副大統領としてソ連を訪問したリチャード・ニクソンとの「台所論争」で、ソ連共産党書記長ニキータ・フルシチョフが放った言葉である。論争の舞台となった「アメリカ博」は、本巻齋藤論文が検討する、ソ連の「文化攻勢」から始まった東西文化交流におけるアメリカの「反撃」の場とも言うべきもので、六週間の期間中三〇〇万人が訪れたモスクワの会場で市民の関心を集めたのは、芸術作品などの高級文化よりも「郊外に住む中流階級の平均的な暮らし」を紹介して家電品を「主婦」がデモンストレーションするモデルルームのような空間だった(鈴木 二〇二二:四一頁)。この会場で通訳を介して交わされた論争は、テレビで録画放映もされ、冷戦を象徴する一コマとして長く記憶されてきた。

当時、ソ連の指導者が消費社会における市民の生活満足度を競い合うことを拒まなかった事実を示すこの出来事を「大加速」論の観点からふり返るとき、米ソ・東西体制間競争は、両極端・二項対立のイデオロギー闘争というよりは、同じ近代、同じ物質文明において、同じ欲望を実現することを目指した競争であったと捉えた方が有用ではないかと思われてくる。スターリン批判(一九五六年)後の「雪どけ」の明るさとともに、この時期のソ連は、スターリン時代に続く「第二次高度成長期」(一九五〇年代後半―六〇年代前半)を迎えていた。平和共存路線を唱え、軍事的対決ではなく体制間競争での勝利を「アメリカに追いつけ追い越せ」など様々なレトリックを使いながら強調したフルシチョフは、少なくとも表面的には好調だったソ連経済を頼みにして、社会主義による近代化を大衆的規模で実現することをめざしていた。

なかでも喧伝されたのが、労働者への集合住宅の大量供給だった。スターリンの死の翌年(一九五四年)、フルシチョフはコンクリートの効用を説く三時間にわたる大演説を行い、まもなく統一規格の五階建てコンクリート・プレハブ集合住宅建設の大号令をかけた(Forty 2019)。第六次(一九五六―六〇年)五カ年計画では第五次からほぼ倍増の一一三万戸分の――フルシチョフカと呼ばれた――住宅団地が全ソ連に建設されていった。フルシチョフ失脚(一九六四年)後も集合住宅の供給はソ連・社会主義圏の看板政策であり続け、一九七〇年代にはエレベーター付き高層集合住宅が主流となり、年間二二〇万戸のペースで世界最大規模の住宅建設がソ連崩壊直前の一九八〇年代末まで続いた(大津 一九九八:二八六頁)。

住宅の大量供給は住宅不足と表裏一体であるから、社会主義の成果として額面通りに受け取ることはできない。一九八九年の調査でも、複数家族で共用する「共同フラット」利用者が三五〇万家族にのぼっていた(外池 一九九一:一二一―一二三頁)。それでも、長い待ち時間――「行列」――を経てでも、入居後は無償に近い低廉な住宅に住み、質量ともに低レベルとはいえ消費生活と福祉を享受できたことは、社会主義体制下の統合の基礎となった。西側モデルとは比較にならない陳腐さは否めないものの、家電も量的には一定の普及が進み、一九六八年までにはテレビと洗濯機の普及率は五〇％を上回り、テレビ販売台数も一九五九年の一一三万余台から一九八五年には九三七万余台に達した(大津 一九九八：二九〇―二九一頁)。チェコ「プラハの春」弾圧後の「正常化」体制を批判したヴァーツラフ・ハヴェルから見れば、このような状況は独裁と消費主義が結合した「ポスト全体主義」であった(本巻福田論文：一七三頁)。

しかし、いったん消費社会の窓を開いてしまうと、完全な統制と情報の遮断をしない限り、競争的市場経済のなかで不断に高度化していく西側の大量消費社会の情報に接した人々の欲望を抑えつけることは難しい。西側の情報に晒される機会が増えるにつれて、「行列」に象徴される慢性的な消費財の不足や品質の低さは東側市民の不満を高めた。「長期経済統計」分析は、「消費財選択・営業・貿易・旅行・為替の自由化」がないままに「不足経済」を国民に強いたことによる「GDPと経済構造の内実の貧困」がソ連崩壊の最大の経済的要因だったとして、消費者不満が体制転換に向かう大きな要因だったという見方を示している(久保庭ほか 二〇二〇：二〇七頁)。

本巻松井論文が検討する人権と民主主義を求めた異論派の役割、ソ連末期の改革(ペレストロイカ)、冷戦終結、資本主義・市場経済への転換を求める動き、豊かな消費生活への人々の期待などが、どのように組み合わさってソ連・社会主義圏の崩壊へと事態が展開したのかについては議論の尽きないところであり、本巻の各論文からも多様な示唆を得ることができる。ここでつけ加えたいのは、それら諸要素の絡みあいがソ連において強く認識されていたことである。台所論争から一〇年後、アンドレイ・サハロフ博士ら三名が共産党中央委員会に宛てた書簡(一九七〇年三月)からも、そのことが読み取れる。

最近の一〇年、わが国の経済には混乱と停滞の危険な兆候が現れるようになりました。(中略)第二次産業革命が始まり、七〇年代初めにわれわれは、アメリカに追いつかず、ますますアメリカから遅れを取っているのを見るのです。(中略)民主化を行わない場合にわが国を待っているのは何でしょうか。第二次産業革命の中で資本主義諸国からの立ち遅れ、そして二流の地域国家への漸次的変化(歴史はその例を知っています)。経済苦境の増大。党=国家機関と知識人の関係の尖鋭化。左右決裂の危険。民族問題の尖鋭化。

(歴史学研究会 二〇一二:三二〇—三二一頁)

この書簡はソ連人権運動史を代表する文章のひとつとして知られている。ここではあえて民主化に関する文章の前後を引用した。相手を意識して意図的に強調されたとしても、サハロフらが人権擁護と民主化が必要な根拠としてソ連の国力停滞・衰退への懸念を強調していたことは重要である。ここで書簡が「第二次産業革命」と呼んでいたのは、本巻「展望」が検討してきた一九世紀第4四半期に始まったそれではなく、「生産システムと文化総体の様相をラディカルに変えつつある最も重要な現象」としてのコンピューター化すなわちICT革命に他ならなかった。すでに米ソのコンピューター普及率には一〇〇対一の格差があり、ソフトウェアの格差は計測できないほど大きく、「私たちは別の時代に住んでいる」と、サハロフらは危機感を露わにしていた(Dallin & Lapidus 1991: 83)。

「現存した社会主義」を考究した塩川(一九九九)は、社会主義は「組織化による近代化」という趨勢を最も徹底して体現していたという意味で「二〇世紀」の最も極限的なモデルであったが、そのことが「社会主義の位置をある時期まで高いものにし、そして時代の反転とともに低下させた基底的な要因だったのではないか」と述べる(六二六頁)。「時代の反転」が指し示していた趨勢とは、資本主義体制に「第二次産業革命」すなわちICT革命をもたらした脱工業化・情報化・知識社会化であった。そして、コンピューター化による技術の高度化は、軍拡競争でアメリカと伍するためにも絶対に必要だった。もしそのためにも集権から分権へ、組織から個人へ、規律から自由への転回が、必ずしも目的としてではなく手段としても必要だったとすれば、そしてそれが集権的な権威主義体制であるソ連には到底出来ない相談であったとすれば、冷戦・体制間競争の勝敗を分けたのは、やはり、アラモゴードではなく、アップル——を生み出すようなアメリカ資本主義体制の土壌とソ連におけるその不在——だったことになる。

問題は、「第二次産業革命」を起こす要素の不在だけではなかった。むしろ「組織化による近代化」そのものに「時代の反転」をもたらす要素が内在していた。近代化は、どこかで必ず共同性から「個人への転回」をもたらさざるを得ないからだ。フルシチョフの大号令で建設されていったアパートは、浴室・トイレに加えて、スターリン時代までの共同炊事場付きアパートには無かった個別専用台所をソ連のこうした集合住宅としては初めて備え、戸別にプライバシーが確保されたことが大きな意味をもった(鈴木 二〇二二：三八―三九頁)。社会主義の公共性が建前では強調されても、「共同フラット」を脱出して個別住宅で快適な私生活を送るために人々が長い待ち時間を耐えたのは「個人への転回」を意味していたし、住宅供給を喧伝した体制もその欲望に応えることの必要性を理解していたことになる。「時代の反転」は外から訪れただけでなく、ソ連・社会主義圏が自ら作り出したものでもあった。

そして、「組織化による近代化」からの反転という時代の趨勢が押し寄せたのは、何もソ連ばかりではなかった。資本主義体制においても、生産性が低迷する製造業や肥大化した官民の諸組織のリストラ、国家資本主義・修正資本主義の産物である国営企業・公社の民営化、社会保障制度の見直しなど、要するに一九七〇年代以降の新自由主義政策・思潮が生まれていく。本巻小沢論文が新自由主義の世界体制化を論じるなかで、ソ連・社会主義圏解体の基底にあるものを「内発的新自由主義」(一三二頁)と呼んでいることを踏まえると、ソ連・社会主義圏の崩壊は、このような時代の趨勢のなかで、「大加速」時代における複数の発展経路のひとつが淘汰されていく過程であり、また「大加速」に向けて世界が、そして人間の挙動が最適化されていく過程であったと解釈することも可能だろう。

ポーランド社会主義時代の人工都市ノヴァ・フータをめぐるツアーやベルリンのDDR博物館など、消費者不満の記憶は、二一世紀に入ると皮肉と懐古の入り交じったレトロ消費の対象ともなった。その一方、一九九〇年代の深刻な体制移行不況を経て、旧ソ連・東欧諸国では、「古きよき社会主義」を懐かしむ視線が強まった(菅原 二〇一八)。現代ドイツでは、ナチスだけでなく東ドイツの過去をどう扱うかが問題とされる(本巻星乃コラム)。こうして、淘汰された過去を生きた記憶と新自由主義の現在を生きる意識は、旧ソ連・東欧諸国の二一世紀におけるポピュリズム・ナショナリズムの台頭に複雑な影響を与えていくのである。

「大加速」時代の日本とアジア

台所論争をせず、真っ向からアメリカ的生活様式を否定したという意味では、第二次世界大戦における日本は――「持たざる国」としての必要に迫られたからとは言え、物質主義と対決して欠乏に耐える精神主義を掲げた点で――ソ連よりもよほど両極端で二項対立的なイデオロギー闘争をアメリカに挑んだと言える。しかし、日本の精神主義は、たとえば東南アジア占領において被占領者の住民にはほとんど理解不能であったし、またアメリカの物量に圧倒された悲惨な敗戦という事実をもって完膚なきまでに否定された(中野 二〇一二)。何よりも戦後日本人が、戦時の精神主義の愚かさと欺瞞を否定し、またあっさりと忘却して、戦後世界でアメリカナイゼーションの優等生となった。これも「大加速」に向けて世界が最適化されていく過程で起きた一大事件だったと言えるだろう。

第二次世界大戦後になると、政治的な出来事を中心に叙述する世界史では日本の影が一挙に薄くなる。高度経済成長期(一九五五―七三年)も、世界史とつながらない内向きの成功体験として語られがちである。しかし、地球から見れば、「大加速」グラフ群二四項目のほぼ全てにわたり、日本は大活躍する立派な主役のひとりであった。別府湾が人新世GSSPの有力候補のひとつになったことも、決して偶然ではない(日本経済新聞「地球史に人類の爪痕　環境激変の新世代「人新世」検討」二〇二三年二月一九日朝刊)。同湾海底堆積物からは――プルトニウム同位体のグローバル・フォールアウトが一九五三年から急増した明瞭な痕跡とともに――マイクロプラスチック、PCB、重金属、富栄養化、低酸素化、窒素同位体など人新世を示すさまざまなシグナルが検出される。化石燃料燃焼によるフライアッシュの球状炭化粒子(SCP)もまたそのひとつで、一九六四年から値が急上昇したことが検出される(Kuwae et al. 2022: 26)。

これにも理由がある。

別府湾は天然の良港として知られ〔中略〕大野川を源とする工業用水の供給能力は一日当たり十二万五千トンと豊富であり、一立方メートル当たり三円五十銭と割安である。〔中略〕その上、労働力を確保しやすく、新産業都市の指定を受けて、地元が企業の誘致に熱心なことも〔中略〕経営陣の〔工場進出の〕決断を促す要素になった。

（高杉 一九八三：一八一一九頁）

実在の人物をもとに高度成長期の日本企業を支えた技術者・企業人の姿を描いた高杉良の経済小説『生命燃ゆ』からの引用である。日本が資源獲得のために東南アジアの欧米植民地を奪取しようとして破局に追い込まれた過去を考えれば皮肉なことに、第二次世界大戦後、脱植民地化・貿易自由化に加えて巨大タンカー建造などによる海上運賃の低下などにより、日本のような資源小国でも、人的資源の豊富な大都市の近隣に港湾設備を整備すれば、内陸に工業地帯が立地する欧米より優位に立つことが可能になった（深尾ほか 二〇一八：一四一一五頁）。こうして戦後日本は官民一体となって太平洋ベルト地帯をはじめとする臨海工業地帯を開発し、原油・天然ガスや工業原料などの輸入資源と、水・資本・労働などの国内資源や消費市場を交通網などにより結合する「資源ネクサス」を構築していく（杉原 二〇二〇：六六三頁）。別府湾に面する大分港もそのひとつで、臨海工業地帯を造成する埋め立て事業が一九五九年に始まった。別府湾海底堆積物においてSCPの価が急上昇する一九六四年は、同港一号地で九州石油が操業を開始した年である。その後、九州電力、昭和電工、新日本製鉄等が次々と進出して、大分市は九州で工業生産額第一位の工業都市に成長していくことになる。

大戦後の経済復興・高度経済成長を実現した日本は、一九六一年、日本に赴任したエドウィン・ライシャワー駐日大使が「途上国民にとって教科書となるべき」だと述べるなど、冷戦・体制間競争の文脈のなかで近代化の成功例として参照された（河村 二〇一〇：三一四一三一七頁）。そして、一九六〇年代を通して、アジア冷戦体制の一環として日本経済と東アジア・東南アジア資本主義圏の——その多くが経済成長の実現に必要な政治的安定を大義名分として権威主義体制を正当化した開発独裁(本巻玉田コラム)に数えることができる——国家群が互いを支える「雁行型発展」がはかられるなかで、アメリカの専門知(本巻高木論文:二二四頁)、日本の経験知が諸国にもたらされるとともに、沿岸部の国土を物理的に改変して「資源ネクサス」を構築する「日本モデル」が各国・各地に波及していった。とりわけ一九五〇年代後半から七〇年代初めまで実施された東南アジア諸国に対する日本の戦争賠償・経済協力事業は、役務賠償のかたちをとり、賠償事業を受注した日本企業が、工場施設のほかダム開発・発電所・上下水道整備、シンガポールに対する造船所・クレーン提供など各国のインフラ整備を進め(中野 二〇〇二:二九〇—二九七頁)、各国の「資源ネクサス」構築に直接貢献したのである。

光州事件(一九八〇年、本巻真鍋コラム)などの開発独裁の抑圧に対する抗議が起こした民主化ドミノは、フィリピンのマルコス政権崩壊(一九八六年)、韓国の民主化宣言(一九八七年)など、ソ連・社会主義圏に先行して西側の権威主義体制を揺るがし崩壊させた。その一方、一九六〇年代から台湾・韓国などが、一九七〇年代からはASEAN諸国の多くが目覚ましい経済成長を開始したことは「ソ連型の発展モデルの正統性」を大いに損ねた(本巻高木論文:二一五頁)。一九七九年以降、中国も対外開放政策に踏み切り、珠江デルタで急成長した委託加工が輸出拡大に貢献するとともに、文化大革命期に送り込まれた農村から都市に帰還した大量の若者たちの失業対策として個人経営が認められ、無数の零細な民間企業が生まれ、その中から大きな成功を収めて大企業を作り上げる経営者も出現した(本巻丸川論文:二四七頁)。ソ連と異なる道を選択した中国の経済成長「対数期」を可能にした興味深い事象である。こうして一九九〇年代には、長江デルタ、北京・天津・河北省と併せて、中国にも「資源ネクサス」を構築した三大メガポリスが形成され、アメリカと東アジアを結ぶアジア太平洋経済圏が一気に拡大した(杉原 二〇二〇:六六四頁)。日本、アジア新興諸国、中国本土へと移動していく経済成長の「対数期」は、各国・各地域で沿岸部を中心に環境を大きく改変する工業地帯の形成を伴っていったのである。

アジアの工業化は、対岸アメリカの脱工業化と一対の営みであった。それはある時期・ある程度までは、アメリカが冷戦政策の一環として技術移転や貿易自由化を積極的に推進した結果であった。しかし、より長期的・本質的には、冷戦期・冷戦後を通して、アメリカなどを拠点とするグローバル企業が、所与の条件のもとで企業価値を最大化するための合理的経営を貫徹した結果として、グローバルに、そしてその結果としてアジア・太平洋地域にサプライ・チェーン、バリュー・チェーンを構築したからであった。企業にとっては、アメリカの競争力ではなく自己の世界的な競争力が問題であり、アメリカ国内からしばしば大きな反発を受けながらも「本社がアメリカにあるのは、偶然」(ホブズボーム 二〇一八：下巻二四六頁)という発想が、「大加速」時代アメリカ企業の本音であり常識であった。

アップル社は、アジア製造業を最大限に活用したサプライ・チェーン、バリュー・チェーンを構築して大成功した点でも「大加速」時代の主役企業のひとつである。その不可欠のパートナーは台湾系製造業の鴻海《ホンハイ》社だった。一九八八年、中国・深圳に工場進出した同社は、天安門事件(一九八九年)後の米中関係悪化を乗り越えてアメリカが対中国最恵国待遇を更新(一九九四年)した翌年、米デル社のPC組み立てを契機にEMS(電子機器受託生産者)として急成長した。一方、アップル社は、マックPC大成功のあと市場競争の激化から業績が悪化、経営を離れていたジョブズが一九九七年に戻って再建に取り組み、二〇〇一年に発売した携帯音楽プレイヤーiPodがコンテンツ配信システムと合わせて大成功を収め、その後はiPhoneを携帯デバイスとして成長させて、フォーチュン五〇〇社ランキングは三二五位(二〇〇二年)から五位(二〇一四年)にまで上昇した。

アップル社の製品はサプライ・チェーンでは東アジアに完全に依存しつつ、そこから圧倒的な付加価値《バリュー》を確保していた。最終製品は鴻海《ホンハイ》社が中国から世界に輸出したが、部品はフィリピン・台湾・韓国に加えて高付加価値の部品を日米企業が鴻海《ホンハイ》社に納品した。二〇〇六年版iPod(米販売価格二九九ドル)に関する研究によれば、鴻海《ホンハイ》社が受け取った付加価値は一台あたり五ドルに過ぎず、日本企業四社が二七ドル、アップル社が八〇ドル(米企業全体で八七ドル)だった(Linden et al. 2007)。デザイン性に優れた製品を開発し、高度消費社会のライフスタイルに向けてブランディングすることで、グローバルに消費者からの選好を勝ち取る経営戦略こそがアップル社の収益を支えたのである。一九九五年、日米安保再定義につながるアメリカの安全保障戦略の構築に関わったジョゼフ・ナイ国防次官補(当時)が起草した「ナイ・リポート」は、東アジアにおける軍事的プレゼンスを維持する最大の根拠として、中国の脅威ではなく、東アジアとアメリカの経済的結合を強調していた(中野 二〇一一:七一−七四頁)。このことも、アメリカの脱工業化とアジア製造業の表裏一体の関係がいかに重要と考えられていたかの証左と言えるだろう。

ICT革命の進展による経済のデジタル化・サービス化が進むなかで経済成長モデルが大きく変化したことは、製造業を通じた成功モデルに呪縛されてきた日本に、バブル崩壊(一九九一年)後、「失われた三〇年」とも言われる停滞期をもたらした。台所論争から数えてソ連・社会主義圏が崩壊するまでと同じ時間が、すでに経過したことになる。新しいモデルの模索は、とりもなおさず「大加速」に貢献してきた「日本モデル」をどのように見直すかという問題でもある。一九七〇年代以降、オイルショックや公害問題などで臨海工業地帯では見直しの動きが広まった。しかし、例えば一九六〇年代半ばの革新市政期に遡って「水際線の市民への開放」など生活重視的開発を謳った横浜市の場合でも、工場移転先として自然海岸を消滅させる埋立事業を展開したうえで都心臨海部を臨海公園・商業空間に転換するなど(小堀 二〇一七)、高度消費社会・脱工業化に向かっていくなかでも沿岸部の改変など土木により課題を解決しようとする発想は変わらなかった。二一世紀に入っても、東日本大震災(二〇一一年)復興事業における、巨大津波対策のための需要を度外視した壮大な高台造成工事などに、その発想は引き継がれてきたのではないか。

高杉(一九八三)が描いた主人公は、一九七〇年代、大分工場でエチレンプラントをコンピューター制御するシステム開発に取り組んで「仕事の鬼」の人生を歩み、病に倒れるが、家族に「未練はあるが、悔いはない」と言い残し、死の数時間前まで英語を交えた譫言で仕事を心配し続ける(三四三―三四四頁)。こうした高度経済成長期の人間類型としての「猛烈サラリーマン」は、ロシア人にとって「新しいソビエト人」がすっかり過去の思い出となったように、日本人にとって過去の存在となっているだろうか。平均的な日本企業の社員の間ではもはや『生命燃ゆ』で描かれたような情熱は主観的には失われている。その一方、日本人の挙動を客観視するとき――それ自体が脱工業化社会には相応しくない労働生産性の低さを示すものでもあるが――長時間労働による過労死が後を絶たない現状を鑑みると、大いに疑問が残ると言わざるを得ないだろう。

農民・農村の解体

百万人を集めるんだ(中略)俺たちはいるんだ。俺たちがいないなんて考えられるもんか。俺たちはいるんだ。俺たちは穀物を、血を、支えをあたえているんだ(中略)俺たちを忘れることはできない。俺たちは多いんだ。俺たちはすべてなんだ。俺たちは大地そのものなんだ。

(和田 一九七八:一二三頁)

一九二〇年のロシア農民反乱を描いたレオーノフの小説『あなぐま』のなかで農民ゲリラの指導者が語る「都市と都市的なものに対する農民の反発」を表現した右の言葉は、その背景から切り離して、二〇世紀における都市・農村関係の変貌を映し出す普遍性を帯びた言葉のひとつとして――もちろん、その後の変化がいかに大きかったかを思い起こさせる意味において――読むことができる。

メキシコ革命(一九一一年)においてエミリアーノ・サパタが率いた農民軍。一九二七年に井岡山に革命根拠地をおいた毛沢東の「農村が都市を包囲する」人民戦争論。サヤー・サンを指導者とするビルマ農民大反乱(一九三〇年)。抗日農民ゲリラに起源をもつ冷戦期フィリピンのフク反乱。一九五〇年代ケニア農村部で展開した反英独立闘争「マウマウの反乱」。キューバ革命(一九五九年)をへて農村を基盤としたラテン・アメリカ革命を説いたゲバラのゲリラ戦争理論。ゲリラ戦争の果てにアメリカが敗北したベトナム戦争。これらの例が示すように、農民・農村は、二〇世紀半ばまでの世界において――まさに「俺たちは多い」ことによって――民族独立運動、内戦、体制間競争など、歴史の行方にとって決定的な存在だった。

どの体制にとっても農民・農村問題は最重要課題であり、土地改革・機械化・緑の革命・集団化とその解体・補助金行政など、様々な政策が試行錯誤を重ねてきた。二〇世紀をふり返れば、これらの処方箋のいずれもが万能ではなく、とりわけ途上国などでは二一世紀に到るも土地改革などが不十分なまま問題が放置されていることも多い。その一方、たとえ問題が解決されていなくても、農村が都市を包囲して歴史を決定づける局面は、いつのまにか遠い過去の記憶となってしまった。二〇世紀後半「大加速」時代がグローバルにもたらした、不可逆的で最も大きな変化のひとつは、農民・農村問題が社会と政治に占める比重の著しい低下である。

全体を俯瞰すれば、それが農民層分解による農村解体と都市化という人口学的な地殻変動を原因としていたことは明らかだった。ちなみに「大加速」グラフ群の元データを抽出して一九〇〇→一九五〇→二〇〇〇年の農村(非都市)人口比率の減少を比較すると、OECD諸国平均は六五・九→四五・二→二五・四%、BRICS諸国平均は九〇・七→八〇・九→五六%、「その他」は九〇・一→八〇・〇→五三・七%である。このデータではBRICSと「その他」にほとんど差がないが、このなかでロシアだけは都市化が突出して早くから進み、革命当時、総人口の約八三%を占めていた農村は一九四〇年には六六%まで減少、その後も一〇年間で一〇%近いペースで減少が続き、一九八〇年には三〇%となった(野部 二〇一六：一〇五頁)。ソ連時代に農業集団化と並行して都市への事実上の強制的移住(農民の労働者化)が長期にわたり展開した結果である。農村解体はグローバルな現象である一方で、各国・各地域それぞれに異なる歴史経験を伴って進行したと言えるだろう。共通するのは――いずれも人新世の地質学的シグナルをもたらすことにもなる――トラクターに代表される機械化(藤原 二〇一七)・大規模灌漑・土壌改良・化学肥料の普及など、二〇世紀農業におけるイノベーションである。それらは、「成長の限界」論の予測を超えた食糧増産を実現するとともに農民を苦役から解放したが、その一方で、資本集約型農業への転換によって農民層分解を促し、農民を農民でなくしていったのである。

一九一一年生まれの黒人社会学者アーネスト・ニールの経験からは、農村解体のグローバル・ヒストリーが浮かび上がる(中野 二〇〇七：第五章)。アメリカでは奴隷制廃止(一八六五年)後、小作農民《シェアクロッパー》となった南部黒人が、一九一〇年代から七〇年代にかけて北部に「大移住」(Great Migration)した。両大戦期における北部大都市の雇用機会がプル要因となるとともに、南部農業の機械化と作付転換による小作農民《シェアクロッパー》制の解体がプッシュ要因となり、その数は約六〇〇万人にのぼった。一九三〇年代から大学教員として南部黒人農民の支援事業に関わっていたニールは、大戦後の一九四八年、アラバマ州黒人大学の名門タスキーギ学院に招かれて周辺農村の改良事業に取り組んだ。しかしそこでニールが目撃したのは、すでにある農園では綿作から畜産への転換によって黒人小作農民《シェアクロッパー》二〇〇家族中一九五家族が失職して北部に転出していた状況だった。このような状況を見てニールは南部での仕事に見切りをつけ、アメリカ冷戦政策の一環としての開発援助の世界に転進、一九五〇年代から六〇年代にかけてインド・フィリピン・リベリア・シエラレオネなどで農村改良(コミュニティ・ディベロップメント)事業に従事する。しかし、その行く先々でもニールは再び厳しい変化に晒される世界各地の農村を目撃し続けた。とりわけ一九六〇年代後半のフィリピンでは、「緑の革命」による資本集約型農業への転換により、負担に耐えられない小作農家が離農、「土地なし農民」も大量失業して農村から都市に人口が流出した。一九五〇年代にフク反乱の中心地だった中部ルソン地方の一農村を定点観測した研究によれば、一九三〇年代まで小作農家の全世帯が耕作地を保有していた同村で、一九七〇年代末までには約半数(一七五世帯中八六)が耕作地を失った。そのうち三一世帯は経営難からで、積極的離農(一四世帯)を大きく上回っていたという(Kerkvliet 1990: 51)。

農村問題が軍国主義・ファシズムをもたらしたとして、第二次世界大戦後、連合国軍占領下で土地改革が進められた日本は、ここでも主役にふさわしい「大加速」がもたらした変化の体現者である。敗戦後、いったん農村に人口が逆流して三七六七万人(一九五〇年)に達した日本の農家人口は、自然増と社会減が相殺した一九五〇年代を経て一九六〇年代から急減し始め、一九九五年には農業従事者数は九〇七万人余、うち年間一五〇日以上農業に従事している者は二〇五万人余へと減少した。それはまさに「近代日本の階層システムに生じた最大のドラマ」だった(橋本 二〇〇〇:一〇九―一一三頁)。この急激な変動による都市への人口流出は、東京二三区の北区から豊島区などを経て大田区に到る、山手線環状鉄道の西側地域を中心として現在も残る木賃アパート地帯《ベルト》を作り出した。一九六〇年代、地方農村から東京下町の工場へ就職する若者達が大量に入居した木賃アパートは、一九八〇年代には中国などアジアからの定住外国人の受け皿となっていく(中野 一九九二:七三五―七三七頁)。

都市に人口が流出しただけでなく、地方では農村そのものの解体が進行して、農家の減少に拍車をかけた。新潟県西蒲原郡の都市近郊農村で一九二〇年代から七〇年代まで一農民が綴ったある日記は、小作争議(一九二〇年代)、戦時体制下の自作農化を経て、一九五〇年代まで一貫して農業経営を強化することで生活の向上をめざした農家の意識が、高度経済成長に入った一九六〇年代から地価高騰を背景に大きく変化して、農業生産の強化ではなく所有耕地の資産価値をいかに高めるかに関心を寄せるようになった有様を生々しく記録している。日記を残した農家は一九七〇年代に資産運用に失敗して農地を売却、農業経営を中止した。日記から「日本社会が経験した変貌の歴史的意義」を検討した西田(二〇〇一)は、高度経済成長がもたらした農村を含む日本のかつてない繁栄は、日本の歴史上かつてない農業の衰退と表裏一体だったと述べる(二一頁)。

こうして二〇世紀とりわけその後半を通して不断に進んだ農村解体は、世界各地に「大加速」を象徴する様々な風景を残していく。東京近郊の多摩ニュータウンの団地内商店街には、地域の開発により離農・転業した農民たちが入居したが、それを知る人は少なく、「わずか三十数年前の出来事」が地域の記憶として共有されていないという(金子二〇一〇：一五〇頁)。その光景は、ロシアの元農民が住まうフルシチョフカなどの灰色アパート群、アメリカ黒人の元小作農民《シェアクロッパー》が住まうシカゴ・サウスサイドなどの「黒人ゲットー」、あるいはフィリピン各地の元農民がスクウォッターとして住まうマニラ首都圏トンド地区の風景とも連なっていると考えるべきだろう。さらに一九八〇年代から九〇年代になると、加速するグローバリゼーションと都市化の趨勢のなかで、中国の諸都市には「農民工」が、アメリカの諸都市には「不法移民」と呼ばれたメキシコ・中米諸国地方農村からの労働移民が大量に流入・居住し、法的地位がそれぞれに不安定でありながら(あるいはそれゆえに)低賃金労働者として両国の労働市場に不可欠の存在となっていく。このように各地で比較的短期間のあいだに農民・農村出身者が都市民・移民へと変貌する一方、あれだけ歴史の舞台の中央に位置を占めていたかに見えた世界の農民・農村問題はすっかり後景に退いてしまったのである。

リベラル・コンセンサス

われわれ男女は、アメリカ全女性のための真の平等と男女間の完全に平等な関係をめざす新しい運動を起こす(中略)この運動は、今日我が国国境の内外で起こっている世界的規模の人権革命の一部をなすものである。(中略)女性は、(中略)特権を懇願したり、現在の両性間の半平等の同じ犠牲者である男性に敵対したりするのではなく、自尊心を持って積極的に男性との協力関係を築くことによって、新しい女性像の創造のために最も貢献することができると信じる。

一九六六年、第二波フェミニズム運動を代表する全米女性機構(NOW)の設立宣言からの引用である。『新しい女性の創造』(*The Feminine Mystique*)著者ベティ・フリーダンや黒人女性法学者ポーリー・マーレイらが組織したNOWは、男女平等と「男女の性別役割分担の革命」をめざして諸制度の改革に数多くの成果をもたらした、政策志向のリベラル・フェミニスト運動として知られている。「われわれ男女」として男性との協力を強調したことからも分かるように、主流社会の統合と矛盾しない包摂的なレトリックを使い、あくまで世界人権宣言（一九四八年）第一条に謳われた個人の「自由、尊厳・権利の平等」という人権の普遍性に依拠して、「男性との真の平等」と「アメリカ社会の主流に完全に参加」することを目指した（歴史学研究会 二〇一二：三一一―三一二頁）。

リベラル・フェミニストの立場は、本巻藤永論文が、アメリカ労働運動において人種的マイノリティの特殊な利害を認めない点でその「保守」性を指摘したUAW（全米自動車労組）などの普遍主義的リベラリズムと重なる（二六〇頁）。普遍的人権の原理を合意形成の中心におく普遍主義的リベラリズムと、被差別・犠牲者としてのアイデンティティを基礎に集合的利害を主張するマイノリティのアクティヴィズムとの亀裂は、二〇世紀後半アメリカの社会運動にしばしば見られる事象である。フェミニズム運動においても、後者の立場から女性アイデンティティに立脚した徹底した分離主義をとり家族制度自体を批判するラディカル・フェミニストは、リベラル・フェミニストを既存の公的制度への統合を目指すのみだとして批判した（兼子 二〇一五：三三五―三三六頁）。現実には普遍主義的リベラリズムと、よりラディカルなアクティヴィズムは必ずしも相互に排他的とは言えず、問題ごとには共闘することも少なくない。本質的というよりも運動の戦略・方法論をめぐる対立と考えるべき場合もある。それはとりもなおさず、アメリカ社会においてリベラル・コンセンサスが圧倒的に主流の位置を占めていることを反映していて、仮に当事者の問題意識が特定のマイノリティとしての集合的利害であったとしても、リベラル・コンセンサスの回路を通してその要求を表現する方が成功するという政治的プラグマティズムも働きやすいのが現実である。NOWは、このような現実と格闘しながら、伝統的なジェンダー観やキリスト教保守主義からの反発も少なくないなかで、リベラル・コンセンサスにジェンダー平等を組み入れる方向にアメリカ社会を大きく前進させることに成功したのである。

その一方、ジェンダー平等を前進させた諸改革が、脱工業化社会における新たな労働力編成や統合に適合していた側面も見逃せない。第二次世界大戦後、欧米諸国は、復員兵(男性)の就業問題、ベビーブームなどを背景に、世界大戦時の総動員体制のもとで就業した女性の家庭への帰還を促した。本巻佐藤論文は、これらを背景に欧米で福祉国家政策としていったん定着した社会保障制度における「男性稼ぎ主モデル」が様々の要因から一九七〇年代には変化を迫られて、各国で「共稼ぎ家族モデル」が模索された経緯を検討している。女性の就業率が上昇したことによる家族の「共稼ぎ」モデルの拡大は、ジェンダー平等を求めた社会運動の成果という面がある一方、脱工業化が進み、比較的低学歴の男性を雇用する製造業が縮小して家計を支える必要から就労する女性が増え、また高学歴者を男女問わずに雇用する知識集約産業と、女性の方が向いているとされた分野としてのケア・サービス労働の雇用が拡大した結果でもあった(兼子 二〇一五:三四三―三四四頁)。さらに、「共稼ぎ」モデルは、家族単位・個人単位の自助努力で所得を確保してリスクに備えるライフスタイルを奨励することによって公的福祉の削減をはかる新自由主義的政策の論理とも親和性があった。

兼子(二〇一五)は、黒人女性トークショー司会者・実業家として大成功したオプラ・ウィンフリーが、二〇〇〇年の番組で、人は「自分が信じるものになる」として、自分の成功の理由は、少女の頃「貧しく黒人で女性であるということについて、言われたことを信じなかったから」だと述べたことを、構造ではなく個人の意識を問題とする点で、市場の論理の中でフェミニズムの言語が女性の自己管理の思想として新自由主義的に利用された例であると論じている(三四八―三五〇頁)。そのオプラ・ウィンフリーが製作総指揮した映画『プレシャス』(二〇〇九年製作)は、一九八七年のハーレムを舞台に、優れた能力をもちながら福祉依存の母親に家に閉じ込められ、父親にはレイプされてふたりの子どもを身ごもった肥満体の一六歳の黒人少女が、母親の支配を抜け出して新しい人生を歩みだすまでを描いて高く評価され、二〇一〇年アカデミー賞二部門を受賞した。作品は、就労意思の全くない母親が、本巻佐藤論文(二七九頁)でも検討されている要扶養児童家族扶助(AFDC)の受給を継続したいがために少女に協力させて福祉担当者を欺くという設定になっている。そして問題を、黒人の貧困や犯罪を放置する社会構造にではなく、個人の意識・自己管理の問題として捉え、優れた女性教師との出会いを通じて少女が自立する姿を描いて、「強い個人」として生きることの必要性を謳う。福祉依存に対する批判から一九九七年に廃止されて母親の就労を促すプログラムに代替されたAFDCを題材にしているという点でも、まさに新自由主義時代の道徳物語と言うべき作品であった(中野 二〇一〇)。

アメリカの個人主義への信仰を体現するスティーヴ・ジョブズやオプラ・ウィンフリーは、同時に、「大加速」時代の脱工業化段階に向けて最適化された社会のあり方を体現するロール・モデルでもあり、本巻「展望」が「大加速」時代の事象として目撃してきた「個人への転回」の究極のかたちを示している。このような人間類型に関連して、古矢(一九九八)は、第二次世界大戦時下に訪米したフランスの哲学者ジャン・ポール・サルトルが、アメリカ人が「もっとも画一的に見せながら、もっとも自由であると感じている」ことに驚いたというエピソードを引いて、「非個性的画一主義、個々人が互換可能であることを疑わないという意味での普遍性、そしてそれらを前提としたうえでの無限の個人主義的自由」こそが、二〇世紀アメリカニズムの特徴であったと述べている(一〇〇―一〇一頁)。その若干の変異体《ヴァリアント》を語ることが許されるならば、二〇世紀後半「大加速」時代の脱工業化段階に向けて最適化されてきた人々(私たち)は、「無限の個人主義的自由」を行使して自らをもっとも独創的な個人として創造することを毎日のように勧告されている結果として、実際には自由についての画一的な理解に基づく社会に向けて統合されているのではないだろうか。それはもはやアメリカのみでなく、「世界体制」化した新自由主義におけるグローバルなリベラル・コンセンサスである。そしてそのコンセンサスが強まれば強まるほどに、二〇世紀後半における宗教の再興を検討した本巻森本論文が指摘するように、「イスラムは欧米の頽廃した人間中心主義に対する別の選択肢として近代世界に提示されている」と考えるイスラム原理主義に対する西洋的な無理解は続き(三一〇頁)、二一世紀に向けて深まっていく溝が、幾つもの悲劇と破局を世界にもたらしていくことになるのである。

おわりに

第三節では、不断の科学技術イノベーションと経済成長が相互を牽引するシステムが稼働して、社会と人間活動のあり方を大きく変化させてきた時代として、「長い二〇世紀」を捉えてきた。そのうえで、「大加速」に向けて世界が最適化されていく過程として二〇世紀後半を捉えたとき、重工業化から脱工業化の時代を通じてなぜアメリカの優位性が保たれたのかを、アラモゴードとアップルをめぐる歴史のエピソードに仮託して考察した。そして、ソ連・社会主義圏が、核開発・宇宙開発ではアメリカに伍したものの脱工業化の時代に淘汰されてきたことの意味、さらにアメリカの脱工業化と一対となって日本とアジアがそれぞれの沿岸部を物理的に改変しながら「大加速」の列に加わったことの意味を考えた。さらに、「大加速」時代を通じた社会の不断の変化が何をもたらしてきたかを考えるひとつの代表的な事例として、グローバルな現象としての農民層分解・農村解体を俯瞰し、ジェンダー平等をめぐるアメリカ社会運動におけるリベラル・コンセンサスと新自由主義の問題を考えた。言うまでもなく、「大加速」時代のさまざまなシグナルを捉える点描・視点は、これら筆者の恣意で選択した僅かな事例に尽きるものではない。本巻「展望」が示したのは、第一節で論じた地球システム科学からの問題提起との対話から生まれた歴史叙述の、早晩淘汰されるに違いない、試行錯誤のひとつの試みに過ぎない。

本巻「展望」を通じて強調したかったことのひとつは、経済成長の先行・劣後の問題であった。第二節において強調したように、異なる経済成長「対数期」の総和として展開した二〇世紀後半「大加速」の時代は、それ自体が帝国世界の歴史的遺産であり、その解体のあり方を冷戦・体制間競争が左右してきた。それでは、「大加速」論が発する地球環境に対する警世の論理と、帝国世界で歴史的に劣後を強いられてきたグローバルサウスの発展と成長の権利にどう折り合いをつけるのか。石井(一九九九)が「袋小路」と表現した問題(九頁)は解決の見通しがつかないままに、二一世紀の現在、気候変動の影響は世界各地で大きな被害を与えるのが日常の光景となり、その一方で地球環境をめぐる一連の国際会議は難航を重ね、二一世紀生まれの世代からは、「大加速」時代を謳歌した国々と人々の不作為に対する批判の声があがっている。地球環境問題が、戦争責任や植民地責任問題とならんで、早晩、二〇世紀後半の世界史をめぐる歴史認識問題の新たな焦点となることも予想される所以である。

本巻「展望」が、いまひとつ強調しておきたいのは、経済成長の「大加速」が、地球環境破壊の主因とされる一方で——現在を生きる世代の人間中心主義的立場から見る限りにおいて——かつてない恩恵を世界の多くの国々と人々にもたらし、さらに多くの国々と人々にこれから恩恵をもたらす可能性があるということである。二〇世紀後半は、世界人権宣言(一九四八年)を裏切る戦争・抑圧・飢餓・貧困などの悲劇が後を絶たなかったとはいえ、ふり返れば、先行するどの時代よりも多くの人々が、自由と尊厳・権利の平等をめぐって歴史の前進を実感できた時代だった。起伏はあれども世界各地の平均余命は確実に上昇した。それを峯は「歴史の進歩」と呼ぶ(第一二巻「展望」論文)。男女の平均就学年数も、二〇世紀後半から二一世紀初めの半世紀のあいだに、世界のどの地域においても上昇しただけでなく、男女格差が縮小(または逆転)した。例えば、一九七〇年頃と二〇一七年頃で女子の生涯就学年数を比較すると、この約半世紀の間にブルキナファソはわずか一年から八・七年に、モロッコは約二・二年から一三年に、グアテマラ(三・五→一〇・六)・インド(四・一→一三)・ルワンダ(三・五→一一・二)は三倍に、コロンビア(六・七→一五)・メキシコ(七・二→一四・四)などの国では二倍になったのである。その一方、歴史のなかで劣後を強いられてきたサハラ以南諸国(女三・三→八・八、男四・九→九・七)や最貧国でも大きく数値は改善しているとはいえ、道程はまだ遠い(Montoya 2019)。

教育機会の拡大は、当該国の教育財政に依るにせよ、開発援助に依るにせよ、一定の経済的基礎を必要とする。それゆえに地球規模の実質ＧＤＰの「大加速」は、様々な経路でサハラ以南諸国の子供たちにも恩恵をもたらし、就学年数の伸長にもつながっている。もちろん、SDGs第四目標「質の高い教育をみんなに」を「大加速」と結びつけて批判するのは、誰から見ても暴論だろう。その一方、今後ますます地球環境破壊の深刻度が増していけば、そうでなければ自己実現として祝福されるであろう様々な人間の営みに対しても、次第に社会の視線が厳しくなる可能性がある。暴論を抑止し、人間活動の安易な否定に陥らないためにも、人新世・「大加速」論と対話する歴史学は、多様な歴史事象のなかに人新世のシグナルを貪欲に探りながら、ジャッジメンタルになることを避け、忍耐強くその歴史的意味を考究しなければならないだろう。

注

(1) 人新世の呼称はメディアでも定着しつつあるが、正式に地質科学的時期区分として決定されていない現在、西洋起源の用語であるAnthropoceneの日本語定訳は決まっていないことに留意する必要がある(寺田・ナイルズ 二〇二一:六五―六七頁)。

(2) 「グローバルサウス」は、発足を一九六六年の国連貿易開発会議に遡る国連七七カ国グループ(現在の加盟国数は一三四カ国)と中国を含む諸国を指す名称として、近年、「第三世界」や「途上国」に代わり使用が急速に普及した。気候変動問題などをめぐり、国際関係における行動主体としての側面も注目されている(Freeman 2017)。

参考文献

＊記載URL最終閲覧日:二〇二三年四月一五日。

石井寛治(一九九九)「戦後歴史学と世界史――基本法則論から世界システム論へ」『歴史学研究』七二九。

市川浩(二〇二二)『ソ連核開発全史』ちくま新書。

植松光夫(二〇一二)「地球圏-生物圏国際協同研究計画(IGBP)の動向」『学術の動向』一七(一一)。

エヴァンズ、リチャード・J(二〇二一)『エリック・ホブズボーム――歴史の中の人生』(上下)、木畑洋一監訳、岩波書店。

大津定美（一九九八）「ソ連の第二次高度成長――国営企業とその労使関係」東京大学社会科学研究所編『二〇世紀システム3　経済成長Ⅱ　受容と対抗』東京大学出版会。

岡田誠（二〇二〇）「日本初の地質年代名称「チバニアン」承認」『日本地球惑星科学連合ニュースレター』一六（二）。

兼子歩（二〇一五）「〈新しい女性運動〉とその後」西田慎・梅崎透編著『グローバル・ヒストリーとしての「一九六八年」――世界が揺れた転換点』ミネルヴァ書房。

金子淳（二〇一〇）「ニュータウンの成立と地域社会――多摩ニュータウンにおける「開発の受容」をめぐって」大門正克・大槻奈巳・岡田知弘・佐藤隆・進藤兵・高岡裕之・柳沢遊編『高度成長の時代2　過熱と揺らぎ』大月書店。

河村雅美（二〇一〇）「高度成長と東南アジア――「開発」という冷戦・「ベトナム戦争」という熱戦のなかで」前掲『高度成長の時代2』。

木畑洋一（二〇一四）『二〇世紀の歴史』岩波新書。

久保庭眞彰・雲和広・志田仁完編著（二〇二〇）『アジア長期経済統計一〇　ロシア』尾高煌之助・斎藤修・深尾京司監修、東洋経済新報社。

国土交通省編（二〇一四）『平成二五年度　国土交通白書』。

小堀聡（二〇一〇）『日本のエネルギー革命――資源小国の近現代』名古屋大学出版会。

小堀聡（二〇一七）「臨海開発、公害対策、自然保護――高度成長期横浜の環境史」庄司俊作編『戦後日本の開発と民主主義――地域にみる相克』昭和堂。

塩川伸明（一九九九）『現存した社会主義――リヴァイアサンの素顔』勁草書房。

菅原祥（二〇一八）『ユートピアの記憶と今――映画・都市・ポスト社会主義』京都大学学術出版会。

杉原薫（二〇二〇）『世界史のなかの東アジアの奇跡』名古屋大学出版会。

鈴木佑也（二〇二二）「「一体何が今日の家庭をこれほどに変え、魅力あるものにしているのか」――一九五〇年代末にソ連で建設され始めた集合住宅に関する一考察」『スラヴ文化研究』二〇。

高杉良（一九八三）『生命燃ゆ』日本経済新聞社。

チャクラバルティ、ディペシュ（二〇二〇）「気候と資本――結合する複数の歴史」坂本邦暢訳、成田龍一・長谷川貴彦編『〈世界史〉をいかに語るか――グローバル時代の歴史像』岩波書店。

寺田匡宏、ダニエル・ナイルズ編（二〇二一）『人新世を問う――環境、人文、アジアの視点』京都大学学術出版会。

外池力（一九九一）「ソ連における住宅政策――住宅市場形成の問題」『政經論叢』六〇（一―二）。

中野聡（二〇〇二）「国際化の中の豊島区」豊島区史編纂委員会編『豊島区史 通史編四』豊島区。

中野聡（二〇〇二）「賠償と経済協力――日本・東南アジア関係の再形成」『岩波講座 東南アジア史』第八巻、岩波書店。

中野聡（二〇〇七）『歴史経験としてのアメリカ帝国――米比関係史の群像』岩波書店。

中野聡（二〇一〇）「蜘蛛の糸をつかむ「強い個人」たれ、というメッセージに思う事々（映画「プレシャス」作品評）」『キネマ旬報』五月一日号。

中野聡（二〇一一）「アメリカの世界戦略とアジア」『岩波講座 東アジア近現代通史一〇 和解と協力の未来へ』岩波書店。

中野聡（二〇一二）『東南アジア占領と日本人――帝国・日本の解体』岩波書店。

ニコラス、トム（二〇二二）『ベンチャーキャピタル全史』鈴木立哉訳、新潮社。

西田美昭（二〇〇一）「農民生活からみた二〇世紀日本社会――『西山光一日記』をてがかりに」『歴史学研究』七五五。

西山光一／西田美昭・久保安夫編著（一九九八）『西山光一戦後日記 一九五一―一九七五年――新潟県一農民の軌跡』東京大学出版会。

野部公一（二〇一六）「分化進むロシア農村――辺境集落の消失」『専修経済学論集』五〇（三）。

橋本健二（二〇〇〇）「戦後日本の農民層分解」原純輔編『日本の階層システム1 近代化と社会階層』東京大学出版会。

橋本寿朗（一九九八a）「序」東京大学社会科学研究所編『二〇世紀システム1 構想と形成』東京大学出版会。

橋本寿朗（一九九八b）「経済成長の時代」東京大学社会科学研究所編『二〇世紀システム2 経済成長I 基軸』東京大学出版会。

パッカー、レスター（一九七三）『細胞生理学実験』妹尾左知丸・内海耕慥監訳、朝倉書店。

林望（二〇一七）『習近平の中国 百年の夢と現実』岩波新書。

深尾京司・中村尚史・中林真幸編（二〇一八）『岩波講座 日本経済の歴史 第五巻 現代1 日中戦争期から高度成長期（一九三七―一九七二）』岩波書店。

藤田実（二〇一八）「戦後日本資本主義における軍需の民需化と民需の軍需化」『季刊経済理論』五五（三）。

藤永茂(二〇二一)『ロバート・オッペンハイマー――愚者としての科学者』ちくま学芸文庫。
藤原辰史(二〇一七)『トラクターの世界史――人類の歴史を変えた「鉄の馬」たち』中公新書。
古矢旬(一九九八)「アメリカニズム――その歴史的起源と展開」前掲『二〇世紀システム1』。
ホブズボーム、エリック(二〇一八)『二〇世紀の歴史 両極端の時代』(上下)、大井由紀訳、ちくま学芸文庫。
ポラニー、カール(二〇〇九)『新訳 大転換――市場社会の形成と崩壊』野口建彦・栖原学訳、東洋経済新報社。
馬原保典・工藤章(二〇〇五)「長崎原爆によるPuフォールアウトの環境中での分布と挙動」葉佐井博巳・星正治・柴田誠一・今中哲二編『「広島・長崎原爆放射線量新評価システムDS02に関する専門研究会」報告書』京都大学原子炉実験所。
峯陽一(二〇一九)『2100年の世界地図――アフラシアの時代』岩波新書。
メドウズ、ドネラ・Hほか(一九七二)『成長の限界――ローマ・クラブ「人類の危機」レポート』大来佐武郎監訳、ダイヤモンド社。
リッツァ、ジョージ(一九九九)『マクドナルド化する社会』正岡寛司監訳、早稲田大学出版部。
歴史学研究会編(二〇一二)『世界史史料一一 二〇世紀の世界Ⅱ』岩波書店。
和田春樹(一九七八)『農民革命の世界――エセーニンとマフノ』東京大学出版会。
Anthropocene Working Group (2019), http://quaternary.stratigraphy.org/working-groups/anthropocene/
Bent, Peter H. (2021), "Industrialization and Imperialism", Imanuel Ness and Zak Cope (eds.), *The Palgrave Encyclopedia of Imperialism and Anti-Imperialism,* 2nd edition, Cham, Palgrave Macmillan.
Chakrabarty, Dipesh (2021), *The Climate of History in a Planetary Age*, Chicago, The University of Chicago Press.
Crutzen, Paul J. and Eugene F. Stoermer (2000), "The 'Anthropocene'", *Global Change Newsletter*, 41.
Dallin, Alexander and Gail W. Lapidus (eds.) (1991), *The Soviet System in Crisis*, Boulder, Westview Press.
Forty, Adrian (2019), "'Concrete? It's communist': the rise and fall of the utopian socialist material", *Guardian*, 27 February.
Freeman, Dena (2017), "The Global South at the UN: Using International Politics to Re-Vision the Global", *The Global South*, 11(2). DOI: 10.2979/globalsouth.11.2.05
Gerovitch, Slava (2007), "'New Soviet Man' Inside Machine: Human Engineering, Spacecraft Design, and the Construction of Communism",

Osiris, 22(1). DOI: 10.1086/521746

Gibbard, Philip et al. (2022), "The Anthropocene as an Event, not an Epoch", *Journal of Quaternary Science*, 37(3). DOI: 10.1002/jqs.3416

Groves, Leslie R. (1962), *Now It Can Be Told: The Story of The Manhattan Project*, New York, Da Capo Press.

IGBP (2015), "Great Acceleration Data Collection", http://www.igbp.net/download/18.950c2fa1495db7081ebc7/1421334707878/IGBPGreatAccelerationdatacollection.xlsx

Head, Martin J. et al. (2022), "The Great Acceleration is real and provides a quantitative basis for the proposed Anthropocene Series/Epoch", *Episodes*, 45(4). DOI: 10.18814/epiiugs/2021/021031

Kerkvliet, Benedict J. (1990) *Everyday Politics in the Philippines: Class and Status Relations in a Central Luzon Village*, Berkeley, University of California Press.

Krushchev, Nikita (1959), "The Kitchen Debate (July 25, 1959)", From Teaching American History, https://teachingamericanhistory.org/document/the-kitchen-debate/

Kuwae, Michinobu et al. (2022), "Beppu Bay, Japan, as a candidate Global Boundaries Stratotype Section and Point for an Anthropocene series", *The Anthropocene Review*, 0(0). DOI: 10.1177/20530196221135077

Lewis, Simon L. and Mark A. Maslin (2015), "Defining the Anthropocene", *Nature*, 519. DOI: 10.1038/nature14258

Linden, G., K. L. Kraemer and J. Dedrick (2007), "Who Captures Value in a Global Innovation System? The case of Apple's iPod", UC Irvine: Personal Computing Industry Center, https://escholarship.org/uc/item/1770046n

McNeill, J. R. and Peter Engelke (2014), *The Great Acceleration: An Environmental History of the Anthropocene since 1945*, Cambridge, Mass., Harvard University Press.

Montoya, Silvia (2019), "Data to Celebrate 50 Years of Progress on Girls' Education", https://uis.unesco.org/en/blog/data-celebrate-50-years-progress-girls-education

Stanford News (2005) "'You've got to find what you love,' Jobs says", https://news.stanford.edu/2005/06/12/youve-got-find-love-jobs-says/

Steffen, Will et al. (2004), *Global Change and the Earth System: A Planet under Pressure*, Berlin, Springer.

Steffen, Will et al. (2015), "The Trajectory of the Anthropocene: The Great Acceleration", *The Anthropocene Review*, 2(1). DOI: 10.1177/

2053019614564785

Thunberg, Greta (2021), *No One is Too Small to Make a Difference*, Penguin Books.

Tomaszewski, Pawel E. (2002), "Jan Czochralski: father of the Czochralski method", *Journal of Crystal Growth*, 236. DOI: 10.1016/S0022-0248(01)02195-9

問題群 | *Inquiry*

問題群｜Inquiry

冷戦と地球規模環境問題

芝崎祐典

はじめに

地球規模環境問題は二一世紀に入って以降、政治や経済の主要議題の一つとなり、特に国際関係を考える上で中心的な領域となっている。環境問題が国際関係の重要事項の一つであるとの認識が強まったのは一九九〇年代のことであり、なかでも温暖化の防止は世界が共通して取り組むべき課題として議論されるようになった。

ところが温暖化の防止に代表されるような地球規模環境に関わる問題は、各国政府にとって直接目に見える事象ではなく、解決策や対応策の効果も明白ではないという性質をもつ。そうしたはっきりとしないものが、なぜグローバルな政治議題として国際関係の一角を占めるようになったのか。地球規模環境問題は、より限定的な地域で発生する環境問題と比較すると人々が経験的に認識することが難しい場合が多い。時間的にも空間的にも規模が大きいため、「問題」そのものが人間の五感では直接体感しづらいからだ。地球規模では共有されにくいそのような「問題」が、重要なものとして扱われるようになった要因を探るには、「問題」の扱われ方の歴史に目を向けることが不可欠であるが、これまでそのような考察は十分なされてきたとはいえない。ここでは二〇世紀全体を視野に入れつつ、グローバル環境「問題」が人々の間で共有されることになった契機の一つとして特に第二次世界大戦後の冷戦に着目して、地球規模環境問題にとりくむ国際協調の基礎が形作られるまでのダイナミズムを概観していきたい。

冷戦は第二次大戦後、戦後処理をめぐる大国間の対立の中から姿をあらわし、それはやがて構造化され、国際関係に様々な影響を与えてきた。冷戦の具体的様態は時代ごとに刻々と姿を変化させてはいたものの、概ね一九四〇年代後半から一九九〇年頃まで、それを考慮に入れずに国際社会で行動することは考えられないというほどの影響力を持った。

冷戦の時期は、地球規模環境問題についての認識が強まる時期に隣接している。であるとするならば、環境問題についての認識の世界的な広まりと、冷戦とが無関係であったとは考え難い。それにもかかわらず、これまでの環境史では冷戦史についてほとんど言及されることがなかった。また逆に、冷戦史でも環境史の指摘を参照する研究は少数にとどまっている(McNeill and Unger 2010)。

冷戦と環境という戦後国際関係の二つの大きな問題領域が相互に関連性をもたないまま論じられてきたのは、そもそも両者間には有意の関係がないとみなされてきたためであろうが、以下で示すように両者には重要な相互連関性が存在する。冷戦史と環境史の連関性が明らかになれば、これまで各個別トピックとして論じられてきた、戦後から一九五〇年代にかけての核実験反対運動、一九六〇年代のベトナム反戦運動や若者世代を中心とした社会運動を環境史の中に有機的に位置づけることも可能となり、さらには冷戦を終焉に至らしめた東欧諸国での市民革命における環境要素の役割などもグローバル環境史の起源の中に位置づけることも可能となりうる。

一、国境を越えた環境認識の萌芽

核兵器に対する人々の反発

地球環境問題のような人間の知覚では直接認識できないような規模の大きな環境問題は、たとえそれが実際に人間に被害をもたらすものであったとしても、人々が連帯して行動を起こし、それを「問題」化していく動きは簡単には起こり得るものではない。国境を越えて広域で人々が問題意識を共有していくことは、環境については長らくほぼ皆無であった。そのような中で国境を越えた環境意識の萌芽が最初にはっきりと見られたのが、戦後の平和運動としての核実験反対運動であった。

核兵器は一九四五年にアメリカ軍の日本攻撃において初めて実戦で使用され、その破壊力が現実に示されることになった。大きな破壊力をもつ兵器を保有したことで、アメリカの世界における優位は、経済面と並んで軍事面においても圧倒的なものとなった。以降、世界各国は核兵器の保有を目指すようになり、こぞって開発実験を加速させた。以降核を保有することは大国の要件の一つとさえみなされるようになり、諸大国は競うように核開発に乗り出すことになる。

アメリカに続いて、ほどなくして開発に成功したのがソ連で、一九四九年の秋に原爆の保有を公式に宣言する。続いて一九五二年にイギリスが開発に成功した。のちにフランスや中国など各国で核開発が進められていくことになったが、これが「競争」となり、軍拡となるほど開発に力が入れられたのは、一九四七年頃から鮮明になった米ソ冷戦による東西対立の構図が大きく影響していた。対立するソ連の核保有によって唯一の核保有国という安全保障上の圧倒的優位を失ったアメリカは、数量、性能共に他国を優越するために核兵器開発に力を注いでいった。こうして冷戦における中心的存在ともいえる核兵器の開発競争と軍拡競争がもたらされることになった。

国家安全保障上、中心的存在となった核兵器は、巨大な破壊力をもたらすこと、そしてそれを一発の爆弾で可能とする「破壊の効率性」を有することがその第一の特徴である。加えてその使用が無差別に多数の市民に犠牲をもたらすることになるという大量殺戮兵器の能力を持つことが第二の特徴である。そして第三に、攻撃による被害は放射能汚染をもたらすため、その被害は長期にわたりその回復が容易ではない状況をもたらすことも、この兵器の特徴である。国家安全保障上は有効な兵器であると捉えられたものの、核兵器が持つ非人道的な側面は、多くの人々に核兵器に対する強い違和感を持たせることになった。特に知識人を中心とする市民グループにおいて反核兵器の意識が涵養され、時には市民運動へと発展していった。

核兵器の開発は、実験室や開発施設での実験とあわせて自然空間での実際の爆発実験を行うことが不可欠であった。そのため、核軍拡競争がもたらすものは戦争で使用されることによる脅威だけでなく、平時においてもその開発過程で環境へ多大な負荷をもたらすという有害性に注目が集まった。一九五二年一〇月、イギリスは、モンテベロ諸島と西オーストラリアの間にある珊瑚礁で核実験を行った(ハリケーン作戦)。これは冷戦期の核開発実験の中でも広く国際的な世論を喚起した初期のものとして代表的な事例である。この実験に抗議する運動がオーストラリア各地で発生した。この抗議運動は、非人道的兵器開発そのものに対する抗議とならんで、珊瑚礁という希少な自然環境を破壊したことに対する非難をあわせ持つものであった。そして実験地から二八〇〇キロほども離れたオーストラリアの内陸地においても放射能を含んだ靄が観察されたことから核兵器のもたらす被害の広域性をもあらわにするものであった(Bird 1989)。

一九五四年三月には、日本の遠洋マグロ漁船第五福竜丸がアメリカの核実験により被爆する事件が起こった。この実験はビキニ環礁で実施されたが、想定外の範囲に放射性降下物が拡散し、当時、アメリカが事前に指定した危険水域外のマーシャル諸島近海で操業していた日本漁船の乗組員二三人全員が被爆するという惨事となった。この事件を一つのきっかけとして、日本では日本原水爆被害者団体協議会(被団協)や原水爆禁止日本協議会(原水協)など本格的な反核運動が形成され動き出すこととなった。こうした太平洋地区を中心とした反核兵器運動のうねりは、一部の知識人と共鳴しつつ世界的に拡大していった。アインシュタインをはじめ、ポーリング、ラッセル、シュヴァイツァーなど傑出した知識人が主導し、一九五五年のラッセル・アインシュタイン宣言やパグウォッシュ会議といった反核・平和運動活動へと発展していった。

このような国境を越えたダイナミズムは、第一義的には核兵器やそれにともなう戦争そのものを廃絶することを目指す平和運動によるものであった。それが一定の波及効果を持ったのは、兵器が使用された場合に人間に及ぼす非人道的被害、くわえて自然環境に与える破損や長期間にわたる人間身体への負荷に対する人々の恐怖感や「嫌悪感」に裏打ちされていたことを強調しておきたい。

第二に、核実験がこのように急速に進められたのは、国際政治の状況が冷戦体制のもとにおかれていたためであることも改めて強調されるべき点である。核兵器の開発競争は、冷戦最大の特徴の一つであり、核兵器の存在こそ、それまでの国際政治における対立とは異質の「冷戦体制」なるものを人々に強く認識させるものであった。そしてその認識は、諸大国が核兵器開発の優先順位を政策上とりわけ高次に位置づけていたことによって強められていった。同時にそうした政府の姿勢そのものも、「冷戦体制」によって強められていった。こうして積極的に進められた開発実験によっても被爆や環境破壊がもたらされることを目の当たりにして、人々は冷戦そのものに対しても「嫌悪感」を強めていったのである。

反核兵器運動

一九五〇年代半ばに一部の知識人の行動に始まった反核平和の訴えは、一九六〇年代初頭までには、主に西欧、アメリカ、日本において大規模な大衆抗議運動を導きだすことになった。中でもイギリスの核軍縮キャンペーン(CND)は強力かつ広範な組織でもって抗議運動を展開した。一九六二年春のイースターの時点で、推定二〇万人が反核運動に参加したとされ、その規模は一九六四年に至るまで拡大し続けた。このCND運動は、若者やそれまで社会運動に関わってこなかった広く一般の人々が数多く参加したことから大きな注目を集めた(芝崎 二〇一四、Wittner 1998)。

しかしこうした反核運動の勢いは長くは続かず、一九六四年前後から急速にその求心力は失われていった。その衰退要因は、イデオロギー的な側面や、活動面において次第に社会から遊離していった点など複合的なものであるが、ここでは特に次の二点を指摘しておく。

第一に、各国による核軍拡が、一九六三年の部分的核実験禁止条約の成立によって一つの節目を迎えたことがあげられる。この条約はあくまでも核軍拡を管理するための協調体制形成を目指すものであり、核軍縮を意味するものではなかったが、反核運動に関与していた人々の中には、運動が国際政治に一定の影響を与えた成果であるとの判断が広まった。実際は運動が各国の外交に影響を与えたか否かは自明ではなく、部分的核実験禁止条約はキューバ危機後の外交・安全保障のダイナミズムの中でもたらされた結果であるという見解が政策決定者層においては一般的であった。しかし運動の影響力を強調する勢力にとっても、そうでない大多数の一般の人々にとっても、この核管理体制によって、反核の運動は一区切りがついたという印象を持つ人々が少なくなかったのである(Taylor and Young 1989; Taylor 1988)。

第二に、ベトナム戦争の激化があげられる。ベトナムの紛争状態は、一九六四年のトンキン湾事件、翌一九六五年のアメリカによる北爆の開始以降、本格化していく。歴史上「取材報道規制のなかった唯一の戦争」であったベトナム戦争は、実際に大国による情報制御は十分に及ばなかった。そのため戦争の惨劇はさまざまなジャーナリストによって事細かに世界中に報道された。以後、国際社会の最大の関心事はベトナム戦争に集中する。国境を越えた社会運動のエネルギーがベトナム反戦運動へ向かい、それとひきかえに反核運動の強度は急速に弱まっていった。

二、国際的連帯──ベトナム戦争と一九六〇年代の社会運動

環境破壊としてのベトナム戦争

ベトナム戦争は、二〇世紀中葉の国際関係に様々な影響を、同時代のみならず後の時代に残すことになった。人々の環境に対する意識もその一つであった。ベトナム戦争は、六四年から六五年にかけてアメリカが本格的に関与し急速にエスカレーションして以降、冷戦期最大の局地戦争へと発展した。その戦争行為による破壊の規模と程度は深刻なまでに巨大なものとなった。

アメリカ側のベトナムに対する空爆攻撃にはナパーム弾が使用された。ナパーム弾はゲリラの逃げ場となりうる森林を焼失させることを目的として導入されたが、実際には多くの農村攻撃にも利用された。そのため戦闘行為によって森林だけでなく、多くの一般農民が居住地を失うこととなった(藤本 二〇一四)。

さらにアメリカ軍による森林破壊には、除草剤や枯れ葉剤が主な手段として用いられた。この薬剤散布により、南ベトナムの熱帯雨林の広範囲が破壊されたばかりでなく、周辺住民の人体にも深刻な害を与えることとなった。そして薬剤を浴びたことによる人体への害は、長く後の世代にも引き継がれていくことになった。こうしてベトナムの環境は、戦争によって激しい破壊に直面したのである。冷戦期最大の地域戦争は、環境及び環境破壊に対する人々の意識にも大きな影響を与えた戦争となった(Freedman 2002; Zierler 2011; Westing 1990)。

ベトナム戦争に対する反戦世論は、当初は一部の急進的知識人や学生に限られており、広く共有されたものではなかった。やがて各国ジャーナリストによって現地の惨状が克明に知られるようになったことに加えて、一九六七年頃になるとキング牧師が主導した公民権運動の影響もあって人々が連帯することの意識が高まり、ベトナム反戦運動は

先進国都市部を中心に急速に拡大していった。激しい戦闘によってベトナム軍人やゲリラだけでなく、アメリカの軍人にも多数の犠牲者を出したこと、さらにベトナムの一般市民の生命が失われたことに対する強い憤りと非難として、ベトナム戦争に対する反戦世論は高まりを見せていった。そこへ巨大な環境破壊がもたらされたことへの嫌悪感が重ねられていった(Zierler 2010)。

社会運動の広まり

反戦の気運が広く大衆の間で高まっていったのは、こうした人的被害や環境破壊が生じたことに加えて、そもそもこの戦争にアメリカが参戦する大義名分が不在であったためでもあった。ゆえに反戦運動は平和の希求と同時に、アメリカ批判を明示的に含んだものとなった。それはさらに戦後アメリカの発展の基盤となってきた基本的な政治や社会の構造、文化やライフスタイルに対する批判へと主張の空間は拡大していった。戦後確立した政治や経済構造のありようは、国際的にみれば冷戦構造を支える要素としても作用してきたことから、冷戦そのものに対する批判も六〇年代の機運の中で醸成されていくことになった。

このように反戦運動が大きなうねりになったもう一つの背景として、ベトナム戦争とは別の系譜の社会運動がほぼ同時期の西欧で発展しつつあったことがあげられる。中でも西ドイツ国内の動きは力強く、ベトナム反戦運動が盛り上がりを見せ始めた頃、後に「六八年運動」と称されることになる社会運動の基盤が形成されつつあった。その主たる推進力はナチの過去をめぐる広範な論争にあったが、それにとどまらず広く社会の諸問題に焦点を当てるものでもあった。この時期の西ドイツの若者らはナチ時代を経験していない最初の戦後世代に属しており、権威主義や既存の伝統的価値に強く反発する姿勢を示したことが特徴的であった(井関 二〇〇五、二〇一六)。それゆえにこの大規模な社会運動は、反戦や環境破壊に対する拒絶反応をその主張に内包するものとなり、これが先のベトナム反戦と合流し、西欧全土を覆うほどの広範な運動に発展していったのである。

グローバルに拡大したこうした市民運動が環境意識を内包していたことは看過されるべきではない。それは明示的なものではなかったかもしれない。しかしここで注目すべき側面は、この広範な運動を通じて環境に対する意識、それも特定の権力によって破壊される状況にある環境に対する保護意識や危機意識が、国境を越えた形で持たれるようになったことである。そしてそのグローバルな環境意識は一九五〇年代の核実験反対運動よりも格段と広範に広がっていたのであった。

三、環境悪化の可視化——産業化社会と環境意識のグローバル化

工業化による環境への負荷

ベトナム反戦を含む六〇年代の社会運動はまもなくして急進化し、一般の共感を急速に失っていった。そして七〇年代に入るころには広範な運動としてのダイナミズムは、ほぼ消滅したといってよい。それにもかかわらず環境意識は次の時代にも受け継がれていった。そのダイナミズムをみるためには環境に対する世論を高めた六〇年代のもう一つの側面に触れる必要がある。

一九六〇年代は、特に先進国において環境の悪化が目に見える形で人々の生活の身近にまで及んできた時期でもあった。たとえばそれは日本において顕著に現れた。戦後、日本はアメリカの同盟国として戦後復興のなかで急速な工業化を進めた。その中心となった産業が鉄工業と石油化学工業であった。政府主導の工業化政策によるこの急成長は、同時に深刻な公害を生み出すこととなった。

最初に最も大きな問題となったのが水銀中毒であった。熊本と新潟で引き起こされたいわゆる水俣病は社会を大き

く揺さぶった。また光化学スモッグのレベルが高い工業地帯や都市部では呼吸器系の疾患、特に喘息が大きな問題となり、中でも四日市ぜんそくや川崎病は世界的に知られる公害病となった。

こうした公害は直接に健康被害をもたらすものであり、因果も相対的に可視的なものであったことから、これに抗議する数多くの市民運動が活発になった。しかし抗議の声は、当時は限定的な力しか持ち得なかった。というのは第一に、工場の操業に制限をかけることを意味するこうした抗議の動きは近代化や工業化の阻害要因であり、国力を弱める要因として排除すべきものとみなされることが多かったためである。第二に、冷戦期において抗議運動は、しばしば急進左派や共産主義者によるイデオロギー的活動であるというレッテルを貼られる対象となったためであった。冷戦期において、ある活動が共産主義運動であると文脈化されることは、その主張の妥当性を大きく削ぐことにつながった。こうして幅広い人々が抗議に結集することを難しくする状況は、政府による問題への対応を遅らせる要因となった。それ以前に、そもそも被害者たちの中には、十分な情報が得られず自らの健康被害が公害によるものであると認識できていない場合もあるという問題もあった(飯島ほか 二〇〇七)。

政府にとって公害への対応は政治の役割であるという認識は希薄であり、行政もこれに対応していなかった。しかし四大公害病にかかわる公害訴訟が展開する中で人々の環境問題に対する意識と関心は次第に高まっていった。一九六〇年代半ば以降、不十分なものではあるが政府もこれに応じた策を徐々に取り始めるようになった。一九六七年には公害対策基本法が施行され、公害防止において政府や企業がどのような責務を負っているかが明示されることとなり、国家として公害対策に乗り出す姿勢が公式な制度として見られるようになった。それは欠陥や欠点を数多く含むものであり、ただちに環境悪化を食い止めるようなものではおよそなかったものの、公害防止へ公的な関与を法で規定したことは、国際的に見ても早い動きであった。日本における環境庁の発足は一九七一年五月であるが、先行していたスウェーデンと米国にならい、官邸の指導で設立された。こうして上からの環境対策は、少なくとも形式的にはこの頃から動き出し始めた。

第二次大戦後、日本を含めた先進諸国は戦後復興に引き続き急速な経済成長を達成した。この経済成長は工業化の進展とともに進み、第二次大戦中に定着した大量生産方式を一層拡大させた。その拡大を促したのが戦後の大量消費社会の成熟であった。

こうした図式の中で進むことになった経済発展は公害以外の形でも環境に大きな負荷をかけることになった。その負荷は主に二つの側面において顕著であった。第一の側面は、急速な天然資源の消費である。石油や鉱物資源、森林資源などが主に途上国から調達された。なかでも森林資源の調達においては、無計画な森林伐採が行われ、のちに洪水や砂漠化などの被害をもたらすことになった(Williams 2006)。

第二の側面は、廃棄物の問題である。これには二つある。一つは大量消費を背景とした大量廃棄である。大量消費の前提には、再利用せず廃棄し、新規の消費に向かうという生活様式がある。ゆえに一般消費者から不可避的に大量の廃棄物が発生することとなった。もう一つが、生産者による産業廃棄物の増大である。産業廃棄物を妥当に処理するためのコストは、一九六〇年代には通常生産活動の考慮に入っていなかった。またその廃棄物が環境に与える負荷についてもほとんど認識されていなかった。そのため自然界にそのまま廃棄されることとなったのである。加えて大量生産方式がその廃棄物の絶対量を大規模なものにした。この廃棄物の増大は、人々の生活圏にまで及ぶほどのものであったため、広く社会に知られるようになり人々に環境意識を芽生えさせるきっかけの一つとなった(McNeill 2000)。

こうして一九六〇年代の急速な経済発展は、公害や自然破壊という相対的にその因果が目に見えやすい形式の環境破壊として姿を現すことになり、人々の環境に対する意識の水準を格段と上昇させる最初の契機となった。そして、その環境への意識を高めさせる前提を作り、それを後押ししたのが先に触れた六〇年代の社会運動であった。人々の環境意識の高まりのあり方は一様ではなく一般化は容易ではないが、レイチェル・カーソンの『沈黙の春』が世界的な注目を集め、大きな反響をもたらしたことは、人々の広範な意識の高まりを象徴的に示すものといえよう(Carson 1962)。

なお東側諸国では環境意識の高まりはごく一部にとどまり、公害などによる環境悪化は深刻さを増していった。産業水準において西側に追いつくことが目指されたため急速な工業化が推進されたばかりでなく、大衆教育の遅れもあって、人権の意識が低く人々の健康や安全が考慮されることはほとんどなかったのである。

国境を越える環境問題としての酸性雨

このように西側では環境問題の社会的認知が進みつつあったが、それだけで環境問題が社会の公式な問題となったとはいえなかった。この段階ではなおも、環境問題に関して異議申し立てをすることは、特殊な勢力による特殊な行為であるという見方が根強かった。公式の政治からみていわば新種の「雑音」のような扱いであったといえよう。ましてや国境を越えた環境問題が公式問題化するまでには様々な困難があった。

ここで一つの例としてスカンディナヴィア諸国で発生した酸性雨問題に目を向けてみる。この問題は後に環境問題を公式化させ、政治の場でグローバル環境問題を扱う領域に道をもたらすことになるが、発生当初は特定地域の特定問題として扱われたにすぎなかった。

スウェーデンをはじめとするスカンディナヴィア諸国で酸性雨問題が明確に見いだされたのは一九六〇年代はじめのことであった。当時、スウェーデンでは湖の魚類が死滅する現象が問題となっており、原因究明のための調査が進められていた。その結果、西ドイツやイギリスなどの工業地域で排出された硫化物を含む排ガスがスカンディナヴィアにまで達し、雨とともに地上に降りそそいだ結果、湖水が酸化し魚類の死滅をもたらしたという因果関係が暫定的な科学的仮説として示された。

こうしたことからスウェーデン政府は、この問題はスウェーデンの国内だけでは解決できない国際問題であると判断し、調査結果を経済協力開発機構(OECD)の国際科学協力政策委員会の特別会議で報告した。あわせてその対応について、各国に協力を要請した。しかし実証が不十分とされ、原因排ガスを出しているとされたイギリスや西ドイツもスカンディナヴィア諸国の湖水酸化問題と排ガスとの因果を否定し、有効な国際的対応がとられることはなかった。さらにスウェーデン政府は、一九七二年に新設された国連人間環境会議の場でもこの問題を提起した。これにより酸性雨問題は国境を越える環境問題として国際的に世論の一定の注目を集めることになった。しかし政府レベルでは、正面から対応策をとるという動きにはほとんどつながらず、事態の改善には結び付かなかった(Gould 1985)。

その最大の要因は、大方の主要国の国内政治において、環境問題は政治が対応すべき主要な政策領域とはなお認識されていなかったことにあった。一部世論の高まりもあって、確かに一九七〇年代に入ると各国で環境問題を扱う政府の省庁が創設される動きが見られるようになってはいた。これが環境の政治化における一つの節目であることは否定されるものではないが、しかしそれは形式的、表面的なものにとどまるものであった。

四、環境問題の政治化への契機

危機意識の広域化

やがてスウェーデン政府の訴えが、環境問題を越境問題として議論する枠組みの形成を後押ししていくことになる背景に、「地球の将来」に懸念をもつ世論が姿を見せ始めていたことがあげられる。発展のための資源の消費によって、近い将来、人間はそれを枯渇させてしまうだろうという地球の有限性に意識が向かうようになったのは一九六〇年代末頃からであった。例えば地球規模で激増している人口が、食料供給や資源消費の点から地球に限界をもたらすであろうことへの懸念の高まりも、「地球の将来」という眼差しの芽生えを示すものでもあった。人口増加による悲観的将来を描いた一九六八年に刊行されたエーリヒの『人口爆弾』は広く読まれ、人々に地球規模の環境意識をもたらすきっかけの一つとなった(Ehrlich 1968)。

中でもより大きな危機感を抱かせ、人々の意識に影響を与えたのが一九七二年に発表されたローマ・クラブによる報告書「成長の限界」である。一九六八年、オリベッティ元社長のアウレリオ・ペッチェイを中心として呼びかけが行われ、一九七〇年に正式発足したローマ・クラブは、各領域の識者からなるグループとして活動を始めた。その活動初期において出されたこの報告書では、人口や資源、汚染などの推移を予測し、現在の人口、汚染、工業化、食料生産、資源消費の傾向がこのまま続けば、一〇〇年以内に地球は成長の限界に達して、制御不能な人口や工業生産の崩壊が起きるとの将来見通しを示した。そしてこれを回避するには、人口、生態系、経済を安定させて地球規模の均衡を作り上げることが必要であるとの提言がなされた。これは後に書物として刊行され、世界的に環境危機意識を高める上で大きな影響を与えたばかりでなく、「持続可能な発展」という考え方の基礎を形成したという意味において、二一世紀においてもなお、その余波が届いているともいえよう(Meadows et al. 1972; Schumacher 1973)。

この議論が広範な人々に衝撃を与えたのは、その結論が成長の抑制を示唆していることにあった。成長を抑制するという社会のあり方は今もってなお実現していないが、資源や公害問題など地球規模の思考を必要とすることについて、人々に意識させたという点において重要な契機となった。

一一三カ国の政府代表とその他諸機関やNGOが一堂に会する国連人間環境会議が、一九七二年にストックホルムで開かれたのもこうした雰囲気が世論に広がっている最中であった。ここでスウェーデン政府が北欧の酸性雨問題を越境問題として捉え、その対策のために国際協調を求めた。また、この会議では途上国の経済発展と環境保全のどちらを優先させるかという問題に議論が集中した。途上国は環境問題よりも経済発展が最優先課題であるという姿勢を貫く一方、先進国も環境問題について国際的に協調したりコストを負担したりすることを回避する態度を取った。とはいえ最終宣言として採択されたストックホルム人間環境宣言では、資源消費の抑制や公害問題についての項目に加えて、対途上国支援の重要性が盛り込まれた。環境保護と経済発展の相互関係については曖昧なままにされたものの、環境問題への対処は地球的広がりを持たねばならないことを示す認識が、こうして公式文書に記されるようになったことは画期的であった。国連人間環境会議では国連環境計画(UNEP)を新たに創設することも合意された。

しかし、その後も環境問題が国際政治の場で取り上げられることは、あいかわらずほとんどみられない期間がしばらく続いた。一九七〇年前後から市民レベルで人々の地球規模環境問題に対する関心が芽生え、拡大し始めたのとは対照的に、国際政治の場では未だ環境問題は主要な議題とはならなかった。

とはいえ一九七〇年前後から、一般の人々のグローバルな環境の関心と意識は弱まることはなかった。この意識の萌芽は、七〇年代以降のヨーロッパでの環境意識の高まりと環境政党の台頭につながっていくことになる。六〇年代において、環境意識は社会運動によって担われていたラディカルな問題であったとすれば、七〇年代以降は広く一般市民の関心対象となりうる問題へと徐々に移行していくプロセスに入ることになった。このことこそが、環境問題の公式政治化にとって重要なモメンタムとなったのである。環境問題の担い手であった六〇年代の諸運動は七〇年代には下火になるが、環境問題への意識そのものは消滅せず、七〇年代以降、その担い手を一般の人々および公式の政治の制度化へと移すことによって存命した。それまで運動と結びついていたがゆえにイデオロギー的かつラディカルなイメージを帯びていた環境問題は、以後、一般問題領域としての確立へ歩みを始めることになる。

こうして危機意識の「公式化」ともいうべき国境を越えた制度化の土台が形成されていった。

環境問題と安保問題の交差

西ドイツでは、一九八〇年代、二つの問題が世論を大きく揺さぶった。一つが森林枯死問題である。一九八一年一一月一六日のシュピーゲル誌が酸性雨の影響でドイツの「森が枯死しつつある」という特集記事を掲載した。これによって西ドイツの世論は環境問題を巡って大きく盛り上がることとなった。このシュピーゲル誌の記事は、酸性雨の被害により西ドイツの森の多くが五年以内に枯死する可能性があることを示唆していた。歴史や文化、心情などに森の存在が深く結びついているドイツの世論は強く刺激され、急速に環境意識が高まっていくことになった(*DER SPIEGEL*, Nr. 47 (15. Nov. 1981); Lehmann 1999)。

八〇年代に西ドイツ世論を揺さぶったもう一つの問題は、中距離核兵器配備問題である。冷戦期、市民による最も大規模な抗議運動を引き起こした国際問題の一つであった。一九八一年一〇月、中距離核兵器をヨーロッパへ配備するというＮＡＴＯの決定に抗議する市民が、西ドイツの首都ボンだけで三〇万人集結した。ほどなくして欧州主要都市に波及し、史上最大規模の反核運動に発展した。この反核運動が問題としたのは、ヨーロッパ地域のみを射程内とする中距離核兵器が東側に次いで西側にも配備されようとしたことであった。米ソは自国の領土が核攻撃にさらされる懸念から解放され、そのかわりにヨーロッパ限定核戦争が勃発する危険性がかえって高まったのではないかという不安が、西ドイツ市民を始め西欧市民全体に広がっていったのである(高橋 一九九九、芝崎 二〇〇二)。

西ドイツにおいて、広範な世論を刺激し揺さぶる二つの問題をつないだのが緑の党であった。反核・反原発を党の綱領に掲げると同時に環境保護をもその政治目標においていた緑の党は、支持者を拡大しうる位置に立っていた。既存政党は酸性雨問題と中距離核問題の世論を背景に急速に勢力を拡大させつつある緑の党に危機感を抱くようになった。一九七九年のスリーマイル島原発事故の発生により、もともと反原発世論や環境意識が強まっている状況があったことも、新しい争点を掲げる緑の党の台頭に追い風となった。

環境問題の国際化

こうして環境問題と安全保障問題を明示的に結合し、世論を結集する可能性を持った緑の党の存在が、まずは西ドイツにおける環境問題の公式政治化の一つの契機となった。既存政党は支持離れを防ぐために、それまで政治問題としては傍流であった環境問題をも取り込まざるを得なくなったのである。

こうした動きは西独一国内にとどまらず、国際的な働きかけへと拡大していった。一九八二年、国連人間環境会議の一〇周年会合としてナイロビで開かれたＵＮＥＰ管理理事会特別会合の場で西ドイツ政府は酸性雨問題の解決に力を入れ、大気汚染物質の実質削減を行うことを明言した。さらに国内では大型燃焼装置の規制法案や、新設の火力発電所への排煙脱煙脱硫装置取り付け義務化など、産業界に対する各種規制を打ち出していった。

一九八三年には長距離越境大気汚染条約が発効する。同条約は一九七九年に国連欧州経済委員会（ＵＮＥＣＥ）で採択されたものであり、加盟各国に対し大気汚染防止に関する政策を求めるとともに、硫黄などの排出防止策、酸性雨の研究、モニタリングの実施、国際協力、情報交換の推進などについて規定している。かねて問題となっていたスカンディナヴィア諸国の酸性雨問題が西ドイツなどの工業国の排ガスに原因があることを実証すべく、主にノルウェー政府が主導して実施されていた国際モニタリング調査の結果を根拠の一部として条約形成に至った。西ドイツ政府が積極姿勢に転じたことを一つの背景として発効したこの枠組み条約によって、環境問題における国際協調の動きが、まずはヨーロッパ地域において姿を表すことになったのである(Liefferink 1996)。

環境問題に対処するためのこの国際的な動きは、東西冷戦の分断を越えて環境問題について協調姿勢をとっていく流れを生み出した。こうした前提があってこそ国境を越えて硫黄酸化物硫化物の削減を目指す一九八五年のヘルシンキ議定書が実現したのである。環境問題が国際関係の場で公式の議題になっていくこうしたプロセスは、大国が国際的に取り組む意志を持ったことの表れであった。このことは国際政治の場で環境問題が取り上げられ、議論されていく状況と制度化において大国の行動が重要であることを示している。ただしこの段階では英米は調印をしていない。

五、地球規模環境問題の制度化

理念の国際的共有

欧州で政治化した広域環境問題が国際的課題の一つとして浮上し始めると、それまで政府としては及び腰であったアメリカでも、国内において地球規模環境問題への取り組みを主張する市民らの声に押され、政治的な動きが見られはじめた。なかでもカーター政権末期の一九八〇年にアメリカ政府によってまとめられた報告書「西暦二〇〇〇年の地球」は大きな注目を集めた。これはカーター大統領の指示でアメリカの環境諮問委員会がまとめたものであり、二〇〇〇年までの人口や資源を含めた環境全般についての変化予測を示したものであった。特に開発途上国における人口の急増にともなう深刻な環境の悪化、南北間の経済格差などを問題として指摘した。加えて農地開発の過剰や水資源および石油埋蔵量の先行きに対する不安、さらに自然災害の増大などをとりあげており、地球の限界と将来への危機を警告している。この中で、気候変動に対する懸念も表明されている(The Global 2000 1982)。

大気中の二酸化炭素の濃度が高まると地球の平均気温が上昇することについての指摘は古くから存在していたが、これに関わる本格的な調査研究が行われたのは第二次大戦後であり、その実証は十分とはいえない状況であった。その後、アメリカの研究者による二酸化炭素測定調査プロジェクトによって、二酸化炭素の濃度が上昇傾向にあることが実証されたことで、温暖化についての問題意識は科学者から政策決定者層に広がりを見せ始めた。その影響もあって「西暦二〇〇〇年の地球」に気候変動問題への懸念が盛り込まれたのである(Weart 2008)。

この報告書が出されたのは大統領選の年であった。選挙でカーター大統領はレーガン候補に敗れ、政権は交替することになった。次期レーガン政権は、相対的に環境に理解を示したカーター政権とは大きく方針を異にしており、それまでの環境規制を逆転させて、大幅な規制緩和策を進めていった。こうしたレーガン政権の反環境的な姿勢の中でも、「西暦二〇〇〇年の地球」の影響は消えず、国際的な環境対策の枠組みの構築を目指す動きは止まらなかった。その成果の一つとして、当時ノルウェーの首相であったブルントラントを議長とした「環境と開発に関する世界委員会」が設置され、一九八三年に国連総会で承認された(発足は一九八四年)。その成立過程では日本政府の提案の与えた影響も大きかった。この会議体は世界規模で環境問題を取り扱う協議の枠組みであり、それまでに例のないものであった。特に地球環境保全と途上国の開発のあり方が議論される場が現れたことの意義は大きかった。この委員会は、初代委員長の名前を取ってブルントラント委員会の通称で知られ、世界規模で環境問題に取り組まねばならないという問題意識を一般の人々にも広めるきっかけともなった。

ブルントラント委員会は一九八七年に最終報告書を発表して、「持続可能な発展」を国家政策及び国際協力の中心的理念に据えた。この報告書は『われら共通の未来』として出版もされ、「持続可能な発展」の実現のためのあり方を広く世界へ向けて発信した(WEDC 1990)。二一世紀になると経済成長を前提とする環境対策のあり方自体が疑問視されるようになるが、八〇年代においては「持続可能な発展」は経済成長を前提としたよりよい環境対策として捉えられた。

いずれにせよ、この最終報告書は地球を一つの共同体として捉え、その維持にとって最大の制約要因が環境と資源であるとはっきり示した点において歴史的な節目と言えるだろう。それにもかかわらず、大国アメリカのレーガン政権は依然として環境問題には消極的であったため、直ちに国際協力に大きな動きがもたらされたわけではなかった。このことは国際的に物事が動くためには、大国の行動が不可欠であったことを示していると言えるだろう。

そして冷戦期、西側の大国アメリカの中から、たとえわずかであったとはいえ環境問題対処へのイニシアティヴが出てきたことの影響は小さいものではなく、環境問題を地球規模で捉える認識の強まりや、一九八〇年代以降、国際的枠組みの形成が本格化していくための原動力となった。ただ、政府や政治エリートだけが動いても、地球規模環境問題への実質的対応は進まない。現在に至るまで気候変動問題を中心とした世界的な対応への動きが続いているのは一般市民の危機意識の下支えがあったためである。身近に感じられる問題ではなく、データでしか認知できない地球規模環境問題について、一般市民の危機意識を高めることに影響したものの一つがオゾン層問題であった。

国際協力の一つの成功例――オゾン層問題

一九七四年、カリフォルニア大学のシャーウッド・ローランドは、MITのマリオ・モリーナとともに、スプレーの噴射剤や冷蔵庫などの冷媒として広く利用されていたフロンガスがオゾン層を破壊することを学術論文で警告した。アメリカではまもなくしてフロンガスの規制を求める市民運動が起こった。これをうけて一九七七年にUNEPがフロンガス規制問題の検討に着手し、翌七八年には早くもアメリカでエアゾール製品用のフロンガスの製造禁止が打ち出された。その翌年、カナダや北欧諸国もこれに追随した。

一九八二年になるとオゾン層の破壊が初めて実証されることになった。南極の昭和基地およびイギリスの観測基地が、オゾン層が局所的に少なくなっている現象を観測したのである。観測データをもとにイギリスの科学者グループが一九八五年の科学雑誌(『ネイチャー』五月)に論文を発表し、オゾン層が著しく薄くなっている様態はオゾンホールとして広く知られるようになった。このことから国際的にフロン規制への世論が急速に高まっていった。この論文発表の少し前、同年三月には「オゾン層保護に関する条約」(ウィーン条約)が採択されており、オゾン層保護を目的とする国際協力のための基本枠組みが設定された。ただしこの時の各国政府の取り組みは、表面的かつ形式的なものにとどまり、共有すべき理念の確認以上のものとはならなかった。

一九八七年頃から南極のオゾンホールが急速に拡大していることが観測され、それがオーストラリアやニュージーランドにまで拡大する傾向が認められると、特に両国では紫外線量増加による皮膚癌や白内障に怯える人が増加し、社会問題化していった。こうした事態悪化の現実に対応し、オゾン層保護のための国際協力は次第に強化されていった。原則論に過ぎなかったウィーン条約に続き、主にフロンガスの具体的規制事項案を規定した「モントリオール議定書」が一九八七年に採択された。これはオゾン層保護における国際的な取り組みを進める上での大きな足掛かりとなり、フロンの生産や消費を段階的に削減する世界的かつ具体的な取り決めへとつながっていった(Benedick 1991)。

オゾン層の破壊は、人間の活動による「汚染」が成層圏にまでおよび、その影響が全人類に及ぶという意味において、身近で被害が目に見える従来の環境問題とは質的に大きく異なっていた。こうした問題に原因物質であるフロンガスの規制を国際的な世論が一致して求めていたことは、環境問題においては質的に新しい経験であった。またフロンガスの排出源は特定の企業や特定の国家に限定できるものではなく、ゆえに世界が協力しなければ問題に対処できないことに各国の政治指導者たちが理解を示した点も、環境問題においてはこれまでにない新しい動きであった。世界が協力して原因となった化学物質を排除するという、いわば人類初の試みとして位置づけることができるだろう。そしてこうした経験は気候変動に対する国際的な取り組みの基礎の形成において重要な経験となった。

温暖化「問題」と国際協調

オゾン層問題が取り沙汰されていたのとほぼ同じ時期、一九八〇年代に入ってから世界的に異常気象が目立つようになったと人々は感じ始めていた。特に冷戦末期の一九八八年の夏はそれまでの近い過去にはなかったような異常気象が人々に強い印象を与えた。

中でもアメリカでは非常に強い熱波によって六月には多くの都市で最高気温が摂氏三八度を超え、人々がエアコンを一斉に使用したことから停電が相次ぐ事態になった。暑さのため水の使用量も激増し各地で断水が起こった。降水量が減った地域もあり、極端な場合では旱魃が発生した。こうした中、農業生産も例年平均の二五％減となり、食料供給に対する危機感も高まることとなった。

この年にアメリカを襲った熱波は感覚的にも直接「温暖化」を想起させるものであった。そしてそれが市民生活を脅かすものとなり得ることを体験したことから、気候変動を懸念する感情的な世論が急速に拡大した。それに加えて、その同じ年には、アメリカの近隣であるジャマイカに「ギルバート」、ニカラグアに「ジョアン」など超大型ハリケーンが上陸した。これらのハリケーンは甚大な被害をもたらしたため、温暖化を危惧する世論をさらにかきたてることになった。人々がこうした自然災害を感覚的にこの夏の熱波と結びつけて受け取ったためであった。この年にはバングラデシュでも大規模な洪水被害が発生し、国土の大半が冠水した。この大規模洪水の原因は、ヒマラヤ山麓一帯の森林破壊も含め複数の要因が重なったものという専門家の見解が示されていたものの、人々はこれを温暖化と結びつけて捉える感情的な反応を示した。

極端な熱波に見舞われたアメリカでは、その年の六月に上院のエネルギー天然資源委員会が公聴会を緊急招集した。アメリカ航空宇宙局ゴダード宇宙科学研究所のジェームズ・ハンセンが、異常気象についての参考意見陳述を議会から求められた。ハンセンは、この年の熱波は「二酸化炭素の増大など、人間活動の影響による「温室効果」による可能性が高い」と、コンピューター解析の結果から得られた仮説を説明した。この「温室効果」という言葉が一般の人々の感覚的判断を刺激することとなり、アメリカのみならず世界的に温暖化パニックとも言えるような状況をもたらした（Clark 2001）。

ちょうどこの時カナダのトロントでＧ７サミットが行われており、温暖化について話し合うための会合が緊急に開かれた。ここでオゾン層の保護や温室効果の抑制に取り組む方針が打ち出されることになった。国際世論に反応して先進主要国が温暖化について話し合うことになったという意味で歴史的な会議であった。

こうした流れの中で、気候変動に関する科学的な知見をグローバルレベルで集積する機運が高まり、気象の専門家と政治とをつなぐ枠組みが発足することになった。この年の一一月、世界気象機関(WMO)とUNEPの共催で、気象に関連する専門家を集めて「気候変動に関する政府間パネル」(IPCC)が発足した。以後、この場において、気候変動のメカニズムや、将来予測、さらに必要な対処法などについて科学的な知見に基づいた議論が積み重ねられていくことになった。こうして国際政治のレベルにおいても気候変動問題に対処するための国際的枠組みが必要であるとの認識が高まっていった(Houghton et al. 1990)。

以降、IPCCの報告書を手がかりとして気候変動問題に対処するための国際条約形成へ向けた政府間交渉が展開されるようになった。条約は経済および産業活動に対する制限を伴うものとなることから、各国の利害は鋭く対立し交渉は難航した。各国による外交努力が重ねられた結果、最終的に条約締結には漕ぎ着けたものの、先進国と途上国との対立は根本的には解消しなかった。

その国際交渉の成果が、一九九二年にリオデジャネイロで開かれた通称「地球サミット」で締結された気候変動枠組条約(当時は地球温暖化防止条約とも呼ばれた)であった。「温室効果ガスの人為的排出」が原因となって気候変動がもたらされていることを前提として、したがってその「排出を抑制すること」がとるべき各国の政策であるという考えを基本としてこの条約は組み立てられた。ちなみに同じ年にナイロビで開かれた国際会議では生物多様性問題に対処するための条約が採択されている。一九九二年は地球環境問題に国際制度の構築でもって対処しようとする動きが、強い意志でもって示された年であったと言えるだろう。

気候変動問題について、人間活動が原因で温暖化などの気候変動が起きているのかどうかという因果関係に対する疑念や、気温上昇は地球の長期的変動の一部であるゆえに経済活動の制限は無意味であるといった見方も当初は少なくなかった。そもそも温暖化自体が存在しないとする主張なども一部の科学者たちからも出されたりした。地球環境問題についての政治的議論は、対象となる「問題」が一般の人々の身体感覚では捕捉しきれない性質のものであるがゆえに、「問題」を認識するためには科学者の専門的議論を介在させる必要がある。この点こそ環境を巡る国際関係の特徴の一つであり、それに加えて「科学的」専門性は、例えば気候変動についてみても、科学者の間でさえ一致した見解は容易には導き出されることはなかった。そうであるがゆえに、政府間の難しい交渉を根底で支えたのが市民レベルでの環境に対する危機意識であった。ちょうど近い時期に、例えば一九八六年のチェルノブイリ原発事故や一九九一年のピナツボ火山の大噴火など国境を越えて影響が広がる問題は人々に衝撃を与え、各国政府が協調して取り組むことの重要性を人々にいっそう感じさせることになった。

気候変動枠組条約に調印した国それぞれの国内でさまざまな議論を経たのち、条約締結から二年の間に各国で批准の手続きがなされ、一九九四年三月に条約は発効した。翌年一九九五年春に、ドイツのベルリンで第一回の締約国会議（COP1）が開催された。それ以降、会議は毎年開かれ、具体的政策目標設定とさらなる対応の模索がなされている。

気候変動そのものに対する懐疑論はCOP1の頃は依然として強かったが、二一世紀に入る頃までには、気候変動は人間活動によって引き起こされたとする見解が科学的にもほぼ通説となった。二〇二一年に公表されたIPCCの第6次評価報告書でも、温暖化の原因が人間活動によるものであると初めて断定された。

気候変動への対処には国際関係が守るべき普遍的規範の位置が与えられ、国際関係を秩序立てる重要な一つの足場となった。気候変動への対処のあり方においては、なおもさまざまな主張や立場が存在し、時には鋭い対立が前面に出てくることもあるが、冷戦後の世界において国境を越えた人々のつながりをもたらす最大の領域の一つが気候変動問題となったと言えるだろう。

気候変動についての科学的知見はどうであれ、地球の将来をどう考えるのかという問題への姿勢は、人々の価値の選択を端的に示すものである。歴史的に見てこれまでに例がないような大きな規模の空間感覚と時間感覚を纏って行動することが求められている時代に我々は暮らしている。そのことを地球規模環境問題は知らせている。

おわりに

気候変動枠組の形成は、核兵器が最大の脅威であった冷戦が終わり、それと入れ替わって次なる脅威である地球規模環境問題に対処するために出てきた動きであるという議論がしばしばなされることがあったが、それはあまりにも単純化されたものであると言わざるを得ない。条約締結は確かに冷戦後である。しかし大国間協調で合意がみられたのも、その前提となった市民レベルの意識形成も冷戦崩壊の前である。

気温暖化問題に代表される地球規模環境問題への意識形成の流れは、冷戦初期にその源流を求めることができる。気候変動へのグローバルな対策の枠組形成の最初の動きは、本稿で概観してきた冷戦期の市民のダイナミズムを前提としていたからこそ制度化が急速に進んだのであり、唐突に形成されたのではない。その意味で気候変動への対処のための協調の枠組みは、冷戦という国際関係を背景として育まれた「成果」を原動力の一つとしてきたと言えるだろう。

第二次世界大戦後、一種の国際秩序の代替としてのはたらきをしてきた冷戦の構造が崩れたことで、一九九〇年代以降、国際社会は新たな時代の国際関係を支える普遍的秩序の模索を各方面で続けてきた。その有力なものの一つとして、気候変動に関する国際条約は国際社会全体を包含するものとして注目すべきものである。もしグローバル環境に関わる諸制度や規範が国際関係全体を規定するようになるとすれば、我々はついに暴力や抑止によらない国際秩序を手に入れることになる。ただその見通しはまだ立っていない。

参考文献

飯島伸子・藤川賢・渡辺伸一（二〇〇七）『公害被害放置の社会学――イタイイタイ病・カドミウム問題の歴史と現在』東信堂。

井関正久（二〇〇五）『ドイツを変えた六八年運動』白水社。

井関正久（二〇一六）『戦後ドイツの抗議運動――「成熟した市民社会」への模索』岩波書店。

芝崎祐典（二〇一四）「反核運動と冷戦の変容」菅英輝編『冷戦と同盟――冷戦終焉の視点から』松籟社。

芝崎祐典（二〇二二）「新冷戦とヨーロッパの反核運動」益田実・齋藤嘉臣・三宅康之編『デタントから新冷戦へ――グローバル化する世界と揺らぐ国際秩序』法律文化社。

高橋進（一九九九）「冷戦終焉の意味するもの」坂本義和編『核と人間 II――核を超える世界へ』岩波書店。

藤本博（二〇一四）『ヴェトナム戦争研究――「アメリカの戦争」の実相と戦争の克服』法律文化社。

Benedick, Richard Elliot (1991), *Ozone Diplomacy: New Directions in Safeguarding the Planet*, Boston, Harvard University Press.

Bird, Peter B. (1989), *Operation Hurricane: A Personal Account of the British Nuclear Test at Monte Bello, 1952*, 2nd. rev., Worcester, Square One Publications.

Carson, Rachel L. (1962), *Silent Spring*, Boston, Houghton Mifflin.

Clark, William C. (2001), *Learning to Manage Global Environmental Risks: A Comparative History of Social Responses to Climate Change, Ozone Depletion, and Acid Rain*, vol. 1, 2, Cambridge, The MIT Press.

Ehrlich, Paul R. (1968), *The population bomb*, New York, Ballantine Books.（ポール・R・エーリック『人口爆弾』宮川毅訳、河出書房新社、一九七四年）

Freedman, Lawrence (2002), *Kennedy's Wars: Berlin, Cuba, Laos and Vietnam*, New York, Oxford University Press.

The Global 2000 (1982), *The Global 2000 Report to the President: Entering the Twenty-First Century*, Complete ed., London, Penguin Books.

Gould, Roy (1985), *Going Sour: Science and Politics of Acid Rain*, Basel, Birkhäuser.

Houghton, J. T., G. J. Jenkins and J. J. Ephraums (1990), *Climate change: The IPCC scientific assessment*, Cambridge, Cambridge University Press.

Lehmann, Albrecht (1999), *Von Menschen und Bäumen: die Deutschen und ihr Wald*, Hamburg, Rowohlt.（アルブレヒト・レーマン『森のフォークロア――ドイツ人の自然観と森林文化』識名章喜・大淵知直訳、法政大学出版会、二〇〇五年）

Liefferink, Duncan (1996), *Environment and the nation state: the Netherlands, the EU, and acid rain*, New York, Manchester University Press.

McNeill, J. R. (2000), *Something New Under the Sun: an environmental history of the twentieth-century world*, New York, Norton.

McNeill, J. R. and Corinna R. Unger (2010), *Environmental Histories of the Cold War*, Cambridge, Cambridge University Press.

Meadows, Donella H. et al. (1972), *The Limits to growth: a report for the Club of Rome's project on the predicament of mankind*, New York, Universe Books.（ドネラ・H・メドウズほか『成長の限界――ローマ・クラブ「人類の危機」レポート』大来佐武郎監訳、ダイヤモンド社、一九七二年）

Schumacher, Ernst Friedrich (1973), *Small is beautiful: a study of economics as if people mattered*, London, Abacus Books.（E・F・シューマッハー『スモール イズ ビューティフル――人間中心の経済学』小島慶三、酒井懋訳、講談社学術文庫、一九八六年）

Taylor, Richard (1988), *Against the Bomb: The British Peace Movement, 1958-1965*, Oxford, Oxford University Press.

Taylor, Richard and Niegel Young (eds.) (1989), *Campaigns for Peace Movements in the Twentieth Century*, rev., Manchester, Manchester University Press.

Weart, Spencer R. (2008), *The discovery of global warming*, rev., Cambridge, Harvard University Press.（スペンサー・R・ワート『温暖化の〈発見〉とは何か』増田耕一・熊井ひろ美訳、みすず書房、二〇〇五年）

WEDC (1990), *Our Common Future*, Oxford, Oxford University Press.

Westing, Arthur H. (ed.) (1990), *Environmental Hazards of War: Releasing Dangerous Forces in an Industrialized World*, London, SAGE.

Williams, Michael (2006), *Deforesting the Earth: from prehistory to global crisis: an abridgment*, Chicago, University of Chicago Press.

Wittner, Lawrence S. (1998), *Resisting the Bomb: a history of the world nuclear disarmament movement, 1954-1970*, Stanford, Stanford University Press.

Zierler, David (2010), "Against Protocol", J. R. McNeill et al. (eds.), *Environmental Histories of the Cold War*, Cambridge, Cambridge University

Press.

Zierler, David (2011), *The Invention of Ecocide: Agent Orange, Vietnam, and the Scientists Who Changed the Way We Think About the Environment*, Georgia, University of Georgia Press.

問題群｜*Inquiry*

冷戦と東西文化外交

齋藤嘉臣

はじめに

第二次世界大戦後の東西対立は歴史上の他の国際対立とは性格を異にしていた。東西の盟主を自認する二つの超大国は、いずれも普遍性を標榜するイデオロギーを掲げ、その優越性を競い合った。この対立は政治システムから日常的な生活様式にいたるまで広範な領域における正当性をめぐる争いであり、広く社会的動員を促した点にその特異さを見出すことができた。無論、核兵器開発競争や脱植民地化との連関といった、戦後国際政治が有した特徴は他にも指摘できるし、国家間対立が社会を巻き込みながら進むのも戦後に限ったことではない。それでも平時における動員の規模やイデオロギーの社会文化的影響を考慮する時、やはり「冷戦」は他の国際対立の有り様とは性質を異にしていた。

かかる視点から浮かび上がるのは、体制の正当性を維持・強化することを目的に各国が繰り広げた、国内外の「人心」(hearts and minds)を獲得する争いとしての冷戦の側面である。同盟国であるか対立国であるかを問わず、世論への直接的な関与を通してイデオロギーの優越性を誇示する広報活動が広く行われたが、その一つの核をなしたのが文化外交であった。著名な芸術家や文化作品を対外的に発信するプログラムを介して、各国はグローバルな規模で文化的な優越性を競い合った。国家を宣伝する媒体としての芸術は絵画や映画、音楽や舞台芸術など多岐にわたったが、いずれも自国の文化的偉業を見せる(魅せる)試みの中で極めて政治的な思惑から発信されたのである。

本稿は冷戦と文化外交の関わりについて検討するが、その際にとくに米ソによる文化の政治利用の実態に焦点を当てながら、両国の文化外交の背景とその特質を明らかにする。具体的には、両国が重視した音楽とバレエのグローバルな外交利用を、とくに双方を直接の対象とした事例を中心に取り上げる。以下、はじめに東西文化交流が本格的に始動する一九五〇年代半ばまでの国際情勢を概観し、文化の冷戦的利用がなされる背景を確認する。次に、米ソが展開した文化外交の実態を、クラシック音楽、ジャズ、バレエを事例として明らかにする。一連の考察は、芸術家が冷戦の論理と無縁ではなかったこと、にもかかわらず対外的な芸術利用に際して国家と芸術家が抱える思惑は常に一致するとは限らなかったことを明らかにする。くわえて本稿は、芸術家を送り出す側が持つ政治的な意図や芸術家が体現する美学とは別に、受容者側(聴衆、批評家、受入国当局)の解釈の自律性についても注目することで、文化外交の主体性を批判的に問い直すことになるだろう。

一、東西文化交流の展開

ソ連による「文化攻勢」

東西間の文化交流が本格的に始動する契機となったのは、ソ連の指導者ヨシフ・スターリンの死去(一九五三年)と、その後のソ連指導部による「文化攻勢」にあるとされる。スターリン統治期後期にあたる戦後ソ連は厳しい情報統制下にあり、対外文化交流にも消極的であった。戦間期には全ソ連対外文化交流協会(VOKS)が設立されて文化交流が進められたが、一九三〇年代後半には文化統制が強化され、戦後は強固な文化統制の下で社会主義リアリズムに合致した芸術様式の徹底が図られると、抽象的で難解な芸術様式が形式主義、ブルジョワ的退廃主義などと糾弾された。音楽界でもドミートリイ・ショスタコーヴィチ、セルゲイ・プロコフィエフ、アラム・ハチャトゥリアンらがその批判対象となった。ジャズもアメリカの音楽として警戒され、取締りの対象となった(Caute 2003: 379-387)。

だが一九五三年にスターリンが死去すると、国内再建のため安定した国際関係を必要としたソ連の新指導部はそれまでの方針を転換した。まず、対外的には「平和共存」政策を展開し、一九五〇年代半ばまでに朝鮮戦争やインドシナ紛争の休戦、オーストリアの主権回復、日本やユーゴスラヴィアとの関係正常化が実現した。国内でも文化的締め付けが緩められて「雪どけ」が生じた。同時に新指導部によってグローバルに展開されたのが「文化攻勢」であった。そこにはアジアや中東など第三世界諸国に対する影響力を拡張する意図があった(Gould-Davies 2003: 200-204)。

一方、アメリカには民間組織を中心とした文化交流の伝統があった。一九三〇年代後半には国務省に文化関係局が創設されたが、これはナチスの影響が高まる南米を対象とする例外的な試みであった。それでも戦後になると、一九四六年にフルブライト教育交流計画が定められて人的交流が進んだほか、一九四八年にはスミス・ムント法により国務省の対外広報活動や教育文化交流を行う際の法的基礎が整えられた。一九五三年には「世界にアメリカの物語を伝える」ことを目的とした広報文化庁(USIA)が設置された。USIAは、ラジオ局「アメリカの声」(VOA)をはじめとする広報手段を介してアメリカの大義を発信するとともに、大使館に設けられた海外支部(USIS)が後の文化外交の実施に際して世界各地で国務省を補助することとなる(Ninkovich 1981: 28-34, 124-138)。このように一九五〇年代初頭、高まる東西対立を背景に心理戦の観点から対外広報活動が展開される一方で、アメリカは政府主体の大々的な文化外交には必ずしも積極的ではなかった。

当初はソ連発の「文化攻勢」に警戒感を強めた西側諸国であったが、共産圏諸国との文化外交に対して次第に積極的に関与していった。たとえば一九五四年にフランスからコメディ・フランセーズが訪ソして公演を成功させたことは、ソ連の知識人層が持つ西欧文化への「ノスタルジー」を刺激することが可能との期待をイギリス政府内で高めた。そのイギリスでは従来より国内の親ソ的な「友好協会」が窓口となり民間レベルで対ソ文化交流が進められていたが、一九五五年に親ソ勢力の影響力を削ぐ思惑もあって政府自ら対ソ交流の窓口となるソ連関係委員会を設立し、ソ連文化の国内浸透の管理を図った。東西交流への政府関与は国内冷戦的な見地からも必要だったのである。そこには、表面上は友好親善的な装いを持つ文化交流に政府が消極的であり続けることが国内外の世論の批判を招くとの判断もあった。東西交流を促す主体として世論(聴衆や批評家含む)が果たした役割は無視できない(齋藤 二〇一三:五一〇、二三四―二五二頁)。

東西間の文化交流に対する警戒と期待は、アメリカでも一九五三年に成立したアイゼンハワー政権下で見られた。アメリカでは前年に制定されていたマッカラン法が政府関係者以外の入国希望者に指紋押捺と写真提供を求めており、東西交流の障害となっていた。政府内では当初、東西交流は国際的現状をアメリカが承認したと受け取られかねないと危惧された。スパイの浸透や国内の反共的な警戒心が低下する可能性も懸念された。だが一九五〇年代半ばまでにアメリカ政府は、東西交流がソ連における個人の自由や福祉、安全を求める圧力を下から高めるよう促すことになるとの期待を持つようになった(Rosenberg 2005: 127-132)。

文化交流に対する国際的な期待と圧力は、一九五五年七月のジュネーヴ首脳会談の場にも反映された。一〇年前のポツダム会談以来、米ソ首脳が初めて一堂に会したこの会談で、両国首脳は英仏首脳とともにドイツ問題および軍縮問題にくわえて東西間の文化交流を進める手段について討議した。東西間の自由な交流を訴える西側首脳に対して国家管理の必要を説くソ連側は折れず、具体的な合意事項はなかったものの、会談はいまや東西間の文化交流について実施の是非ではなくその手段に国際的な焦点が移ったことを示していた。ジュネーヴ首脳会談後、一九六〇年までに西側諸国とソ連との間には次々と文化協定が締結された。このうち米ソ文化協定は一九五八年一月に締結され、交流事業の第一号としてモイセーエフ民族舞踊団が同年六月にアメリカ公演を行った。

米ソの対日文化外交

ソ連が「文化攻勢」において重視した対象には日本も含まれた。戦後、日ソ間の国交は一九五六年に回復するが、すでにソ連は一九五四年初めからヴァイオリニストのダヴィド・オイストラフの訪日を準備しており、翌年二月からの日本公演に結実した。戦後の「うたごえ」運動の広がりに象徴されるように、戦後日本ではロシア・ソ連文化が独特の存在感を持っており、オイストラフの公演に際しても熱心な音楽愛好家が訪れた。

このことはソ連文化省を刺激し、国交回復後のさらなる公演へとつながった。重視されたのはバレエと音楽だった。ボリショイ・バレエ団の日本公演(一九五七年八―九月)は八万人の観客を魅了するとともに、テレビ中継や好意的な批評を通じて日本中にソ連バレエの魅力を提示した。しかもこの公演は、かつて後述のバレエ・リュスに所属していた亡命ロシア人で、アメリカに帰化したアレクサンドラ・ダニロワによる日本公演と同時期にあたった。日本は米ソ文化冷戦の最前線でもあったのである。他にも、一九五八年六月からのボリショイ・サーカスによる公演が来場した一〇〇万人の大衆を魅了したのに対して、同年一二月から六万人の観客を動員して実施されたモスクワ芸術座の日本公演は文化人を大きく刺激した(人数はいずれもソ連側報告による)。それと前後して、ピアニストのエミール・ギレリス(一九五七年一〇月)、レニングラード交響楽団(一九五八年四月)といった「音楽大使」やキーロフ・バレエ団(一九六〇年六月)の訪日公演が続いたが、その背景にはソ連文化の対米優位性を示す思惑があった。ソ連の対日「文化攻勢」は、親ソ的な世論の高まりを介した日米離間の見通しが遠のいた一九六〇年の安保改定後まで続くこととなる(半谷 二〇〇六:三二―三九、四七―四八頁)。

ソ連の対日「文化攻勢」にアメリカは焦りを抱いた。駐日アメリカ大使館はしばしば国務省に、ソ連文化との対抗上、一流の芸術を送り込むことが必要と訴えた。日本を舞台とする文化冷戦においてアメリカはソ連の後塵を拝しているとの危機感があったのである(Fosler-Lussier 2015: 27-28)。アメリカ文化は市場主義に毒されており見るべき文化的偉業はないとする反米言説への反証を行う必要や、対日関係を重視する姿勢を明示的に示す必要もあった。そこで一九五五年五月にはシンフォニー・オブ・ジ・エア(旧NBC交響楽団)が送り込まれ、続いて同年中にマーサ・グレアム舞踊団も来日した。当初グレアムはヨーロッパ公演を望んでいたが、東南アジアにおける冷戦の浸透を危惧する国務省の説得により、日本公演を皮切りとして東南アジアや中東の一一カ国での公演を実施したのである。

その後も、音楽やバレエの領域においてアメリカの対日文化外交は続いた。一九六〇年までに、ロサンゼルス・フィルハーモニー管弦楽団(一九五六年六月)、ベニー・グッドマン(一九五七年一月)、ニューヨーク・シティ・バレエ団(一九五八年三―四月)、ジャック・ティーガーデン(一九五九年一月)、ボストン交響楽団(一九六〇年五月)といった、一流の音楽家やバレエ団が送り込まれた(藤田 二〇一五:一五七―一六九頁)。

モスクワでの「米ソ対決」

クラシック音楽界において米ソ直接対決の様相を呈したのが、一九五八年にモスクワで開催された第一回チャイコフスキー国際コンクールであった。もともとソ連が自国で国際コンクールを開催することを決意した背景には、優れた音楽的伝統に対する当局の自負があった。ソ連では戦前から才能ある個人が集中的な音楽教育を受けており、一九三六年から一九五〇年代末までに一四九名のソ連出身の若いソリストが国際コンクールで大きな成果を残していた(一位四一名、二位三三名、三位一九名)(Mikkonen 2013: 138)。仮に不満足な結果しか得られないのであれば、それは審査の偏向のためと捉えられた(Tomoff 2015: 62-63)。よって、一九五三年のロン=ティボー国際コンクールで、ソ連からの参加者四名のうち三名がヴァイオリン部門で一位と二位になるも、ピアノ部門で二位（一位なし）に終わった時、ソ連作曲家同盟の要職にありソ連代表団を率いた作曲家ドミトリー・カバレフスキーは審査の偏向を批判した（これは八名がピアノ部門に参加したが決勝には誰も残らず、ヴァイオリン部門では参加者七名中三位と六位に終わったアメリカの音楽家とは対象的ではあった）。一九五五年のショパン国際ピアノコンクールではウラディーミル・アシュケナージが二位、エリザベート王妃国際ヴァイオリンコンクールでもユリアン・シトコヴェツキーが二位と活躍したもののソ連側は満足しなかった。ソ連共産党中央委員会では、オイストラフ、ギレリス、レフ・オボーリンらが文化外交の一環として頻繁に海外公演を実施していることも、音楽院での教育の質を低下させていると問題視されるようになった。そこで、充分な権威を持ちながら審査の「客観性」も担保できる国際コンクールとして、一九五八年の第一回チャイコフスキー国際コンクールがモスクワで実施されるに至ったのである（*Ibid.* 62-81）。

コンクール開催に際しては参加者を対象にチャイコフスキーのオペラ作品やバレエ作品を観劇する文化体験企画が実施され、国際的な芸術都市としてのモスクワが宣伝された。コンクールの結果として、ヴァイオリン部門で決勝に残った八名のうち一位を含めた六名がソ連からの参加者であったことは、ソ連の音楽文化の優越性を内外に広報する十分な成果であった（*Ibid.*: 89-99）。

一方、ピアノ部門ではテキサス出身の若いピアニストであったヴァン・クライバーンが一位となったことは周知のとおりである。アメリカでも広く報道され、すぐにドワイト・アイゼンハワー大統領からの祝辞が本人に届けられたほか、各国のアメリカ大使館からも文化外交の主体としてのクライバーンにかける期待から、駐在先での公演可能性について国務省に多くの打診がなされた。実際、西欧各国で行われた公演は成功し、パリ公演に際しては現地の興奮について大使館広報官が、これまでソ連文化に贈られてきた大喝采がアメリカ人にも与えられたおそらく史上初の事例と本国宛に報告した。ブリュッセルで開催中の万博にも、クライバーンはアイザック・スターン（ヴァイオリニスト）

やバイロン・ジャニス(ピアニスト)らとともに姿を見せ、フィラデルフィア管弦楽団との共演を果たした(齋藤 二〇一七：一六九—一七二頁)。だが興味深いことに、ソ連側の受け止めはやや異なった。ニコライ・ミハイロフ文化相は、クライバーンのピアノ教師がかつてモスクワ音楽院で教育を受けたキーウ生まれのロジーナ・レヴィーンであったことを強調した。この点は『プラウダ』紙や『イズヴェスチャ』紙でも繰り返された。クライバーンの勝利は、必ずしもアメリカの勝利とは受け止められなかったのである(Tomoff 2015: 103; クリフ 二〇一七：二三五—二四〇頁)。

二、米ソによるクラシック音楽外交

ソ連音楽家のアメリカ公演

ソ連にとってはアメリカとの直接交流も重要であった。マッカーシズムを経験していたアメリカでは動員可能な労働組合や社会的影響力を持つ共産党組織がなく、ソ連にとって公然たる文化外交はアメリカ国内へのアクセスを確保できる数少ない手段だったためである(Gould-Davies 2003: 204)。一九五五年一一月には、前月にギレリスがアメリカ公演を行ったのに続いてオイストラフもアメリカ公演を成功させた。ソ連側がオイストラフによせた期待は公演の構成に見出すことができる。第一に、ヨーロッパ文化の継承者としての自認と、ソ連の音楽家の演奏水準の高さを示す思惑から、モーツァルトとブラームスのヴァイオリン協奏曲が披露された。第二に、ソ連が同じく継承者と自認するロシア音楽の象徴として、チャイコフスキーのヴァイオリン協奏曲が演奏された。第三に、ソ連で活躍する作曲家を宣伝するためショスタコーヴィチのヴァイオリン協奏曲が演奏された。一方、公演各地では好意的な報道が目立ったものの、技術的な水準を高く評価しつつ創造性を疑問視する音楽批評もあり、必ずしも一様に高い評価がなされた訳ではない(Tomoff 2015: 125-127)。

一九五六年にはチェリストのムスティスラフ・ロストロポーヴィチがアメリカ公演を実施する等、一九五〇年代にソ連の音楽家が次々とアメリカ公演を実施する中にあって、同じくソ連で活躍したスヴャトスラフ・リヒテルは同時期に東欧各地での公演を行ったものの、西側での公演は一九六〇年まで実現しなかった。その理由は、リヒテルの父親がドイツ系で大戦中にスパイ行為の嫌疑をかけられ射殺されたことや、母親が西ドイツに移住したと推測されたため、亡命を警戒した当局の許可が下りなかったことにあるとされる(Tomoff 2015: 134; Mikkonen 2013: 148)。リヒテルはボストン交響楽団とフィラデルフィア管弦楽団がソ連公演を実施した際(一九五六年と一九五八年)に共演しており、国外公演への期待は内外で高まっていた。文化相ミハイロフがソ連共産党中央委員会文化部に海外公演の許可を要請し、ようやくテストケースとして中立政策をとるフィンランドでの公演が実現したのは一九六〇年五月のことである。この公演成功を受けて同年一〇月にアメリカ公演が実現したのであるが、国家保安委員会(KGB)要員の随行付きであった。リヒテルはベートーベン、シューマン、ブラームス、ハイドンらの楽曲を演奏することを求めてソ連当局に許可され、同時にリヒテルが慕ったプロコフィエフの楽曲も数多く演奏された。いずれも、公演を通してソ連の音楽水準の高さをアメリカの聴衆に顕示する当局の期待を表したものだった(Herrala 2015: 92-103)。

グローバルに芸術家を派遣し続けたソ連の「文化攻勢」は一九六〇年までに多くの実績を残した。同年のレニングラード・フィルハーモニー交響楽団による西欧ツアーでは、八カ国で三四公演が実施された。しかし一九六二年にアメリカとカナダで公演した後、楽団は一九七二年に至るまで突如として国外ツアーをほぼ禁じられてしまう。KGBが指揮者エフゲニー・ムラヴィンスキーの亡命を懸念したためとされる。ソ連の文化外交は、国外派遣される芸術家が西側文化に魅了される危険や亡命する危険と常に隣り合わせであった。後述の様にバレエ界のスターだったルドルフ・ヌレエフが一九六一年のフランス公演中に亡命したことで、その懸念は現実のものとなる(Mikkonen 2013: 151-152)。

その間、リヒテルは一九六五年と一九七〇年にもアメリカ公演を行っている。だがオイストラフとともに行った一九七〇年の公演に際して(オイストラフは一九五九年にもアメリカ公演を実施)、ブラームスのヴァイオリン・ソナタ演奏中にソ連のユダヤ人政策に反発する現地のユダヤ防衛同盟が演奏を妨害して以来、リヒテルがアメリカの地を踏むことはなかった(Henahan 1970)。

クラシック音楽と「アメリカらしさ」

ソ連の積極的な音楽外交に対して、アメリカでも一九五四年にアイゼンハワー政権が大統領緊急基金を創設し、自国の音楽文化の存在を世界に発信し始めた。大統領緊急基金はやがて国務省の文化紹介プログラムとして制度化される。音楽外交の推進にあたり、国務省を専門的見地から支援したのが音楽、演劇、舞踊といった部門別に諮問パネルを設置して芸術家の選定に当たった全米芸術協会(ANTA)であった。このうち音楽諮問パネルでは委員の多くがクラシック音楽関係者だったため、結果として国務省が派遣する多くが交響楽団やソリストとなった(Ansari 2018: 31, 42-46; Fosler-Lussier 2015: 23)。

とくに期待が寄せられたのは、アメリカを表象すると思われた作曲家や楽曲であった。アメリカ出身の作曲家を宣伝することは、クラシック音楽界におけるヨーロッパ的権威とアメリカ音楽界の「誤った」劣等感を払拭し、アメリカのグローバルな指導力を確保する上でも重要と考えられた。よって国外派遣される音楽家は、移民でなくアメリカで生まれ育ったものがとくに重視された。このことは公演の構成にも見て取れる。たとえばボストン交響楽団の場合、一九五五—五六年のシーズンに演奏したアメリカ人作曲家の楽曲は五%を占めるに過ぎなかったが、一九五六年に国務省の支援を得て国外公演を実施した際には二八%に、さらに一九六〇年の極東ツアー時には三八%にまで増えた。ニューヨーク・フィルハーモニー交響楽団も、一九五四—五五年のシーズンではこの割合は一一%を示すのみであったが、一九五九年に国外派遣された際には四二％にまで増すこととなった(Ansari 2018: 31-48; Fosler-Lussier 2015: 24)。

反共的な思惑も顕著に見られたアメリカの文化外交であったが、アメリカ音楽の代表として派遣された音楽家の中にはかつて左派的な活動に従事したものも多い。アーロン・コープランドは、アメリカの風景や伝統音楽を取り入れた楽曲や、〈ビリー・ザ・キッド〉や〈アパラチアの春〉といったバレエ音楽で知られるが、戦間期から左派的な政治活動に共感していたため「非米」と見なされ、マッカーシズム期の一九五三年には上院に召喚された経験を持つ。その後、彼は政治活動から距離を置き、セリー技法を用いるなど前衛化していくが、アメリカの伝統的風景を扱う音楽家への期待もあって一九六〇年代以降は国務省が支援して各国で公演を行った。一九六〇年には米ソ間の作曲家交流計画を通してソ連に派遣され、現地の楽団を指揮して〈交響曲第三番〉や〈ロデオ〉をソ連の聴衆に披露した。同計画についてはすでに二年前にソ連からショスタコーヴィチ、カバレフスキー、ソ連作曲家同盟書記長ティホン・フレンニコフら五名の作曲家が訪米しており、逆にアメリカからは黒人作曲家ユリシーズ・ケイら四名が訪ソしていた。かつて「非米」とされかけたコープランドや黒人作曲家がソ連に派遣されたことには、表現の自由や人種関係(人種の社会構築性に関する議論に留意しつつ便宜上括弧なしで表記する)の改善を広報する国務省の思惑もあった(Ansari 2018: 105-106, 128-148)。

左派的な政治活動を続けたことで連邦捜査局(FBI)の監視下に置かれながら、国務省により国外派遣されたのがレナード・バーンスタインである。音楽監督としてニューヨーク・フィルハーモニー交響楽団を率いた一九五九年のソ連公演は、音楽における「アメリカらしさ」を求めるバーンスタインの意向が国務省の意向と合致して実現した。演奏された楽曲のうち四二％が、ジョージ・ガーシュウィンやコープランドといった「アメリカらしさ」を追求したアメリカ人作曲家のものであった。さらに構成面について付言すれば、両国の音楽に通底する類似性を示して対立の克服を促すべく、ほとんどの公演でアメリカとソ連(ロシア)双方の作曲家による楽曲が演奏された。たとえばレニングラード包囲戦時に作曲されたショスタコーヴィチの〈交響曲第七番〉と西部開拓時代のアメリカを描いたコープランドの〈ビリー・ザ・キッド〉が同一公演で演奏されたが、この時バーンスタインは双方に祖国愛を見出すことで両国が価値を共有する可能性を聴衆に訴えた。他方、帝政ロシア生まれで一九一四年に母国を去って後にアメリカに移住し、ソ連音楽界で長年にわたり無視されていた作曲家イゴール・ストラヴィンスキーの〈春の祭典〉が公演で演奏されたことや、『ドクトル・ジバゴ』の作者で一九五八年にノーベル文学賞の授賞が決定しながら当局の圧力で受賞を拒否せざるを得なかったボリス・パステルナークが公演に招かれたことは、バーンスタインの求めてきた自由の価値を体現するものであったと同時に、国務省の思惑にも沿っていた。ただし、ソ連公演の前後に彼が反核運動に関心を示したり米ソに軍縮を要求したりしていたことは、バーンスタインが単なるアメリカ政府の広報媒体であることを超えたところに自身の役割を求めていたことを示していた(Ansari 2018: 163, 187-199; Caute 2003: 401)。

なお、一九六二年にはストラヴィンスキーが四八年ぶりに祖国に凱旋帰国した。ソ連の地でバレエ音楽〈春の祭典〉をはじめ自ら手がけた楽曲をストラヴィンスキーが指揮したことは、現地で進む「雪どけ」の影響を表していた(Caute 2003: 406)。

三、ジャズ外交への期待と批判

「アメリカの音楽」としてのジャズ

ANTAの期待がクラシック音楽に向けられたのに比して、国務省における期待が高かったのはジャズであった。ジャズは何より求められた「アメリカの音楽」として理解されやすく、その即興性はアメリカの自由を表し、ソロ演奏は民主的自己表現を体現するものとして広報することが可能と捉えられた。

興味深いことに、アメリカが文化外交の主体としてクラシック音楽家や楽団を国外派遣する際に最も多く派遣された地域がヨーロッパだった。例えば一九五〇年代と一九六〇年代にはフィラデルフィア管弦楽団、ニューヨーク・フィルハーモニー交響楽団、ジュリアード弦楽四重奏団、ボストン交響楽団、クリーヴランド管弦楽団、ミネソタ管弦楽団、ロサンゼルス・フィルハーモニー管弦楽団、ピッツバーグ交響楽団、ナショナル交響楽団が、西欧諸国、ソ連・東欧諸国に派遣されている。それと異なり、同時期に国務省が国外派遣したジャズ音楽家の主たる派遣先はアジアやアフリカ諸国であった。このことは音楽外交の地理的側面を示している。当該地域における共産主義の浸透や人種的要因を国務省が考慮したことが背景にあった(齋藤 二〇一七:一六九―一七一頁)。

国務省が初めてジャズ音楽家を国外派遣したのは一九五六年三月のことであり、派遣されたのはトランペット奏者ディジー・ガレスピーだった。ガレスピーが率いたのは人種混成バンドだったが、その重要性を理解するには一九五〇年代のグローバルな国際政治を念頭に置く必要がある。一九五五年にはインドネシアで第一回アジア・アフリカ会議(バンドン会議)が催されており、アジアやアフリカ諸国の国際的な存在感は増すばかりであった。さらに、アメリカ国内で頻発する人種問題は当該地域でも広く報道され、それをソ連が反米プロパガンダに利用する事態への対応に国務省は苦慮していた。つまり、人種混成バンドにはアメリカの人種関係が改善しつつあることを対外的に訴える役割が期待されたのである。パキスタンを皮切りにユーゴスラヴィアまで南アジア、中東、南欧諸国を歴訪したガレスピーの公演は、各地で成功をおさめた。公演の構成も人種統合的な側面を強調するものだった。公演前半は「ジャズの歴史」パートで構成され、初期のニューオリンズ・ジャズから戦前のスウィングまでが扱われる一方、公演後半では即興性が強調されるビバップが中心となり、全体としてジャズ史における黒人と白人双方の貢献を印象付けるものとなっているのである(同:一〇三―一一〇頁)。

文化外交の地理的特性は、とくに脱植民地化と公民権運動がアメリカ国内外で同時進行する一九六〇年代のジャズ外交を規定した。ルイ・アームストロング(一九六〇年一〇月—一九六一年一月)、デューク・エリントン(一九六六年四月)、ランディ・ウェストン(一九六七年三月)らがアフリカを訪れてアメリカの文化的偉業を発信したが、その際に強調されたのはジャズのアメリカ性とアフリカ性の両面だった。国務省は存在感を高めるアフリカとアメリカとの紐帯を前面に出した文化外交の展開により、現地で親米感情が高まることを期待した。

だが派遣されたジャズ音楽家が母国を表象する時、そこに立ち現れる「アメリカ」とは実際には何を意味していたのかという点に留意する必要がある。当時のアメリカにおけるジャズや黒人の社会的地位は低いままであり、その実態にジャズ音楽家らは時に憤りを示していた。アームストロングは一九五七年九月に生じたリトルロック事件(アーカンソー州の州都で高校入学を求めた九名の黒人学生の登校が白人保守派の抵抗にあって生じた事件)に際してアメリカ政府を痛烈に批判したし、一九六五年にピューリッツァー賞委員会がエリントンの功績を称えるために事前に勧告されていた特別表彰の授与を拒否した際には、その理由としてクラシック音楽に対するジャズの相対的地位が低いためともエリントンが黒人であるためともされ、彼を嘆息させた。ウェストンは一九六七年の国務省支援によるアフリカ公演からの帰国後に国務省宛に自ら報告書を書き送り、国内におけるジャズの承認の不在を嘆くとともに、音楽外交を通してジャズが国内で承認を得ることへの期待を示した。彼らジャズ音楽家にとって、国務省の支援するジャズ外交が対外的に自由と民主主義を表象する時、それはあくまでも実現されていない理想の「アメリカ」像であって、国務省の描く「アメリカ」像との間には明らかなずれがあったのである(同:一三四—一六六頁)。

米ソ関係の中のジャズ外交

ジャズ外交の対象国としてソ連も重視されたことは、一九六二年にグッドマンがソ連公演を行ったことを皮切りに、一九六六年にはアール・ハインズ、一九七一年にはエリントンが国務省支援で訪ソしたことに表れている。グッドマンの公演は米ソ合意の一部で、ニューヨーク・シティ・バレエ団等も同時期にソ連公演を行い、逆にソ連はボリショイ劇場管弦楽団やレニングラード・フィルハーモニー交響楽団等をアメリカに派遣した。すでにソ連公演を実施していたのがニューヨーク・フィルハーモニー交響楽団、アメリカン・バレエ・シアター、ジュリアード弦楽四重奏団だったことに鑑みれば、グッドマン自身がクラリネット奏者だったこともあり、彼の率いたジャズ楽団は高級文化《ハイ・カルチャー》として位置づけられていたことが分かる。アメリカで興隆するモダンジャズでなく一九三〇年代の「スウィングの王」がなぜアメリカを表象するのか、多くの批判と疑問を生んだグッドマンの選定であったが、台頭しつつあった前衛的なジャズに比べて即興性の幅が小さく規律の取れたグッドマンのジャズは、米ソ双方の当局にとって安全策であった。

同じことは「ジャズの父」エリントンについても言えよう。コムソモール機関紙『コムソモリスカヤ・プラウダ』は、その音楽性をクラシック音楽になぞらえながら報じたが、このことはソ連当局にとって前衛的でないエリントンが受入可能だったことを示唆している。戦間期から活躍する「ジャズ・ピアノの父」ハインズの公演にも前衛の音は少なかった。ジュリアード音楽院で学んだサックス奏者の存在、ロシア出身の音楽教師に師事したベース奏者やトランペット奏者の存在に加え、彼らが現地のクラシック音楽に関心を示してソ連作曲家のレコードや楽譜を入手しようとする姿も、当地に好印象を残した(齋藤 二〇一七：二一〇—二二八、二三五—二四四頁)。

一九七〇年代のデタントは東欧諸国に対するジャズ外交を加速させた。ハインズ、デイヴ・ブルーベック、ジェリー・マリガンらがポーランドとルーマニアでのジャズ祭に派遣されたのに加え(一九七〇年一〇—一一月)、エリントンもソ連公演直後にオーネット・コールマンやゲイリー・バートンらと(一九七一年一〇月)、さらにライオネル・ハンプトン(一九七一年三月)とチャールズ・ミンガス(一九七五年一〇—一一月)も各々が東欧各国での公演に参加した(同：二六四—二七三頁)。

だがこれらの成果をもって単純にアメリカ文化外交の勝利と理解する訳にはいかない面もある。というのは、すでに一九六〇年代よりソ連・東欧諸国ではジャズの現地化が進んでおり、各地の伝統音楽と結びつきながら脱アメリカ化が進みつつあったためである。当時台頭していたロック音楽が暴動や非行と結びつけて捉えられたのに比して、ジャズは各国の高等教育機関における教育課程にも取り入れられるなど、危険の少ない音楽として馴致されていた。たとえばポーランドでは、すでに一九五八年には大規模なジャズ祭であるジャズ・ジャンボリーが開催されていたが、さらに一九六四年には国営レコード会社が「ポーランド的ジャズ」を冠したタイトルを発売し始めた。ソ連でも一九六五年に国営レコード会社メロディアがジャズ・レコードを発売し始めたほか、国家公認バンド「VIO－66」が創設され、当局の公認する旋律の明白でリズムが穏やかなジャズ(dzhaz)を演奏した。一九七〇年代にはグネーシン音楽大学やムソルグスキー音楽院等でコンサート企画やジャズ研究が始まった。ジャズを楽しむことと共産主義のイデオロギー的正当性を保つことは両立し得たのである(同：二三二－二三四、二五七－二六四頁)。

つまりジャズ外交が示唆するのは、国家主導の文化外交が内包する対外的メッセージがそのまま受容されるのではなく、受容者側の政治社会的な文脈の中に埋め込まれながら再解釈される可能性である。上述のアフリカを対象としたジャズ外交が、発信される「アメリカ」の多様性を表出させたのだとすれば、共産圏向けに発信されたジャズ外交が示したのは「アメリカ」が希釈されたジャズの姿であった。

四、米ソのバレエ外交

社会主義リアリズムとバレエ

クラシック音楽とならんでソ連指導層が文化外交において特に重視したのがバレエであった。帝政ロシア期に発展したバレエは、ロシア革命後には帝政との繋がりゆえに不安定な地位に置かれたものの、一九三〇年代以降は社会主義リアリズムとの融合により人民教育的な側面から肯定されるに至った。この時代に制作されたバレエ作品は演劇的バレエ(drambalet)と呼ばれるが、その代表例は〈ロミオとジュリエット〉のように古典文学作品を題材とする全幕バレエで、創造性や音楽性よりもヒューマニズムに満ちた物語性を重視する振付、練り込まれたセットやコスチューム、結果として写実主義的となる点に特徴があった。一方、帝政時代に人気であった古典バレエ作品の需要も減ることはなかった。ソ連におけるバレエの象徴的地位は、一九四七年までに設置された三一の国立オペラ・バレエ劇場と一五の舞踊学校によっても示された(Ezrahi 2012: 22-29, 32-69)。

社会主義リアリズムの観点に立てば、抽象的なモダンバレエは形式主義に堕したブルジョワ退廃の象徴ということになる。だがスターリン統治期末期の一九五〇年代初頭には、複雑で抽象的な振付がイデオロギー的に正当化されないソ連バレエは創造性の面で行き詰まりを示していた。一九五二年には振付師イーゴリ・モイセーエフが国内バレエ作品の保守性を批判したし、翌年にもソ連バレエ界のスターであったガリーナ・ウラノワがボリショイ・バレエ団における新作品の不在を批判する状態にあった。スターリン死去とともに始まった国内の文化的「雪どけ」は、芸術界においてドグマ化していた社会主義リアリズムの力を徐々に抑制していき、その過程で音楽性や抽象性をより前面に出した作品が生まれることとなる(*Ibid.* 102-105, 111-136)。これが、ボリショイ・バレエ団が初めて西側世界(イギリス)に送り込まれた一九五六年一〇月のソ連バレエ界をめぐる状況であった。

ソ連バレエの西側世界での公演企画は、すでに大戦中から幾度となくなされており、戦後初期にもイギリス政府、興行師、バレエ団が独自の公演企画を立ててソ連側に打診したが、当時はただ冷淡に扱われただけだった(齋藤 二〇一三:二三五–二三六頁)。その意味でも、一九五六年一〇月のボリショイ訪英はバレエをめぐるソ連国内外の政治力学の変化を端的に物語っていた。すでに二年前にボリショイとキーロフの合同バレエ団がフランス公演を行うはずだったが、直前に第一次インドシナ戦争を戦うフランスがディエンビエンフーの戦いで敗北したため、公演が右派勢力の猛烈な批判を生むことを懸念したフランス政府が公演を中止させていた。イギリス公演に関しても、一九五六年九月にはロンドン・フィルハーモニー管弦楽団がソ連公演を行っていたが、ボリショイ公演とセットで合意されていたサドラーズ・ウェルズ・バレエ団（後のロイヤル・バレエ団）の訪ソはハンガリー動乱とスエズ危機の余波を受けて実現しなかった（一九六一年に実現）。ともあれ実現したボリショイのイギリス公演には、アンソニー・イーデン首相はじめ西欧ツアー中だったニューヨーク・シティ・バレエ団やアメリカン・バレエ・シアター所属の舞踊家もフランスから来場した（Gonçalves 2019: 180-182; Caute 2003: 471-477）。こうして始まったソ連の対西側バレエ外交は、ボリショイとキーロフの両バレエ団に限定してもこの後一九六八年までに計六回のイギリス公演に結実した（同時期のフランス公演は計四回、アメリカ公演は後述の通り計七回）（Gonçalves 2015: 147-148）。

バレエ外交が生んだ摩擦

バレエ外交は東西交流のみならず摩擦も生み出した。その一つの要因は東西間の振付哲学の相違に由来する。ここでは一九五六年のイギリス公演に際する批評家の反応からその相違を確認したい。上演されたのは、演劇的バレエ作品〈ロミオとジュリエット〉や〈バフチサライの泉〉、帝政時代の古典作品〈白鳥の湖〉、フランスで生まれた国際的な人気作品〈ジゼル〉等であったが、ここには社会主義リアリズムの実践者、ロシア文化の継承者、人気作品を洗練された形で上演することができる芸術家として、ソ連国家が宣伝されていると見ることができる。興行的な観点からは公演は成功で、物語性を重視するソ連バレエを評価する批評もなされた。だが革命を象徴する躍動的で英雄的なジャンプに比して繊細なステップが軽視されるなど、振付上の刷新のなさについては否定的な評価もなされた。その背景には、西欧やアメリカにおける二〇世紀バレエが、帝政ロシア出身のセルゲイ・ディアギレフによって率いられたバレエ・リュスに多大な影響を受けてきた事実がある。一幕作品を重視するとともに視覚芸術、音楽、振付による総合芸術としてバレエを捉えるその革新性は、バレエ・リュス所属の舞踊家が戦間期に欧米地域でバレエ団や舞踊学校を設立していたことと合わせ、戦後西側諸国におけるバレエ言語を規定していた。ディアギレフは革命後にソ連に戻らず退廃芸術家との非難を受けたが、逆に西側では彼の芸術的遺産が演劇的バレエにより刷新の止まったソ連バレエと対照されるモダンバレエの発展を可能にしたと評価された。ソ連国内では公演後に東西バレエ界を取り巻く対照的な批評が紹介されて議論となり、演劇的バレエ以降のソ連バレエを客観視することを可能にする鏡像が提供されたことで、「雪どけ」期のスタイル刷新が促された(Ezrahi 2012: 140-168; Caute 2003: 474-477; McDaniel 2014: 154-155)。

米ソ文化協定の締結を受けて一九五九年にボリショイがアメリカ公演を実施した際にも、東西バレエ観の相違が表出した。上演された演目のうち、典型的な演劇的バレエ作品である〈ロミオとジュリエット〉に対して批評家は美学上の保守性を批判した。一方、〈石の花〉は同じくプロコフィエフ作曲で、写実的な人物描写やロシア的民謡の使用といった点は社会主義リアリズムの枠内にありながら、振付上は音楽性を重視する点で旧来の作品と異なっていた。それでも批評家は抽象度が高い場面についてはモダニズム的観点から評価したものの、全体としてはその保守性を批判した(Caute 2003: 481-482; Searcy 2020: 18, 33-41; McDaniel 2014: 68-79, 155-168)。むしろ公演で高く評価されたのは舞踊技術で、すでにイギリス公演時(一九五六年)に賞賛されていたウラノワにくわえ、アメリカ公演に帯同が許されたマヤ・プリセツカヤも現地メディアの賛辞を浴びた。プリセツカヤは先のイギリス公演や一九五八年のフランス、ベルギー公演には帯同できなかったのだが、理由の一つは当局が抱く亡命への懸念であった。渡米の許可は公演直前に与えられたもので、彼女自身がニキータ・フルシチョフ宛に愛国心を訴える手紙を送って懇願した結果だった(Searcy 2020: 23-24; McDaniel 2014: 49-50)。

この亡命への懸念こそバレエ外交が生んだ東西摩擦の二つ目の要因だった。バレエ団に限らずソ連から派遣される芸術家や芸術団体にはKGB要員が随行したが、当時バレエ界のスターだったキーロフ所属のヌレエフが一九六一年のフランス公演中に亡命した事件は、当局の警戒心をさらに強める結果となった。だがその後もソ連バレエ界からは西側への亡命者が相次ぎ、その少なくない例として、一九七〇年にはロンドンでナタリア・マカロワが、一九七四年にはカナダ公演中のミハイル・バリシニコフが亡命する(Caute 2003: 484-489, 495-497)。一九八〇年には、プリセツカヤの叔母にあたり日本におけるソ連バレエの浸透に努めた振付師スラミフィ・メッセレルが、ボリショイ公演で滞日していた息子ミハイルとアメリカ大使館に駆け込んで亡命した(斎藤 二〇一九：三五六頁)。くわえて、公演先では西側の物質的豊かさについて刺激を受ける懸念から、当局は個人宅に訪問しないよう、外出時には複数で出かけるよう芸術家らに指令し、監視を続けた(Rosenberg 2005: 128-129)。

バレエ外交の中の「アメリカらしさ」

ソ連の積極的なバレエ外交に呼応するように、アメリカのバレエ団も国務省支援下に頻繁な国外公演を行った。一九五四年に南米公演を行ったホセ・リモン、アジア地域における共産化の浸透を懸念するアメリカ政府が一九五五年に送り出したマーサ・グレアムらの公演が、その初期の例にあたる。各々のスタイルは異なるものの、いずれもモダンバレエを介してアメリカ的な舞踊のあり方を追い求めた芸術家であった。このうちグレアムの公演時にはコープランドが作曲した〈アパラチアの春〉が各地で上演された。一九世紀アメリカの農村をシンプルだが象徴的に描いた背景セットを制作したのはイサム・ノグチであった。一九六〇年代以降、脱植民地化の進展と公民権運動が共振する中において、ANTAは黒人舞踊家の国外派遣を重視するようになり、例えばアルヴィン・エイリーが一九六二年には日本を含めたアジア諸国に、一九六六年以降はアフリカ諸国に派遣された(Prevots 1999: 23-26, 44-52, 93-101)。

アメリカのバレエ界が常に競争相手として意識したのはソ連バレエだったため、文化外交の黎明期からバレエ団の対ソ派遣がANTA内で検討されており、一九六〇年にはアメリカン・バレエ・シアターが初のソ連公演を実施した。

バレエ・リュスで活躍したミハイル・モルドキン率いたバレエ団を前身とし、同じく帝政ロシア出身のミハイル・フォーキン、アメリカ生まれのアグネス・デ・ミルらが振付師を務めたバレエ団である。ソ連公演の舞台に立ったのは直前までニューヨーク・シティ・バレエ団に所属していたネイティヴ・アメリカンのマリア・トールチーフ、帝政ロシア出身のイゴール・ユスケビッチ、デンマーク人のエリック・ブルーン(デンマーク王立バレエ団所属)らであり、彼らが示す多様性はアメリカの象徴でもあった(Prevots 1999: 74-76; Searcy 2020: 45-51, 67-69)。

上演されたのは、アメリカ的日常を描いた〈ロデオ〉(コープランド作曲、デ・ミル振付)や〈ファンシー・フリー〉(バーンスタイン作曲、ジェローム・ロビンズ振付)の他に、古典作品を踊る舞踊技術をソ連の聴衆や批評家に示す狙いから、〈白鳥の湖〉、〈レ・シルフィード〉、〈ドンキホーテ〉のパドドゥ等となった。このように、アメリカのバレエ界初となるソ連公演は、「アメリカらしさ」を提示しつつも、モダニズムを前景化するより米ソ間のバレエの近さを訴えることに比重が置かれた。これはソ連側の好意的反応を促したが、アメリカのバレエ団によるソ連公演が聖地巡礼のように受け取られ、ソ連の優位性を訴える現地批評が生まれる素地をつくった。そこにはアメリカの舞踊家の「若さ」や「軽快さ」を賞賛する余裕もあった(Prevots 1999: 76-80; Searcy 2020: 53-60)。同じ趣旨の批評は、一九六三年のロバート・ジョフリー・バレエ団のソ連公演時にもなされ、躍動や若々しさが評価されるもロシア・バレエを踊る水準にないと評価された。『ソビエツカヤ・クルチュラ』紙は、クラシック・バレエの厳格なルールを守っておらず、〈白鳥の湖〉を踊るのをイメージするのは困難と批評した(Fosler-Lussier 2015: 179)。

これに対してニューヨーク・シティ・バレエ団のソ連公演(一九六二年)は、バレエ団を率いたのがモダニズムの泰斗とされたジョージ・バランシンだったこともあり、東西バレエ競争がアメリカの勝利に終わった証左として語られてきた。バランシンは一九二四年にソ連を去ってバレエ・リュスに参加しており、自身の反共主義もあって三八年ぶりの「故郷帰還」となった。だが公演がモダンバレエ一色に染められた訳ではない。〈真夏の夜の夢〉は〈ロミオとジュリエット〉と同様にシェイクスピア作品を題材にした物語性のあるバレエ作品だったし、民俗音楽が使用された〈ウエスタン・シンフォニー〉についてもソ連バレエと通じるものがあった。一方、ストラヴィンスキー作曲の〈アゴン〉については、一二音技法の使用および舞台セットや物語性の欠如といった論争的側面が含まれていた。音楽を数学と捉えたストラヴィンスキーや、同じく抽象的振付を行ったバランシンのバレエ哲学は、「雪どけ」期以降に振付上の刷新がなされつつあったとは言え、ソ連バレエとの間に差を感じさせるものであったことは否めない。それでも国務省は、その相違をことさら取り上げるのではなく、むしろ両国のバレエの類似点を強調する広報に努めた(Prevots 1999: 81-85; Searcy 2020: 97-121)。

ソ連の批評家は、一方では物語の不在や簡素な舞台セットを批判したが、他方でバランシンによる振付のオリジナリティやバレエ団の技術的水準の高さを称賛した。だが称賛されたのは「レニングラード生まれ」のバランシンであり、必ずしもアメリカで独自のバレエ哲学を作り上げたバランシンではなかった。実際、同バレエ団創設者の一人であるリンカーン・カースティンが一九三四年にフランスからバランシンを呼び寄せて創設したアメリカン・バレエ学校では、帝政ロシアで舞踊教育を受けた多くの教師が在籍しており、そのような解釈がまったく外れているとも言えなかった。バランシンとロシアとの関係は現地批評家が頻繁に指摘するところで、バランシンはそのような位置付けに怒りを示した(Prevots 1999: 81-85; Searcy 2020: 116-117; Caute 2003: 491-492)。

このように、両国間のバレエ外交の現場では、社会主義リアリズム(ソ連)対モダニズム(アメリカ)の争いが時に前景化した。ソ連ではアメリカのバレエ団の「若さ」が指摘されたし、アメリカではソ連バレエの「古さ」が指摘された(Searcy 2020: 9-10, 34-35, 82, 132)。一方、「雪どけ」後のソ連では音楽性を重視する振付上の刷新が進んだし、アメリカのバレエ団も物語性のある古典作品を上演することでソ連の聴衆や批評家からの称賛を受けた。よって、東西バレエ外交を、モダニズム(アメリカ)の勝利として片付けるのは短絡的であろう。

その後も米ソ間ではアメリカン・バレエ・シアターが一九六六年に、ニューヨーク・シティ・バレエ団が一九七二年に再びソ連公演を実施した。他にもロバート・ジョフリーが一九六三年と一九七四年に、アルヴィン・エイリーが一九七〇年に、ホセ・リモンが一九七三年に、各々のバレエ団を率いてソ連公演を実施している。ソ連からもボリショイ・バレエ団が一九六〇年代(一九六二年、一九六三年、一九六六年、一九六八年)を中心に(その他、一九七五年、一九七九年、一九八七年)、キーロフ・バレエ団も一九六一年、一九六四年、一九八六年にアメリカ公演を実施した。

おわりに

米ソ間の文化外交は一九七〇年代末以降の新冷戦で一時途絶えたものの、一九八五年の米ソ首脳会談で締結された新規の米ソ文化協定が翌年以降の交流を再開させた。一九八六年にはピアニストのウラディーミル・ホロヴィッツとサックス奏者ポール・ウィンターが、翌年にはボルティモア交響楽団やデイヴ・ブルーベック(ジャズ・ピアニスト)らがソ連公演を行った。ソ連からも一九八六年にキーロフ・バレエ団、モイセーエフ民族舞踊団、ガネリン・トリオが、翌年にはボリショイ・バレエ団とレニングラード国立交響楽団がアメリカ公演を行った。ゴルバチョフ政権後期、プリセツカヤが亡命していたヌレエフやバリシニコフとニューヨーク・シティ・バレエ団で共演したり、そのバリシニコフやマカロワがボリショイ・バレエ団の公演に招かれたりしたことは、ソ連国内外の環境が大きく変化したことを物語っていた(Caute 2003: 505)。

冷戦終結と前後して、自由や民主主義を象徴するものとしてのアメリカ文化(とくにジャズやロック音楽)が共産圏諸国を下から崩壊させたとし、アメリカ文化や価値の勝利をうたう言説が現れた。それは現在に至るまでアメリカの勝利物語として人心を魅了し続けており、今日の文化外交を正当化する際にも利用される(Fosler-Lussier 2015: 166-167)。

だが本稿が示した通り、このような冷戦勝利主義の言説に対しては二つの点で留保が必要である。

第一に、冷戦期の文化外交の現場で高級文化《ハイ・カルチャー》が持った重みは無視できない。とくにANTAはクラシック楽団やバレエ団の派遣を通してアメリカにおける文化的水準の高さをグローバルに提示することを重視したし、知識人や政府関係者を対象とする場合はなおさらそうであった。ソ連でも、この領域においてこそ、社会主義的な教育システムの実践者として、あるいはロシア文化とヨーロッパ文化の継承者として自らを宣伝することができると考えられた。

第二に、国家が芸術家を介して対外的に発信しようとしたメッセージは、必ずしも芸術家らによって常に共有された訳ではなかった。クラシック音楽の場合、本稿が扱ったコープランドは「非米」の疑いから議会に召喚された経験を持つし、バーンスタインはFBIの監視下に置かれる等の扱いを受けながらも政府批判を続けた。ジャズの場合も国内の人種問題ゆえに、国外公演に際して発信される「アメリカ」が表象するものは多様で、人種問題に敏感な音楽家は時に政府批判を展開した。無論、芸術家らによるそのような批判こそ、メタ的にアメリカ民主主義や表現の自由を体現するものとして国務省は利用することが可能だった。だがオペラ歌手ポール・ロブスンやジャズ歌手ジョセフィン・ベーカーのように政府批判を行う人物に対しては、国務省がパスポート発給を拒否したり国外公演に際して様々な妨害行為を行ったことも確かである。くわえて国外におけるジャズの脱アメリカ的読み替えを念頭に置くとき、冷戦勝利主義の言説はさらに疑わしいものとなる。それは「アメリカ文化外交」の勝利でなく、「アメリカ文化外交の勝利」言説が一定の力を持っていることを意味するに過ぎない。結局、グローバルな文化外交の勝者とは、それがなければ公演の機会を享受できなかったはずの聴衆であり、芸術スタイルの多様性をじかに体現/体験した芸術家らということであろう(Mikkonen 2013: 154)。

文化外交の実践に際して、多様な主体間の思惑が必ずしも一致するとは限らなかったことや、受容者側にも解釈の余地があったことは、本質主義的な文化理解を問い直す必要を示している。アメリカでは国務省、ANTA、芸術家の文化外交に対する思惑や、各主体間で「アメリカ」が意味するものも多様であった以上、文化外交が体現する「アメリカ」とは何かという問いに一義的な答えはないし、それを決定する唯一正当な主体もいない。表面上は当局の方針が貫徹されたように見えるソ連の場合でさえ、実際には芸術家と党や国家との間には関心や思惑の相違があった。バレエ界から出た多くの亡命者の存在は、その究極的な証左である。くわえて聴衆や批評家が上演作品について自律的な解釈を行ったことは重要である。それは「文化を送り出す側＝主体」と「文化を受容する側＝客体」という基本想定に根本的な修正が必要であることを示唆しているのである。

参考文献

クリフ、ナイジェル（二〇一七）『ホワイトハウスのピアニスト――ヴァン・クライバーンと冷戦』松村哲哉訳、白水社。

斎藤慶子（二〇一九）『「バレエ大国」日本の夜明け――チャイコフスキー記念東京バレエ学校　一九六〇―一九六四』文藝春秋企画出版。

齋藤嘉臣（二〇一三）『文化浸透の冷戦史――イギリスのプロパガンダと演劇性』勁草書房。

齋藤嘉臣（二〇一七）『ジャズ・アンバサダーズ――「アメリカ」の音楽外交史』講談社。

半谷史郎（二〇〇六）「国交回復前後の日ソ文化交流――一九五四―六一年、ボリショイ・バレエと歌舞伎」『思想』九八七号。

藤田文子（二〇一五）『アメリカ文化外交と日本――冷戦期の文化と人の交流』東京大学出版会。

Ansari, Emily Abrams (2018), *The Sound of a Superpower: Musical Americanism and the Cold War*, Oxford, Oxford University Press.

Caute, David (2003), *The Dancer Defects*, Oxford, Oxford University Press.

Ezrahi, Christina (2012), *Swans of the Kremlin*, Pitsburgh, University of Pitsburgh Press.

Fosler-Lussier, Danielle (2015), *Music in America's Cold War Diplomacy*, Oakland, University of California Press.

Gonçalves, Stéphanie (2015), "Ballet as a Tool for Cultural Diplomacy in the Cold War: Soviet Ballets in Paris and London, 1954-1968", Simo Mikkonen and Pekka Suutari (eds.), *Music, Art and Diplomacy: East-West Cultural Interactions and the Cold War*, London, Routledge.

Gonçalves, Stéphanie (2019), "Ballet, propaganda, and politics in the Cold War: the Bolshoi Ballet in London and the Sadler's Wells Ballet in Moscow, October-November 1956", *Cold War History*, 19-2.

Gould-Davies, Nigel (2003), "The Logic of Soviet Cultural Diplomacy", *Diplomatic History*, 27-2.

Henahan, Donal (1970), "Protesters Upset Russians' Recital", *New York Times*, 2 February.

Herrala, Meri Elisabet (2015), "Pianist Sviatoslav Richter: The Soviet Union Launches a 'Cultural Sputnik' to the United States in 1960", Simo Mikkonen and Pekka Suutari (eds.), *Music, Art and Diplomacy: East-West Cultural Interactions and the Cold War*, London, Routledge.

McDaniel, Cadra Peterson (2014), *American-Soviet Cultural Diplomacy: The Bolshoi Ballet's American Premiere*, Lanham, Lexington Books.

Mikkonen, Simo (2013), "Winning hearts and minds? Soviet music in the Cold War struggle against the West", Pauline Fairclough (ed.), *Twentieth-Century Music and Politics: Essays in Memory of Neil Edmunds*, Farnham, Ashgate.

Ninkovich, Frank A. (1981), *The Diplomacy of Ideas: U. S. Foreign Policy and Cultural Relations 1938-1950*, Cambridge, Cambridge University Press.

Prevots, Naima (1999), *Dance for Export*, Hanover, Wesleyan University Press.

Richmond, Yale (1987), *U. S.-Soviet Cultural Exchanges, 1958-1986: Who Wins?*, Boulder, Westview Press.

Rosenberg, Victor (2005), *Soviet-American Relations, 1953-1960: Diplomacy and Cultural Exchange during the Eisenhower Presidency*, Jefferson, McFarland.

Searcy, Anne (2020), *Ballet in the Cold War: A Soviet-American Exchange*, Oxford, Oxford University Press.

Tomoff, Kiril (2015), *Virtuosi Abroad: Soviet Music and Imperial Competition During the Early Cold War 1945-1958*, Ithaca, Cornell University Press.

問題群｜*Inquiry*

グローバリゼーションと新自由主義

小沢弘明

一、新自由主義の登場

第三世界における対抗革命

一九七三年九月一一日、サンチャゴ。この日、チリ人民連合政権のアジェンデが執務する大統領府が空爆され、反乱軍が突入し、アメリカ政府や中央情報局（CIA）の後押しを受けたピノチェト将軍が軍事独裁政権を樹立した。こののち一九九〇年まで続く独裁政権のもとでは、政治活動が抑圧され、拷問をはじめ数多の人権侵害が行われ、反対勢力に多数の行方不明者が生み出された。一九七〇年に自由選挙で成立した社会主義政権であるチリ人民連合政権は、基幹産業や銅山の国有化、農地改革の実現に取り組んだ。これらは、外国資本による基幹産業や鉱山資源の掌握、大土地所有制による生産者の困窮といったラテンアメリカ全体が歴史的に抱えていた社会課題の解決を目指した政策を展開したものであった。人民連合政権の政策に対し、アメリカはすぐさま金融封鎖やアメリカ国内のチリ政府資産の凍結、銅生産の妨害などを行った。このアジェンデ政権に対するクーデタは、ラテンアメリカの社会変革全体に対する反動・反革命という観点から厳しく批判され、ヨーロッパ、日本、そして世界各地でチリ人民連帯運動が展開した。

「チリに自由をLibertad para Chile」というスローガンが掲げられ、ベンセレーモスというチリ人民連合政府の革命歌は、連帯運動の象徴として各地で歌われた。現在では、この空爆の日付と二〇〇一年のアメリカ同時多発テロ事件の日付を重ね合わせて、「もうひとつの九・一一」とも呼ばれている。

しかし、これは社会変革に対する反動という意味での単なる反革命というより、明確な対抗革命(Counter-Revolution)という性格をもっていた。アジェンデ政権が行った基幹産業や資源の国有化・社会化、計画経済を導入した混合経済体制、労働者の経営参加などが撤廃され、関税の引き下げ、社会保障費の削減や価格統制の廃止など、市場経済への一元化を目指す広汎な新自由主義政策が採られたのである。それは、国有企業体の私有化(民営化)をはじめ、労働者保護立法の撤廃(Winn 2004)や教育の市場化(教育バウチャーや学校選択制、経営委託の導入、高等教育の市場化)(斉藤二〇一二)にまで及んだ。これらの政策を推進したのは、ピノチェトが登用したチリの一群の若手経済学者たちであり、彼らはシカゴ大学でフリードマンやハーバーガーといった新古典派の経済学者たちに教えを受け、シカゴ・ボーイズと呼ばれることになった。彼らがピノチェトに対して立案・提出した経済改革の青写真は五〇〇頁の大部に及び、煉瓦(The Brick/El Ladrillo)とも称された。この新自由主義政策は、ワシントンのシンクタンクであるヘリテッジ・ファウンデーションの後援を受けており、このシンクタンクがチリにおける対抗革命の見取図を描いていた。

これより三年前の一九七〇年、エジプトでは、サーダート政権により、それまでのナーセルの国有化を基本とする社会主義的経済政策から、経済の自由化と外資導入を通じた「門戸開放」政策への転換が推進された。政治的には、一九七一年のナーセル派の粛清、翌年のソ連軍事顧問団の国外追放を経て、アラブ社会主義路線の修正が図られた。この過程は、エジプトでは矯正革命や修正革命と呼ばれるようになった。七四年には、門戸開放政策(インフィターフ)が明文化され、外国資本を呼び込む特区がつくられ、輸出入規制も大幅に緩和された。

こうした、一九七〇年代前半の第三世界の変動は、しばしば、一九八〇年前後のイギリス・アメリカといった中心における新自由主義を先取りした前史、あるいは周縁における新自由主義の実験の事例ととらえられてきた。しかし、チリやエジプトは、前座というわけではなかった。むしろ、後述するように、新自由主義化の本質のひとつは、第二次世界大戦後に南の世界で展開した「第三世界プロジェクト」を打破すること、その終焉を促進することにあったのである。

資本主義の構造転換

第二次世界大戦後の世界経済は、高成長に支えられていた。一九四八年から五八年にかけては、年平均で五・一%の成長率、次の一九五八年から七〇年にかけては、年平均六・六%に達していた。同時期の世界貿易の年平均成長率はさらに高く、それぞれ、六・二%、八・三%に及んでいた。この状況は、「大ブーム」ないしは「資本主義の黄金時代」と呼ばれ、ドイツ語圏やイタリアでは「経済の奇跡」、フランスでは「栄光の三〇年」と称された。なかでも、日本は年平均一〇%を超える急速な成長率を持続して世界第二位の経済大国となり、この「高度経済成長」は資本主義の黄金時代を象徴していた。

しかし、一九七〇年前後の世界は、この黄金時代が終焉していく過程にあった。それは、一九四四年から戦後の世界経済体制を規定していたブレトン・ウッズ体制の崩壊として現われた。ブレトン・ウッズ体制は、第二次世界大戦に至った保護貿易とブロック経済に代えて、自由な世界貿易の法的・制度的枠組を形成し、新たな多角的・協調的な世界経済を支えるシステムとして形成された。国際復興開発銀行(IBRD、のち世界銀行と呼ばれる)は戦後復興や脱植民地化の過程に信用を供与し、各国の基盤的な社会資本の整備に利用された。国際通貨基金(IMF)は、固定相場制によって、各国が短期的な支払額の変動を乗り切ることを可能にし、関税と貿易に関する一般協定(GATT)は、多角的交渉を通じて低関税率を実現し、貿易の促進に資することになった。しかし、これら国際機関の中核を形成していたアメリカは、冷戦期のソ連との軍拡競争とベトナム戦争による戦費負担に苦しみ、一九七一年にはドルと金の交換を停止するに至った。このドル・ショック(ニクソン・ショック)によって、ドルを基軸とする国際通貨体制であるブレトン・ウッズ体制は崩壊した。一九七三年までには、主要国は固定相場制から変動相場制へ移行し、これ以後、通貨は国際取引の対象となり、金融取引の自由化が進行した。また、ブレトン・ウッズ体制は国民経済については各国の自由裁量を認めていたが、その自由裁量自体が桎梏と見なされるようになった。

この変化を決定的なものにしたのが、一九七三年一〇月のオイルショックであった。第四次中東戦争にともない、アラブの産油国は、石油公示価格を引き上げるとともに、イスラエルと関係の深い国々に対して石油禁輸措置をとった。この結果、中東の安価な原油に依存していた資本主義経済は大きな打撃を受けた。世界経済は、これによって不況とインフレが同時進行するスタグフレーションに見舞われた。これ以後、資本主義諸国は、スタグフレーションという資本主義の危機をどう抑えるかという課題に直面し、さらに、石油輸出国機構の原油価格値上げと、イラン革命が続いた七九年には第二次オイルショックに対処せざるをえなかった。この一九七〇年代を通じて、資本主義は商品市場と資本市場の自由化を求め、相対的には世界経済に十全には組み入れられていなかった第二世界(社会主義の諸国家)と第三世界(脱植民地化後の諸国家)の経済の編入を求める声もあがっていった。

危機への対応——福祉国家の再編強化

オイルショックによる資本主義の再編過程は、それまで福祉国家が約束していた再分配政策を危機に追い込むことになった。これに対処するひとつの方法は、改めて福祉国家の再編強化を通じて危機の克服を図ることであった。ヨーロッパでは、一九七〇年代を通じて、ドイツのブラント(一九六九—七四年)とシュミット(一九七四—八二年)、オーストリアのクライスキー(一九七〇—八三年)、スウェーデンのパルメ(一九六九—八六年)をそれぞれ首班とする社会民主主義政権によって、福祉国家の立て直しが目指された。教育や社会保障の充実などいっそうの財政出動や安定した雇用の継続を通じて社会的自由主義ないし介入的自由主義の体制を強化することで、スタグフレーションの抑制を図ろうとしたのである。ブラントは、「さらなる民主主義の実現」をスローガンに掲げ、クライスキーの経済政策は「オーストリア・ケインズ主義」と呼ばれ、「革命的改良主義者」と称されたパルメはスウェーデン福祉国家の大幅な拡張につとめた。

こうした社会的自由主義の強化策の諸要素は、ユーロコミュニズムと呼ばれる運動も共有していた。イタリア共産党書記長のベルリングェル(一九七二―八四年)は歴史的妥協という政治戦略を打ち出し、一九七〇年代半ばには一五〇万人を超える党員と、国政選挙で三〇%以上の得票率を獲得していた。フランス共産党書記長のマルシェ(一九七二―九四年)も、一九七〇年代に常時二〇%を超える得票率をもたらした。スペイン共産党書記長のカリーリョ(一九六〇―八二年)は、フランコ死後に共産党が合法化されるとともに、複数政党制と王政支持を明確に打ち出した。これらの運動は、ソ連型社会主義とも社会民主主義とも異なる社会変革の道を模索していた。このユーロコミュニズムの運動は、基本的には議会制民主主義と混合経済体制の枠内において構造改革を進めることを目的としていた。ヨーロッパの社会民主主義とユーロコミュニズムの動向は、全体として見るならば一九七〇年代にヨーロッパ共同体を基軸に「社会的ヨーロッパ」を目指すものであり、福祉国家群を「ヨーロッパ社会連合」に糾合しようとするものであった(Andry 2022)。しかし、この路線は結果として採用されないことになる。

国家が開発優先の開発主義国家という性格をもち、必ずしも福祉国家政策を十全に展開しているとは見られていない地域においては、地方政府が福祉・医療・教育政策を展開することによって、一九七〇年代の危機を乗り越えようとする場合もあった。日本の革新自治体、とりわけ、一九六〇年代から七〇年代にかけての美濃部(東京)、黒田(大阪)、蜷川(京都)、飛鳥田(横浜)、屋良(沖縄)などの大都市を中心とする革新自治体は、社会資本を整備して都市問題を解決し、公害などの経済成長のひずみをもたらした政府の地域開発政策と異なる路線を追求しようとしていた。一九七〇年代初頭から九〇年代初めまで続いたニューヨークの民主党市政なども、低所得者向けの住宅問題を解決し、公共空間の開発を通じた革新自治体政策を展開した(Holzman 2021)。

しかし、これらの福祉国家の再編強化策は、いずれも国家や地方政府を問わず財政問題に直面することになった。しかも福祉政策が「一国福祉国家」や「一都市福祉自治体」という性格をもたざるをえない以上、国民経済や都市経済が継続的な財政負担に耐えることはできなかった。この路線は、オイルショック後の低経済成長に対応する新たな経済政策を提起することに失敗していったのである。こうした福祉国家の危機は、グローバリゼーションがもたらしたというよりも、この危機の結果としてグローバリゼーションがいっそう強化されていったと見ることができよう。

新自由主義の登場と代替案の提示

ケインズ政策を基軸とする福祉国家＝社会的自由主義の体制が形成されはじめた一九二〇年代から三〇年代にかけて、これに対抗する新自由主義(ネオリベラリズム)の思想が同時に胚胎していた。一九三八年八月のウォルター・リップマン・コロキアムでは、二六人の知識人たちがパリに集い、一方でレッセフェールの古典的自由主義、他方で集産主義や社会主義を排する新しい自由主義、新自由主義の思想を検討していた。このコロキアムは第二次世界大戦の開戦もあって大きな影響を及ぼすには至らなかったが、ここでの議論は、一九四七年四月にスイスの保養地モン・ペルランで創立されたモン・ペルラン協会に大きな示唆を与えた。この協会は、自由な市場経済、政治的自由主義の諸価値を強調し、国家や公営企業体が担っている役割を私的セクターに委ねることを訴えた。ここに集ったハイエク、ミーゼスらのオーストリア学派の経済学者たち、ナイト、フリードマン、スティグラーらのシカゴ学派の経済学者たち、さらにはオーストリア出身の哲学者ポパーらによって、新自由主義の思想が生まれた(Mirowski and Plehwe 2009; Slobodian 2018)。社会的自由主義の体制期には相対的に周縁に位置していたこの新自由主義の経済学は、一九七〇年代までに経済学の主流派に転換し、ケインズ経済学をむしろ周縁に追いやった。福祉国家の「下方への再分配」に代え、「上方への再分配」を特徴とする政策が誕生したのである。モン・ペルラン協会自体は、たしかにその後も一貫して知識人の集合体にすぎなかった(例えば、二〇一〇年の時点で五二カ国約五〇〇人がメンバー)。しかし、思想は次第にシンクタンクによる政策提言の運動へと発展し、一九五五年にイギリスで設立された経済問題研究所(IEA)、一九七八年にニューヨークで創立したマンハッタン政策研究所を経て、一九八一年に創立されたアトラス・ネットワークなど、シンクタンクを世界的に糾合した組織も形成されるに至った。そして翌八二年のミーゼス研究所の創設など、政界や経済界だけでなく、アカデミズムに内在する組織も発展していった。新自由主義は、これらのシンクタンクを通じて、単なる思想にとどまらず運動を展開し、政策への影響力をもつようになった。こうして、思想・運動・体制のいずれの側面においても、新自由主義は一挙に主流の位置を占めるようになったのであった。このように、新自由主義の台頭は社会的自由主義の再編強化の失敗と同時の現象として、それと表裏の関係にあったのである。

この新自由主義の体制化の局面を画したのが、一九八〇年前後の英米における政策転換であった。一九七九年にイギリスで政権についた保守党のサッチャーは、市場原理に基づき、国営企業体の民営化(私有化)、財政支出の削減、フラット・タックスを志向する税制改革を進め、「イギリス病」に苦しむ自国の福祉国家政策からの転換を図った。サッチャーは「小さな政府」を掲げ、社会の存在を否定して国家と個人の二元的世界を構想し、国や地方の行政に対しても新しい公共経営(NPM)という観念を導入した。これら一連の政策はサッチャリズムと呼ばれることになる。一九八〇年の大統領選挙で勝利し、翌年就任したアメリカ共和党のレーガンは、一九三〇年代からのニューディール体制からの方向転換を図り、サッチャーと同様に、税制改革、財政支出の削減、福祉の削減を進めていった。これらの政策は総称してレーガノミクスないしレーガン革命と呼ばれていく。この二つの政権は、新自由主義国家を建設するために労働との対抗を必要とした。イギリスにおける全国炭鉱労働組合(NUM)との対抗は、それまで国有化されていた炭鉱業そのものを民営化し、ついには閉鎖する方向で結着していった(早川 二〇一〇)。アメリカでも、本来はレーガンを支持していた全米航空管制官組合(PATCO)に対して大量解雇が進められるなど(McCartin 2011)、労働との対抗は、福祉国家に内在していた労働者保護の縮減という観点から特に重視されていった。

サッチャー政権は、アルゼンチンとフォークランド(マルビナス)戦争(一九八二年)を戦い、レーガン政権はエルサルバドル内戦やニカラグアのサンディニスタ革命に対する介入(一九八一年からの軍事介入・経済制裁とコントラ支援)を行って、その後もグレナダに侵攻した(一九八三年)。これに加えて第二次冷戦に対応する軍備増強と一九八三年からのスター・ウォーズ計画とも呼ばれた戦略防衛構想(SDI)の展開は、両政権を新保守主義という概念で理解しようとする試みを生み出した。しかし、これら対外硬の政策は、新保守主義というよりも、むしろ新自由主義が第三世界プロジェクトへの対抗を不可分の構成要素としていたことの反映であったと理解することができよう。

二、グローバリゼーション政策の展開

第三世界プロジェクトの終焉

そもそも第三世界プロジェクトの中心的課題は、脱植民地化が政治的独立にとどまり、経済・文化の諸側面では、新植民地主義の形態で引き続き従属的立場に置かれている状況をいかに克服していくのか、にあった。この課題を解決するために導入されたのが国家主導の輸入代替工業化(ISI)であった。国営企業体を中心として国内産業を保護し、産業育成のための補助金を支出し、為替操作を行い、資本移動を制限するというのがその政策の骨子である。積極的な開発国家の建設を通じて、対外依存の緩和を図るこの政策は、一九五〇年代から六〇年代にかけて、第三世界

で中核的な政策として継続的に採用された。しかし、七〇年代に入ると、輸入代替工業化はオイルショックのもとで次第に財政的に持続可能ではなくなり、第三世界の諸国家は等しく債務危機に見舞われ、債務国家化が進行していった。輸入代替工業化は、狭隘な国内市場に依拠せざるをえないことも危機を深刻なものにした。そのため、成長モデルとしての輸入代替工業化政策の正統性が喪失し、国家こそが経済停滞の元凶であるとの理解が広がっていった。

第三世界における新自由主義化は、北の世界が展開した開発政策の転換という形でもあらわれた。一九七四年に成立した新国際経済秩序（NIEO）は、資源ナショナリズムを承認するとともに、北の世界の開発援助と公正な貿易を通じて南北間の格差の縮小を目指すものであった。しかし、新国際経済秩序は、一九八三年までにはその失敗が宣告され、援助と発展の間には相関関係がない、との視点が重視され、市場開放と民間投資の促進を通じた開発政策へと力点が大きく変わった。これは、それまでの開発政策に対する新自由主義的な批判であったと見ることができる。一九八五年には世界銀行がそれまでの政策を転換させ、第三世界の諸国家における減税、国営企業の私有化、労働市場の自由化、福祉国家の縮減、ないし最小化を融資の前提条件として各国に課すようになった。世界銀行は南の世界の環境政策や教育政策まで立案し、規定していく。

ここから、「グローバリゼーション政策」（フランスの社会学者ブルデューの表現）が始まる。グローバリゼーションはけっして自然史的な過程ではなく、資本主義の危機に対応した明確な新自由主義政策の発現と見ることができる。これを現実に推進したのは、グローバライザーと呼ばれる、IMF、世界銀行、GATT（一九九五年からはWTO）などの国際機関であった（Woods 2006）。グローバライザーは、新自由主義を制度化する権力であり、第三世界諸国家の政策全体を上から規定する非対称的権力であった。新規の融資や利子の減免の交換条件として設定されていくこれら政策体系全体は、構造調整（structural adjustment）プログラムの名で呼ばれるようになり、この言葉は一九八〇年から九〇年代前半にかけて急速に用いられることになる。こうした政策を体系的に表現したのが、一九八九年に国際経済研究所のウィリアムソンによって用いられたワシントン・コンセンサス(ワシントンに本拠を置くIMF、世界銀行、アメリカ政府諸機関の合意に基づく政策であるためこう呼ばれた)という一〇項目に及ぶ経済政策パッケージの総称であった。財政政策、税制改革、貿易の自由化、対内直接投資の自由化、国営企業体の私有化(民営化)、規制緩和(脱規制化)がその主なものである。こうして、北の世界と南の世界は、相互依存の関係から明確に離脱し、ワシントン・コンセンサスという新自由主義経済プログラムが強制されることになったのである。これはけっして自由意思にもとづく、相互尊重の関係性ではなかった。構造調整プログラムの履行は融資の前提条件であり、IMFの政策は南の世界の国政における政策決定を容易にくつがえすこともできた。こうして、一九四八年の国際貿易憲章(ハバナ憲章)に始まり、バンドン会議や非同盟運動に支えられてきた「第三世界プロジェクト」は、八〇年代末にはその終焉を迎えることになった。

内発的新自由主義

しかし、非対称的権力の存在は、新自由主義化が単に上から、ないし外から諸地域に強制された外発的なものであったということを意味しない。むしろ、新自由主義国家が体制として拡大していくためには、諸地域の側にそれを受容したり、呼び込んだりする内発的要因が存在することが必要であった。

その内発性を表現するひとつの形態は、オセアニアにおける労働(Labour)勢力による新自由主義政策の推進である。ニュージーランドでは、輸出経済がオイルショックで大きな打撃を受け、高福祉国家を維持することが困難になっていた。国民党政権に代わって一九八四年に成立したロンギ労働党政権は、民間部門の規制を撤廃し、農業部門における補助金・優遇制度の廃止、税制改革、社会のあらゆる部門における競争原理の導入、公共部門の改革と行政の役割の見直し・縮小をともなう包括的行政改革など、一連の政策を次々と進めた(和田 二〇〇七、Wallace 2014)。これらの政策は、時の財務大臣の名を冠して、ロジャーノミクスと総称されていくことになる。郵政、航空、鉄鋼など公営企業体は次々と売却され、市場に委ねられた。こうしたニュージーランドの新自由主義化は、それまで中道左派の労働党が唱えていたケインズ主義的介入国家の政策を完全に放棄するものであり、その後は行政改革のモデルという形をとって各国から参照されていくことになる。この前年に隣国オーストラリアで中道右派の自由党政権を破って成立したホーク労働党政権においても、一九八四年から、税制改革、公共支出の削減、財政赤字の削減などの政策が推進されていった。これらの政策は、オーストラリアにおける政府と労働組合の賃金や物価に関する政労協約(アコード)に支えられていたため、新自由主義政策は労働組合を包含して進められていくことになった(Humphrys 2018)。労働党政権は、その後のキーティング、ハワードの政権も含めて、しばしばオーストラリアで「上からの革命」と呼ばれる新自由主義政策を主体的に推進していった。

内発性のいまひとつの要因は、諸地域が抱えた課題を解決し、危機から脱出する政策体系として、国内で新自由主義政策を求めたり、それに同意を与えたりする動きがあったことである。ラテンアメリカの諸国家は、一九八〇年代を通じて債務危機に見舞われ、マイナス成長、激しいインフレ、大量失業などの社会課題に対する対応が求められていた。このラテンアメリカの「失われた一〇年」への対応策が新自由主義に求められることになる。メキシコは一九八二年にデフォルトを起こし、これはラテンアメリカ全体の債務危機につながっていった。この契機を作ったメキシコでは、一九八九年に成立したサリナス政権のもとで、シカゴ学派のエコノミストを登用し、公営企業体や土地の私有化、外資の導入、農産物の自由化などを骨子とする市場主義改革を展開した(Babb 2001)。もとより、これらの改革がグローバライザーの支援を受け、緊縮財政が求められていったことは言をまたない。また、メキシコが一九九四年に北米自由貿易協定(NAFTA)に参加したことは、経済統合の実現という意味に加えて、アメリカからワシントン・コンセンサスに基づく構造調整プログラムの履行を求められることにつながった(所 二〇一七)。アルゼンチンのメネム政権もまた、一九八九年の発足以来、輸入代替工業化に代え、新自由主義経済政策の採用に転じた(宇佐見 二〇一一)。

ラテンアメリカでは、こうして一九八〇年代末から九〇年代初頭にかけて、地域全体の新自由主義化が進み、この経済構造の転換は、政治変動を伴わない「静かな革命」と呼ばれていくことになる(Green 2003)。グアテマラのフランシスコ・マロキン大学のように、ラテンアメリカ初の新自由主義大学として、アカデミズムと高等教育の領域で新自由主義を唱道する機関も形成されていった。言ってみれば、新自由主義政策は、外からの強制と内からの同意のふたつが揃って初めて進められるものだったのである。

トルコでは、一九八〇年の軍事クーデタ後の新政権が新自由主義改革を推進し、経済担当副首相オザルのもと、通貨の切り下げ、外資の積極導入、輸出産業の振興、公共部門の私有化に代表される経済改革を実施した。これによって、トルコ経済は、クーデタ前の危機的状況を脱し、この一連の経済自由化政策は一九八〇年代の祖国党政権でも引き継がれていく。経済の自由化は、労働者の権限の削減や労働組合の弱体化とともに進められた。こうして国家の強権によって権威主義的に新自由主義のシステムを保護する、縁故資本主義(crony capitalism)とも呼ばれる体制が形成されていった。トルコ国内では一九九二年に新自由主義的なシンクタンクである自由思想協会(LDT/ALT)も結成され、協会は経済自由化政策を継続的に立案していくことになる。

三、新自由主義の多様性と同一性

社会主義国家と新自由主義革命

社会主義国家においても、経済体制の改革を新自由主義と類似の政策体系を導入することで実現しようという動きが現われていた。大躍進政策と文化大革命で疲弊していた中国では、鄧小平が一九七八年から改革開放政策をとなえ、市場経済を導入し、経済特区の建設など外資導入を通じた輸出志向の工業化政策を推進し、経済の全面的立て直しを図った。また、農村部では人民公社が解体され、生産責任制を取るなど農村経済の自由化が進められた(Kelly 2021)。この一連の政策の発展として、一九九二年には「社会主義市場経済」の名が与えられ、中国経済政策の基本方針となっていった。ベトナムでも、一九八六年から刷新政策(ドイモイ)によって、企業の自主権の拡大、対外的な経済開放、外資の導入、集団耕作制から農家を単位とする生産体制への移行などが進められた。これらの政策は、ベトナムでは公式に「社会主義を志向する市場経済」と呼ばれていく。中国やベトナムの市場社会主義(market socialism)は、多元的とは言えない政治体制と新自由主義は両立すること、国家は新自由主義の制度化権力・安定化権力として機能していることを示している。

東欧の社会主義国家においても、一九七〇年代までに、ユーゴスラヴィアやカーダール政権のハンガリーなど、「分権型社会主義」と呼ばれる体制のもとで、市場経済の積極的な導入・市場社会主義の構築が目指されていた。これらの経済改革を推進したのは、それぞれの国における広義の新古典派経済学者たちであった(Bockman 2011)。ユーゴスラヴィアの自主管理社会主義と分権化、生産手段の社会化、市場経済の展開は、いずれも国内外の新古典派経済学者の対話の中で改革社会主義のモデルとみなされていくようになった。ハンガリーでも、一九六八年に導入された新経済メカニズム(NEM)が七〇年代を通じた市場社会主義の青写真を示していた。つまり、一九八九年の東欧諸国の体制変動においては、中央集権的な計画経済を基軸とするソ連型社会主義に代えて、市場社会主義を導入することがまずは目指されていたのだと評することができる。企業の自治、労働者評議会への権限の移譲、起業促進立法、共産主義政党の政治独占の打破は、七〇年代までに構想されていた市場社会主義の実現あるいはその発展形態と考えられていたのである。その意味でこの改革自体はやはり内発的であったと見ることができよう。しかし、この路線は政治変動の中で八九年末には放棄され、市場社会主義の実現ではなく、むしろ市場資本主義(market capitalism)、新自由主義への転換という形態に急速にその姿を変貌させた。つまりは、東欧の体制転換は、「民主化」というよりも、むしろ新自由主義革命として理解することが可能なのである(Aligica and Evans 2009)。

ソ連においても、すでに一九七〇年代末から、体制内部にソ連経済の先行きに対する批判や悲観論が存在していた。ここでも新自由主義は外来の、というよりも内発的な現象であった。一九八五年に始まるゴルバチョフの改革はペレストロイカと言われるが、当のソ連では、グローバライザーによる構造調整プログラムを構造的ペレストロイカ(strukturnaya perestroika)と呼び、自己の経済改革との同質性が意識されていた(Bartel 2022: 110)。この時期、モスクワやレニングラードでは、市場経済を志向する若い経済学者の一群が非公式にグループを結成し、ソ連内外の経済改革の現実を検討していた(Slobodian and Plehwe 2022: 109-138)。このうちの一部は、体制転換後のロシアにおいて経済顧問をつとめるなど、人的な連続性を見てとることもできる。

こうしてソ連・東欧の「第二世界」は、資本主義世界体制の中に「周辺資本主義」として完全に編入され、ショック療法と呼ばれる急激な市場化とこれにともなう社会混乱にさらされることになった。

アジアの新自由主義

日本も他国と同様に、一九七〇年代までに新自由主義の思想と運動を経験していた。一九五五年に創立された木内信胤らの世界経済調査会は日本版のモン・ペルラン協会を目指したものであったし、経済同友会はすでに一九七三年に組織内に新自由主義推進委員会を創設していた。

これを背景として展開した日本の一九八〇年代の新自由主義政策は、グローバルな新自由主義との同時代性・同質性のもとで把握することができる(小沢 二〇一二)。中曽根内閣(一九八二-八七年)のおよそ五年にわたる政策は、かつて新保守主義の観点から把握されてきた。「不沈空母」発言やシーレーン防衛政策は、サッチャーやレーガンの対外硬政策と共通するものと見られていたのである。しかし、中曽根内閣の政策は、新自由主義の世界史の中に位置付けることができ、市場駆動政治や市場国家の概念で理解することが可能である。市場駆動政治は、一九七〇年代の二度のオイルショックを減量経営で乗り切った企業社会の経験を国家や社会に全面的に適用しようとしたもので、企業活動の自由化を促進する脱規制化、政府・国家機能のスリム化を通じた企業の税負担の軽減、三公社など公営企業体の私有化(民営化)がこれら政策の骨子である。中曽根内閣の国鉄労働組合(国労)等の労働に対する抑圧は、英米の政権の労働者運動に対する苛酷な弾圧と共通した性格をもっていた。しかし、新自由主義の世界史に共通する内発性は、それらの政策体系が労働の統合に立脚していたことに表現されている。つまり、非正規労働の本格的導入に見られる労働のカジュアル化、フレキシブル化等は、労働内の多様な分断を通じて新自由主義政策に対する同意を調達する機能を果たしていた。

一九八〇年代の日本の新自由主義は、単なる経済政策にとどまらず、ボランティア概念の導入を通じた自発性や参加民主主義の希望の動員、臨時教育審議会(臨教審)を通じた教育改革による新自由主義に適合的な自由・自立の人間像の形成をはじめ、思想や文化の諸領域に及んでいった。そして新自由主義は、一九九〇年代後半には橋本内閣の六大改革へと展開していくことになる。

日本の高度経済成長をモデルとして、輸出型経済に立脚し、国家による統制経済を特徴とする新興国、とりわけ、香港、シンガポール、韓国、台湾は、「アジア四小龍」や「アジアの虎」と呼ばれ、輸出志向型の経済によって高い経済成長率と急速な工業化を実現した。これらの開発国家においても、一九九〇年前後から新自由主義政策が急速に進展した。韓国では、朴正煕時代の権威主義的な開発国家モデルから、一九八〇年代の全斗煥時代には、経済への国家の介入が縮減され、特に一九八七年の民主化以降は新自由主義に基づく「軟性市場国家」(soft market state) への転換が図られていった(Pirie 2008)。

ネルー時代から、イギリスのフェビアン社会主義に想を得た計画経済と市場経済の混合経済体制をとっていたインドでは、一九九〇年頃までに、国家の債務がGDPの五〇%に達し、外貨準備高も危機的水準に陥って、デフォルトの危機に瀕していた。そこで、一九九一年には「新経済政策」が立案され、企業の工業への参入に対する国家の許可制度を撤廃し、輸入関税を引き下げ、外国からの対内直接投資を促し、国営企業の私有化を進めた。こうした経済諸改革は、一九九一年の「黄金の夏」と呼ばれることになる。税制改革等を含めた一連の改革は、融資の条件であったIMFの構造調整プログラムに照応するものであった。これを通じて、新経済政策の導入時には年率一%に満たなかった経済成長率は、九〇年代半ばには年率六-七%に急伸していった。

新自由主義アパルトヘイトの形成

新自由主義の内発性は、南アフリカがアパルトヘイト体制から脱却する過程にもこれを認めることができる。アパルトヘイト体制は、一九九一年から九四年にかけて段階的に撤廃されることになった。九一年の人種登録法・集団地域法・原住民土地法という三つの法律の廃止宣言がアパルトヘイト体制そのものの転換を促進した。これと同時に長く不法に占拠していたナミビアへの介入をやめ、一九九〇年にその独立を認めたことも、アパルトヘイト体制の変化を示すと考えられた。しかし、南アフリカでは、これより以前、すでに八〇年代からアパルトヘイト国家を一方で内部から改革しつつ、他方で少数派支配の存続を両立させることを意図する体制内改革派が存在していた。改革派は、一九七六年のソウェト蜂起以来の反アパルトヘイト運動を脱政治化し、国家主導のアパルトヘイトを改革しつつ、市場におけるアパルトヘイトを維持することを目的としていた。つまり、新自由主義の経済改革・行政改革を導入することによって、新自由主義をアパルトヘイト統治の再編のために利用しようとしていたのである。

これら体制内改革派の議論に照応する形で、解放運動の主体であったアフリカ国民会議（ANC）の内部にも、開発政策において、それまでの伝統的な社会主義政策を放棄し、アパルトヘイト体制転換後に新自由主義的改革を主導しようとする考えが存在した。現実の体制転換過程においても、アフリカ国民会議に対して世界銀行やIMFから多数の政策アドバイザーが派遣されていたし、国家の財政危機に直面して、新政権には新自由主義を受容し、財政規律と金融規律を導入せざるをえないという認識もあった。アパルトヘイト時代の旧政権である国民党政権から、財務相も準備銀行総裁も引き継いでいたため、断絶というよりもむしろ政策面の連続性が存在した。このため、九一年から九四年の体制転換を、「民主化」という言説としてではなく、むしろ「エリートの移行」(Bond 2000)や「新自由主義的解放」(Neoliberation)として批判し、この未完の解放にとどまらず、次なる第二の解放を求める思想や運動が展開することになった。

実際、九〇年代初頭から、国内では人種化された経済格差が拡大し、貧困層の反乱を抑えるための治安対策があらためて取られるようになる。このため、たしかにアパルトヘイト国家自体は消滅したものの、新自由主義アパルトヘイトないし経済的アパルトヘイトがこれに取って代わったのであった(Clarno 2017; 宮内 二〇一六)。これを、人種的アパルトヘイトは廃止されたが、階級的アパルトヘイトがこれに続いたと言い換えても構わない。南アフリカの各地では、水道・電気・住宅等が私有化され、サッチャリズム由来の公私連携(官民連携 PPP)が諸領域で実施された。一九九六年に導入された包括的な経済政策である「成長・雇用・再分配」(GEAR)プログラムもまた、歳出削減、低金利政策、公営企業体の私有化や私的セクターへの業務委託など明確に新自由主義的な性格を有していた。雇用や再分配は、成長によって、そして成長の後に、初めて実現されるものと考えられていたのである。

四、世界体制としての新自由主義

例外なき新自由主義

こうして、新自由主義の思想・運動・体制の諸局面、特に体制の局面は世界規模でほぼ同時に展開することになった。つまり、新自由主義は一九九〇年代前半には世界体制となったと見ることができる。いや、この枠組みには入らない社会変動があったのではないか、という批判もありうる。例えば一九七九年のイラン・イスラーム革命はどうか。

パフラヴィー二世の白色革命と呼ばれる近代化政策は一九七〇年代に入って破綻を見せ、経済格差の拡大など国民の不満を高め、ホメイニーが指導するイスラーム主義にもとづくイラン革命をもたらした。しかし、革命後のイラン国家はたしかに政治的には前政権から転換し、旧体制のエリートを置き換えはしたものの、経済政策という観点から見れば、一九八〇年代末まで前政権の輸入代替工業化政策を継続的に採用していた。しかし、輸入代替工業化による債務危機、アメリカ大使館人質事件を契機としたアメリカによる国交断絶と経済制裁、一九八〇年から八八年まで続いたイラン・イラク戦争による社会資本への打撃など、革命政権は困難な課題に直面していくことになった。

そのため、イランは、一九八九年にはそれまでの輸入代替工業化政策を放棄し、九〇年六月に本格化する第一次経済発展五カ年計画によって、新自由主義政策を開始した(Valadbaygi 2022)。五カ年計画は、政府系企業の私有化、資本市場の自由化、製造業・サービス業の競争促進、補助金の撤廃、さらには労働市場の脱規制化などを進めるものであった。その意味で、この政策は、西でも東でもないイスラーム主義に基づく第三極の政策と見るより、むしろ新自由主義の世界体制の中に例外なく位置付けることが可能である。この路線は、その後、九五年からの第二次五カ年計画においても継承されていく。イランという新自由主義国家における中産階級の新たな形成過程は、例えばメキシコともインドとも比較可能である。

一九八一年の時点で人口二三万人ほどの小国アイスランドでも、新自由主義化は確実に進行していた。それまでアイスランドは、貿易における保護主義と国家統制を基軸とする経済体制を取り、福祉国家と高い経済成長率を実現していたが、財政危機を批判する新自由主義の運動に直面していた。一九七九年にはアイスランド大学出身の若い経済学者たちによってリバータリアン連合が設立され、翌年からハイエク、ブキャナン、フリードマンらが次々とアイスランドを訪問し、新自由主義の思想と運動の浸透につとめた(Slobodian and Plehwe 2022: 303-332)。これを基礎に、一九九〇年代に入ると間もなく新自由主義が体制化し、行政改革や漁業をはじめとした経済の自由化、法人減税、グローバルな金融市場との接合と脱規制化が進められた。これによって、ITやバイオ産業が急成長し、次いで、私有化されたランズバンキ銀行など、アイスランドの国内市場にとどまらない金融活動を積極的に展開する銀行も現われた。「北欧の虎」や「ヴァイキング資本主義」といったアイスランド経済の異名は、アイスランドの新自由主義の表現でもあったのである。

内戦に苦しんだカンボジアにおいても、一九八九年のベトナム軍の撤退から、新自由主義政策の導入が開始され、一九九一年の内戦終結がこの方向を促進した(Springer 2010)。この時国連カンボジア暫定統治機構(UNTAC)がもたらした平和は「リベラルな平和」と称された。「リベラルな」というのは、諸政治勢力の同意に基づく民主制と法の支配が、自由市場経済と結合され、単一のパッケージとして提示された平和であったからである。このため、新自由主義改革の導入は、平和構築活動の不可欠の一部と考えられたのである(このような「リベラルな平和」はのちにボスニアや東ティモール、シエラレオネなどでも実行されることになる)。カンボジアの新自由主義改革がもたらしたのは、土地の収奪に始まり、公共財の私的セクターへの移譲(私有化)、外国資本の投資を呼び込むための、貧困層の不可視化と社会の「美化」であった。

新自由主義の第二波

このように、一九九〇年代に入って、新自由主義が地域の例外なく世界体制となったと考えれば、この時期には、同時に新自由主義政策に内在する社会的不平等の解消と経済成長を和解させようとする新自由主義の新たな形態が生み出されていった。それは、第三の道新自由主義(Third Way Neoliberalism)とか、新自由主義の第二波(Second-Wave Neoliberalism)という名で呼ばれる形態である。

ヨーロッパでは、社会民主主義政党や労働党が、第三の道新自由主義の担い手となった。中道左派であるイギリス労働党のブレア政権(一九九七―二〇〇七年)の新しい労働(New Labour)はサッチャー、メージャーと続いた保守党政権に対して、一方で市場経済を重視してサッチャリズムを継承しつつ、他方で国家の公共支出によって公正な社会を担保しようとする第三の道を唱えていくことになる(二宮 二〇一四:二九七頁以下)。ドイツ社会民主党のシュレーダー政権(一九九八―二〇〇五年)もまた、新しい中道(Neue Mitte)のスローガンを掲げ、ドイツのオルド自由主義の系譜を引きながら、税制や社会保障、労働市場の改革に取り組んだ(福田 二〇二一)。これは、ドイツの社会国家と新自由主義との和解を図った政策と評することができる。デンマーク社会民主党政権(一九九二―二〇〇一年)の私有化と規制緩和政策(鈴木 二〇一〇)やスペイン社会労働党のゴンサレス政権(一九八二―九六年)も、社会民主主義に内在した新自由主義政策の展開を示していた。アメリカのクリントン民主党政権(一九九三―二〇〇一年)の政策もまた、自由貿易を称揚し、グローバルサウスの諸地域を市場グローバリズムの中に編入するという志向をもっていたことから、第三の道新自由主義の一形態として位置付けることができよう。

ラテンアメリカでも、一九九〇年代初頭までの新自由主義の第一波とは異なり、九〇年代半ばからの新自由主義の第二波においては、医療改革や保険改革をはじめ社会政策上の諸改革をともなっていた。ピノチェトの軍事独裁体制が一九九〇年に終焉を迎えたチリにおいても、中道左派連合、つまりは社会民主主義の政治勢力が、都市の貧困層や先住民、中産階級のビジネスエリートの双方と折り合いをつけ、政治参加・社会参加を通じた新自由主義への統合政策を展開していった(Leiva 2021)。同様にメキシコでも、一九九四年からチアパスのインディオの反乱、サパティスタの運動が展開した。メキシコは、ラテンアメリカで先住民の人口比が最大の国家であったが、そのグローバルサウスの先住民貧困層に新自由主義が大きな打撃を与えたことが、運動の高揚を引き起こしたのであった。つまり、新自由主義の第二波の統合政策は、新自由主義に抗する反対運動の反映でもあったのである。こうした運動に直面して、参加型の統合政策はより洗練された形態を取ることになり、多文化主義を通じた新自由主義、経済的価値によって階層化・序列化された新自由主義的多文化主義(neoliberal multiculturalism)という形態にもつながっていった。

不死身の新自由主義

一九九〇年代後半以降の新自由主義のさらなる展開を分析することはもはやここでの課題ではない。しかし、二〇〇八年の金融危機を契機として、新自由主義の自滅、破局や破綻、ポストネオリベラリズムといった言説がしばしば聞かれた。しかし、これらの批評には根拠がないと言うことはできる。むしろ、金融危機後の新自由主義は、新自由主義の第三波と目されるようになる。こうした新自由主義の持続性は、新自由主義が単なる一時の経済政策ではなく、特有の思想的背景と人間像をもち、行為規範の体系や家族像・社会像・国家像を包含し、歴史性と内在性に裏打ちされているからであった。一九八一年に創立された新自由主義シンクタンクの世界的ネットワークであるアトラス・ネットワークが、二〇二三年現在で、一〇〇カ国の五〇〇を越える組織・機関を糾合していることが、新自由主義という思想・運動・体制の強靭さ、その回復力(レジリエンス)を示していると言えよう。現在では新自由主義の危機というよりも、むしろその「奇妙な不死」(Crouch 2011)や「不死身の新自由主義」(Plehwe et al. 2020)について語られているゆえんである。新自由主義の第三波は、一方で強制の契機を維持しつつ、いっそう洗練された同意調達の機能を備えた「人間の顔をした新自由主義」を志向しているとの見方も出てきている。他方で、第三波は新自由主義と権威主義的ポピュリズムが結合していくことにその特徴があると考えることもできる。

新自由主義自体が一九七〇年前後の資本主義の構造転換と深く結び付いていることも、新自由主義の持続性を規定している。グローバル資本主義という形態をとる産業資本主義(工業資本主義)は、次第に産業革命以来の基幹的位置から退き、知識や情報の格差から資本蓄積を行う知識資本主義の形態へと構造転換を開始している。知識経済や無形資産経済のグローバル化が、グローバリゼーションの重要な一翼を担っている。二〇一〇年代に出現したドイツの第四次産業革命 Industrie 4.0 という議論や、日本で政策として提起されている Society 5.0 という把握は、こうした知識資本主義への転換過程を反映したものだと考えられる。そうであるならば、グローバリゼーションと新自由主義の分析という課題は、知識資本主義の展開を中心に据えて議論すべきものであろう。しかし、その分析は稿を改めて論ずるべき事柄である。

参考文献

宇佐見耕一(二〇一一)『アルゼンチンにおける福祉国家の形成と変容――早熟な福祉国家とネオ・リベラル改革』旬報社。

小沢弘明(二〇一二)「新自由主義下の社会――同意調達の諸相」安田常雄編『変わる社会、変わる人びと――二〇世紀のなかの戦後日本』(シリーズ戦後日本社会の歴史1)、岩波書店。

斉藤泰雄(二〇一二)『教育における国家原理と市場原理――チリ現代教育政策史に関する研究』東信堂。

鈴木優美(二〇一〇)『デンマークの光と影――福祉社会とネオリベラリズム』壱生舎。

所康弘(二〇一七)『米州の貿易・開発と地域統合――新自由主義とポスト新自由主義をめぐる相克』法律文化社。

二宮元(二〇一四)『福祉国家と新自由主義――イギリス現代国家の構造とその再編』旬報社。

早川征一郎（二〇一〇）『イギリスの炭鉱争議（一九八四〜八五年）』御茶の水書房。

福田直人（二〇二二）『ドイツ社会国家における「新自由主義」の諸相——赤緑連立政権による財政・社会政策の再編』明石書店。

宮内洋平（二〇一六）『ネオアパルトヘイト都市の空間統治——南アフリカの民間都市再開発と移民社会』明石書店。

和田明子（二〇〇七）『ニュージーランドの公的部門改革—— New Public Management の検証』第一法規。

Aligica, Paul Dragos and Anthony J. Evans (2009), *The Neoliberal Revolution in Eastern Europe: Economic Ideas in the Transition from Communism*, Cheltenham/Northampton, MA, Edward Elgar.

Andry, Aurélie Dianara (2022), *Social Europe, the Road not Taken: The Left and European Integration in the Long 1970s*, Oxford, Oxford University Press.

Babb, Sarah (2001), *Managing Mexico: Economists from Nationalism to Neoliberalism,* Princeton, Princeton University Press.

Bach, Olaf (2013), *Die Erfindung der Globalisierung. Entstehung und Wandel eines zeitgeschichtlichen Grundbegriffs*, Frankfurt am Main/New York, Campus.

Bartel, Fritz (2022), *The Triumph of Broken Promises: The End of the Cold War and the Rise of Neoliberalism*, Cambridge, Mass./London, Harvard University Press.

Bockman, Johanna (2011), *Markets in the Name of Socialism: The Left-Wing Origins of Neoliberalism,* Stanford, Stanford University Press.

Bond, Patrick (2000), *Elite Transition: From Apartheid to Neoliberalism in South Africa,* London/Scottsville, University of KwaZulu-Natal Press.

Bösch, Frank (2019), *Zeitenwende 1979. Als die Welt von heute begann*, München, C. H. Beck.

Cahill, Damien, Melinda Cooper, Martijn Konings, and David Primrose (eds.) (2018), *The SAGE Handbook of Neoliberalism*, London/Thousand Oaks/New Delhi/Singapore, SAGE reference.

Clarno, Andy (2017), *Neoliberal Apartheid: Palestine/Israel and South Africa after 1994,* Chicago/London, The University of Chicago Press.（結論部分の邦訳＝アンディ・クラーノ「新自由主義アパルトヘイト」小沢弘明訳『世界』九一七号、二〇一九年）

Crouch, Colin (2011), *The Strange Non-Death of Neoliberalism*, Cambridge/Malden, Polity.

Davis, Jonathan (2019), *The Global 1980s: People, Power and Profit*, London/New York, Routledge.

Green, Duncan (2003), *Silent Revolution: The Rise and Crisis of Market Economics in Latin America,* New York/London, Monthly Review Press,

Latin America Bureau.

Guazzone, Laura and Daniela Pioppi (eds.) (2009), *The Arab State and Neo-Liberal Globalization: The Restructuring of State Power in the Middle East*, Reading, Ithaca Press.

Harrison, Graham (2010), *Neoliberal Africa: The Impact of Global Social Engineering,* London/New York, Zed Books.

Harvey, David (2005), *A Brief History of Neoliberalism*, Oxford/New York, Oxford University Press.（デヴィッド・ハーヴェイ『新自由主義——その歴史的展開と現在』渡辺治監訳、作品社、二〇〇七年）

Holtzman, Benjamin (2021), *The Long Crisis: New York City and the Path to Neoliberalism*, Oxford/New York, Oxford University Press.

Humphrys, Elizabeth (2018), *How Labour Built Neoliberalism: Australia's Accord, the Labour Movement and the Neoliberal Project*, Leiden, Brill.

Kelly, Jason M. (2021), *Market Maoists: The Communist Origins of China's Capitalist Ascent,* Cambridge, Mass./London, Harvard University Press.

Leiva, Fernando Ignacio (2021), *The Left Hand of Capital: Neoliberalism and the Left in Chile*, Albany, Suny Press.

McCartin, Joseph A. (2011), *Collision Course: Ronald Reagan, the Air Traffic Controllers, and the Strike that Changed America*, Oxford/New York, Oxford University Press.

Mirowski, Philip and Dieter Plehwe (eds.) (2009), *The Road from Mont Pèlerin: The Making of the Neoliberal Thought Collective,* Cambridge, Mass./London, Harvard University Press.

Pirie, Iain (2008), *The Korean Developmental State: From dirigisme to neo-liberalism*, London/New York, Routledge.

Plehwe, Dieter, Quinn Slobodian, and Philip Mirowski (eds.) (2020), *Nine Lives of Neoliberalism*, London/New York, Verso.

Slobodian, Quinn (2018), *Globalists: The End of Empire and the Birth of Neoliberalism,* Cambridge, Mass./London, Harvard University Press.

Slobodian, Quinn and Dieter Plehwe (2022), *Market Civilizations: Neoliberals East and South,* New York, Zone Books.

Springer, Simon (2010), *Cambodia's Neoliberal Order: Violence, authoritarianism, and the contestation of public space,* London/New York, Routledge.

Valadbaygi, Kayhan (2022), "Neoliberalism and state formation in Iran", *Globalizations*, DOI: 10.1080/14747731.2021.2024391

Wallace, Neal (2014), *When the Farm Gates Opened: The impact of Rogernomics on rural New Zealand*, Dunedin, Otago University Press.

Winn, Peter (ed.) (2004), *Victims of the Chilean Miracle: Workers and Neoliberalism in the Pinochet Era, 1973–2002*, Durham/London, Duke

University Press.
Woods, Ngaire (2006), *The Globalizers: The IMF, the World Bank and Their Borrowers*, Ithaca/London, Cornell University Press.

焦　点 | *Focus*

焦点 *Focus*

ソ連の異論派と西側市民の協働
――ゆらぐ冷戦構造下の越境的ネットワーク

松井康浩

一、スターリン死後のソ連の変化と冷戦構造のゆらぎ

冷戦の起源に、第二次世界大戦終結前後に行われたソ連による東欧への勢力圏拡大、そしてそれを推進したスターリンの存在とその安全保障観や世界認識が関わっていたことは疑いない。それゆえ、一九五三年三月にスターリンが死去し、新しいソヴィエト指導部が誕生したことは、冷戦構造に変化がもたらされる重要な契機となった。朝鮮戦争、インドシナ戦争の休戦協定調印のプロセスと並行して、五四年一月下旬からベルリンで米ソ英仏外相会談、翌年七月には同じ四カ国の首脳会談もジュネーブで開かれ、厳しい対立の構図は引き続き維持されながらも、両陣営間に対話の動きが看取されたのである。

一九五六年二月の第二〇回ソ連共産党大会はその流れをさらに加速させる機会となった。同大会の秘密報告でフルシチョフがスターリン批判を行い、また同大会で平和共存路線が確立したことは、両陣営間の緊張緩和に寄与した。ソ連は英国などの西欧諸国に続いて、五八年一月には米国との間でも文化交流協定を締結し、研究者や学生などの交流事業にも乗り出した(Richmond 2003: 15)。六二年のキューバ危機は、核戦争の瀬戸際にまで両国を導き世界を震撼

させたが、その危機を脱した後、米ソ間ホットラインの設置や核実験や核軍備管理に関わる交渉も始まり、いわゆる米ソ・デタントの時代が到来する。六八年八月のワルシャワ条約機構軍によるチェコスロヴァキア侵攻は陣営対立の構図を再確認させたが、西ドイツ首相ヴィリー・ブラントの東方外交など東西欧州関係を改善する動きも現れ、その流れの中で七三年にはヘルシンキで欧州安全保障協力会議(CSCE)がスタートした。同会議は、デタントを米ソ間にとどめずヨーロッパ規模に広げる動きを象徴するものであり、米ソを含む欧州三五カ国が調印したヘルシンキ最終議定書は、デタントの頂点に位置した。

以上のようなスターリン死後のソ連の変化とそれに呼応した西側の対応は、時に「下からのデタント」と称される市民社会レベルでの動きをも随伴し、冷戦構造の変容にさらなる駆動力を与えた(菅 二〇一四:一四頁)。本稿は、下からのデタントという研究の潮流に棹さすべく、一九六八年に始まる「長い一九七〇年代」に、体制や国境を跨いで展開されたソ連異論派と西側支援者の交流とその事業に光を当てる試みを行う。

二、異論派=人権擁護運動の登場

赤の広場デモ

一九六八年八月二五日正午、モスクワ「赤の広場」東南端に位置する石造の円台ローブノエ・メストに八人の男女が集まった。円台の周りに腰を下ろし、ラリーサ・ボゴラズとナタリヤ・ゴルバネフスカヤが持ちこんだスローガン入り横断幕を掲げた。「チェコスロヴァキアから手を引け」「自由で独立したチェコスロヴァキア万歳」「あなたたちと私たちの自由のために」……。間もなく騒ぎが起き、人々から罵声を浴びせられる中、八人は駆け付けたKGB職員により連行され、その後、大半はシベリア流刑などの処罰を受けた。

このデモをソ連のメディアがしかるべく報じることはなかった。しかし、幼児を連れていたがゆえに当日夜に帰宅を許され、しばらく自由の身にあったゴルバネフスカヤが記したデモの記録が西側特派員に渡り、さらに事件一周年を前に彼女が著した『正午』がまずはサミズダート(地下出版)として、七〇年には亡命ロシア人の出版社ポセフからの書籍として刊行されるに及び、その実像が内外で知られるようになった(米田 二〇一〇：二二六—二二九頁、Горбаневская 1970: 43-44)。

横断幕からわかるように、これは「プラハの春」に連帯し、その改革を封じたワルシャワ条約機構軍の介入に抗議したソ連市民による示威行動であった。ここで一九六八年という年に注目すれば、この行動は世界を席巻した社会運動、各国政府への異議申し立ての一コマを構成するものだったとみなし得る。実際、このデモ参加者の一人であるパーヴェル・リトヴィノフは自身の行為を「非暴力の市民的不服従」と位置づけ、ガーンディーの思想とそれを継承したキング牧師の公民権運動に触発されたことを後に回想している(Matsui 2015: 205)。東西陣営に分かたれながらも、ソ連がグローバルな動向の渦中にあったことを示すものであろう。

ソ連国内の変化——雪どけから引き締めへ

もっとも、リトヴィノフが赤の広場デモを回顧し、国際的な文脈以上にソ連国内での先駆例、すなわち一九六五年一二月五日にモスクワのプーシキン広場で敢行された政府への抗議デモに言及したことは重要である。このデモは海外で作品を発表した二人の作家、アンドレイ・シニャフスキーとユーリー・ダニエルの逮捕を受けて行われた。つまり赤の広場デモは、ソ連国内の変化、特に知識人集団の意識や行動の変化に起因し、それを象徴していたのである。

一九五三年のスターリンの死後、無実の政治囚らが収容所や流刑地から解放され、各地に帰還する動きが始まった。国家テロルの終結が感じられる中、先に言及したフルシチョフによるスターリン批判が行われ、いわゆる「雪どけ」

=「自由化」の時代が到来した。政治的、社会的気象の変化を背景に、モスクワなどに住む知識人の間で、様々なテーマにつき議論を交わす「カンパニヤ」(仲間)と呼ばれるコミュニティが誕生した。作家ソルジェニーツィンの『イワン・デニーソヴィチの一日』はカンパニヤで大きな話題を呼んだ作品である。収容所体験に基づき、囚人の一日を描写したこの小説は、時代の変化を体現した文芸誌『新世界』に掲載された(Alexeyeva and Goldberg 1990: 83, 96)。その刊行に先立つ六一年一〇月開催の第二二回ソ連共産党大会では、レーニン廟に祀られたスターリンの棺を撤去する決定も行われており、一連の措置は第二次スターリン批判と呼ばれている。

しかし、曲折はありながらも維持されてきた「自由化」の気運は、一九六四年一〇月のフルシチョフ失脚の前後から失われていく。後を継いだブレジネフの下で徐々にスターリンの復権が始まり、歴史の揺り戻しが感じられるようになったのである。

シニャフスキー・ダニエル事件と異論派の誕生

反転の流れを明確にしたのが、先に言及したシニャフスキーとダニエルの逮捕・裁判であった。ペンネームで作品を海外で発表した二人は一九六五年九月に逮捕され、六六年二月、「反ソ宣伝・扇動」罪で各々七年と五年の刑を受け、矯正労働コロニーに送致された。この事件は、スターリン批判の後、徐々に「自由」を享受し始めていた知識人が危機感を覚える転機となった。記憶もまだ新しいスターリニズムへの反転の可能性を読み取ったからである。文学などの表現活動に従事していた知識人や学生の間に広がる不安を背景に、裁判前の六五年一二月五日、プーシキン広場で抗議行動が行われた。表現の自由や開かれた裁判を受ける権利の規定を含むソ連の法や規則を当局自身が遵守するよう求めて、憲法記念日に実施されたものである。デモの現場にかけつけ、当事者としてソ連異論派運動を後に描写したリュドミラ・アレクセーエヴァは、「ソヴィエト体制史上初めて人権のスローガンが掲げられたデモ」との評価を与えている。またアレクセーエヴァによれば、シニャフスキーとダニエルの逮捕に抗議する連名の嘆願書が当局宛てに送られ、署名者は八〇名に及んだ。うち六〇名が作家同盟員だったという(Alexeyeva 1985: 274-278)。こうして、プーシキン広場のデモを皮切りに表現行為を厳しく取り締まる当局に異議を申し立てる行為が広まりをみせ、表現や言論の自由を核にした人権の擁護を掲げた「異論派」(dissidents)と呼称される集団が、モスクワを中心に出現しはじめたのである。以後、異論派活動への弾圧や裁判、それに対する抗議の署名や行動が繰り返されるようになった。

三、異論派の活動を支援する西側市民

異論派と西側特派員の交流

憲法記念日デモの現場でその姿が確認されているように、異論派と当局の間の攻防は駐在する西側特派員の関心を当然に引くことになった。スターリン死後の新しい動向が、彼らを通じて西側世界に伝えられ始めた。その後の展開から見て重要なのは、西側に流れた情報がBBCやラジオ・リバティなどのロシア語ラジオ放送としてソ連国内に還流した現象である。西側ラジオ放送の視聴者はソ連国内に多数存在した。それゆえ、この越境的な情報のサイクルは、自らの意見や活動を内外に伝えたい異論派にも活用できるものであった。

モスクワ駐在の特派員などとの接触に早くから積極的だった一人が、『ソ連は一九八四年まで生きのびるか』(一九七〇)のエッセイでも西側世界によく知られたアンドレイ・アマルリクである。知的で独立的精神に満ちたこの人物は、公式見解とは異なる歴史解釈を主張してモスクワ大学の歴史学部を除籍になり、外国人との交流も問題視されたのか後に逮捕され、六五年にシベリア流刑となった。モスクワに戻るのを許されたのは、知識人の抗議活動が公然化した六六年のことである。アマルリクは特派員らとの関係を生かし、異論派のアピールなどを国外に伝える役割を担

ることとなる（Амальрик 1991: 16–20）。

アマルリクの友人リトヴィノフも同じ役割を演じた。アマルリクは当時、自身とリトヴィノフを「人権運動のプレス・オフィサー」と呼んだ。両者から特派員を経由して様々な文書が西側に流れたからである。二人が特に親しくした人物にライデン大学教員カレル・ヴァン・ヘト・レーヴがいる。彼は研究休暇を利用し、一九六七年からオランダの『ヘト・パロール』紙特派員としてモスクワに滞在していた。毎週土曜日、アマルリクとリトヴィノフは彼に会い、サミズダート文書を渡した。両者を経由して彼に渡った文書の中でも特に名高い作品は、水爆の父とも称される物理学者アンドレイ・サハロフが執筆した『進歩・平和共存および知的自由』である。サハロフの原稿を受領したヴァン・ヘト・レーヴは盗聴を回避するためにオランダ語の口述でそれを同紙編集部に電話で伝え、一九六八年七月六日、同紙はサハロフのエッセイを掲載した。本原稿はさらにニューヨークタイムズ記者にも手渡され、それが同年七月二二日に掲載されたことから世界的センセーションを巻き起こした（Matsui 2015: 201）。以後、サハロフはソ連異論派を代表する人物となったのである。

公衆へのアピール

「プレス・オフィサー」を自認したアマルリクとリトヴィノフは、その役割以外でも大きな存在感を示した。特にリトヴィノフは人を惹きつける魅力を兼ね備え、運動の中心人物となる。「我々の誰もが自分の仲間（свои）だとみなせる人物が必要で、パーヴェルがその役割をも担った」。毎週金曜日の夜、リトヴィノフの部屋は、仲間たちが議論や文書の交換を行う異論派運動の拠点となった（Амальрик 1991: 66; Reddaway 2020: 204）。

リトヴィノフが国内外で知られる契機となり、西側支援者との関係を考察する上でも不可欠なのが、彼が発した二つのアピールである。一つは、一九六七年九月二六日にKGBに召喚され、リトヴィノフが取り組んでいた異論派裁判関連文書の編纂・配布を止めるよう警告を受けた事実を暴露した記録である。リトヴィノフは、その記録を同封したアピールを内外の新聞編集部、特に共産党系の新聞に送付したが、どこもそれを取り上げなかった。一二月になってようやく『インターナショナル・ヘラルド・トリビューン』紙がそれを記事にした(Reve 1969: xi)。このアピールで重要なのは、KGBの事情聴取の内容が公にされたことよりも、それに付されたリトヴィノフのメッセージである。「続く文書に公衆の注意を集めることが私の義務だと考える。それは公にされるべき傾向を生々しく露わにしており、間違いなく私たちと世界の進歩的公衆(нашу и мировую прогрессивную общественность)への警鐘となるからである」(*Ibid.*: 3-4)。送付先は新聞の編集部であっても、ソ連と世界の公衆に向けて呼びかけた点に注目したい。第二のアピールは、シニャフスキー・ダニエル事件・裁判関係の記録を『白書』に編纂し、それをKGBにも送付したアレクサンドル・ギンズブルグおよびその作業に関与した計四人の裁判の判決時に、法廷の外で待機した特派員に配布されたものである。「世界の公衆へ」と題した本アピールには、ダニエルの妻で異論派運動の中心にいたボゴラズとリトヴィノフの二人の署名と住所、そして一九六八年一月一一日の日付が付されていた(*Ibid.*: 46)。

我々は世界の公衆に、まずはソ連の公衆に呼びかけます。良心の呵責を感じ、勇気ある全ての人に訴えます。この恥ずべき裁判及び被告への刑罰に対する公然たる非難を。そしてあらゆる法の規定の遵守と国際的監視下での被告人への再審を求めてください。

リトヴィノフの回想によれば、アピールの原案を書いたのはボゴラズで、「世界の公衆へ」を表題として提案したのがリトヴィノフであった。ただ両者とも、ソ連当局や新聞に訴えることにもはや意味はなく、今後は公衆にむけてアピールすべきという点で一致していた(Matsui 2015: 203)。このアピールを伝えたその日のラジオ放送に耳を傾けたアマルリクは、それが「見えざるバリアを克服するもの」であり、「権力にではなく世論に、臣民の言葉ではなく自由人の言葉で呼びかけられたもの」と讃えた(Амальрик 1991: 50-51)。

内外からの反響――スペンダーによる支援表明

ボゴラズとリトヴィノフのアピールは、西側のラジオ放送だけでなく新聞各紙でも即座に報道された。英国のタイムズ紙は、一九六八年一月一三日付の八面に全文を掲載している。

こうして、リトヴィノフが関与した二つのアピールは内外で反響を呼ぶことになった。一九六七年の一二月以降、まずは最初のアピールに対して、一月中旬以降は主に第二のアピールに対して、国内外から電報や手紙がリトヴィノフのもとに届けられた。KGBがそれを遮断するまで、リトヴィノフの手元に届いた数だけでも六〇通以上に上った。寄せられたメッセージの多くはリトヴィノフらの勇気を讃えて趣旨に賛同する立場を伝えるものであったが、数は少ないもののリトヴィノフを激しく非難する反応もあった。リトヴィノフらの民族的属性を取り上げ、イスラエルに移住することを勧める手紙、国外に向けてソ連を貶めるアピールをしたことを糾弾する手紙などである(Matsui 2015: 207-208)。

本稿との関係で最も重要なレスポンスは、英国の著名な詩人、スティーヴン・スペンダーからの電報であった。タイムズ紙でボゴラズとリトヴィノフのアピールを読んだスペンダーはすぐさま友人に連絡をとり、その賛同を得て、一月一四日付で以下のような連名での電報をボゴラズ、リトヴィノフの双方に送った(Reve 1969: 64)。

> 私たち、いかなる組織をも代表しない友人グループは、あなたがたの声明を支持し、勇気を讃え、あなたがたに思いをはせ、可能な限りの方法で支援します。

スペンダーの長年の親友で詩人のW・H・オーデン、バートランド・ラッセル、ジュリアン・ハクスリー、イーゴリ・ストラヴィンスキーなど錚錚たる顔ぶれが名を連ねた。電報自体は二人に届かず、BBC放送でそれを知ったリトヴィノフはアマルリクと相談して返事を書いた(Matsui 2020: 84)。支援提供の申し出に呼応した二つの要請からなるスペンダー宛の返信（一九六八年八月八日付）である。この内容の紹介は次節に回し、返信をスペンダー本人に送り届けたのもヴァン・ヘト・レーヴであったことを先に指摘しておこう。

一九六八年八月一五日、ヴァン・ヘト・レーヴの帰国を前にして、アマルリク、リトヴィノフ、ボゴラズは送別会をアマルリクの部屋で開いた。プラハの春への軍事介入を危惧し、ソ連当局の圧力に抗議表明をした異論派仲間のアナトーリー・マルチェンコは、七月二六日、別件で逮捕されていた。高まりゆく緊張の下に催された送別会につき、ヴァン・ヘト・レーヴは回想を残している。会も終わりに近づくころ、突然、アマルリクがタイプに向かって打鍵しはじめ、打ち出した用紙を、ボゴラズとリトヴィノフに回して署名を求め、彼自身もそれにサインをしてヴァン・ヘト・レーヴに渡した（*Ibid.*: 86）。

それは、冗談めかして言えば、一種のディプロマだった。そこには次のように記されていた。カレル・ヴァン・ヘト・レーヴは、これをもって、ロシアの反対派によるあらゆる抗議行動、嘆願、デモ、その他の名誉参加者となる。

この文書には「証明書」（удостоверение）との表題が付されていた（AAHF: 267）。「その文書を受け取りとても幸福に感じた」ヴァン・ヘト・レーヴは同時に、ひとたび彼らからの要請があれば、それに応じるべき道徳的立場にあり、それを証明する必要性を痛感したことだろう。彼は、この「ディプロマ」に加え、スペンダー宛のリトヴィノフの手紙も、その日付から判断して、ここで預かった可能性が高い。送別会後にオランダに帰国してアムステルダムに落ち着いてまもなく、ワルシャワ条約機構軍による軍事介入が開始された。

リトヴィノフの要請

ヴァン・ヘト・レーヴは帰国後直ちにスペンダーに手紙(八月二二日付)を書き、リトヴィノフのスペンダー宛の返信とその英訳を同封した。「パーヴェル・リトヴィノフの依頼により、同封の手紙をあなたに送ります」との一文から始まるこの手紙は軍事介入のさなかに書かれ、「リトヴィノフは今、きわめて不確かな状況にあり、昨日逮捕されてしまったかもしれない」と、安否を気遣う言葉が続いている(Reve 1968)。この時点で、両者は数日後の赤の広場デモを知る由もないから、それが敢行され、リトヴィノフらが逮捕されたことを耳にすれば、リトヴィノフの要請はなお一層重みをもったことだろう。

ヴァン・ヘト・レーヴが手紙に同封したリトヴィノフの返信は、ロシア語タイプ打ちA4判用紙で四頁に及んだ。冒頭、スペンダーらの電報が彼らにとり「大きな道徳的な支えとなった」だけでなく「予期しうる抑圧からも救った」と謝意が示され、次にソ連の異論派運動の現状に言及した。シニャフスキーとダニエルの裁判の時期に「わが国でおずおずと姿を現した社会運動」は未定形だが、それでも「人権のための闘い」「我々の社会を人間的なものにする」との目的では一致していることをリトヴィノフは強調し、本題の要請に移った。一つは「ソ連の民主運動を支援することを任務とする国際委員会」を「反共的、反ソ的性格を持たない」形で創設することであった。二つ目は「ソ連の現状に関する情報を世界の世論に提供する」目的で、「その委員会と共に活動する出版所」を設置し、「ロシアからの、あるいはロシアに関する各種の文書をロシア語、英語その他の言語で発信する」ことであった。ここでリトヴィノフが、文書の例として「この四月から刊行されているタイプ打ちの通報」、つまり後述する『時事日誌』

(Хроника текущих событий; *A Chronicle of Current Events*)にまずは言及したように、「定期刊行物」の発行も重視されていた。「財政上の問題が首尾よくクリアされる」ことを前提にしながらも、筆者やタイピストへの「謝金の支払い」を提案している点も注目される(AAHF: 56)。

リトヴィノフの要請に応答する諸事業のネットワーク

以上の要請に、スペンダーだけでなくヴァン・ヘト・レーヴも応答した。両者の事業を概観する際、既存の関係団体や人物、それらとの連絡・調整・協力を視野に入れる必要がある。ロシア革命後に亡命したロシア人団体やそのメディア、西側ラジオ放送局、ソ連研究者、ロシア語書籍の出版社などである。当時存在感を高めていた国際人権団体アムネスティ・インターナショナル(AI)も重要である。このような様々な団体・人物の中でも、ロンドン・スクール・オブ・エコノミクス(LSE)教員でサミズダートに精通したソ連研究者ピーター・レッダウェイ、父親の事業を引き継いで衣料品チェーン店の社長を務めつつ、ロシアやソ連に関心を持ってロシア語を学び、一九六八年に「チェーホフ出版」を設立したニューヨーク在住のエドワード・クラインの二人を取り上げたい。つまり、リトヴィノフ、ヴァン・ヘト・レーヴ、スペンダー、レッダウェイ、クラインの五人に焦点を当て、モスクワ・アムステルダム・ロンドン・ニューヨークにまたがる事業ネットワークの一端を示す試みがここでは行われる。彼らの取組は多岐にわたったが、その中心的事業をまず概観した後、ソ連の人権侵害状況を一五年間にわたり伝え続けたサミズダート誌『時事日誌』の露語版、英語版の西側での刊行プロジェクトを協働の一例として考察しよう。

ヴァン・ヘト・レーヴの事業は、一九六九年五月に設立された「ゲルツェン財団」(Alexander Herzen Foundation)である。西欧で帝政ロシア批判の言論活動を展開し、異論派からも尊敬すべき先人に位置付けられた自由主義者アレクサンドル・ゲルツェンの名にちなんだものである。本財団設置者に名前があがる三人は、ヴァン・ヘト・レーヴ、アムステルダム大学教員のヤン・ベーズマ、そしてレッダウェイであった。モスクワから帰国直後にヴァン・ヘト・レーヴは英国で講演を行い、そこで面識を得たレッダウェイを財団の構想に引き込んだのである(Reddaway 2018)。財団の事業はサミズダート文書を露語書籍としてまずは出版して版権を確保し、その書籍を翻訳出版する権利を他出版社に譲り、資金と読者を得ることであった(Matsui 2020: 85)。

ゲルツェン財団から出版された本はリトヴィノフの『四人裁判』、ロイ・メドヴェーデフの『社会主義的民主主義』など一八点に及ぶ。最大の評判を呼んだのはアマルリクの『ソ連は一九八四年まで生きのびるか』で、日本語を含め十数カ国語に翻訳され、多くの国で読者を獲得した。財団が獲得した資金の七割を著者にロイヤルティとして支払った事実も興味深い。これは、リトヴィノフの二つ目の要請に含まれた提案にある。一九七六年時点で、アマルリクにたいするロイヤルティは総額約四九〇〇ドルに上った(AAHF: 8)。

以上の記述はゲルツェン財団のアーカイヴ資料からの情報に基づく。同アーカイヴには、ロンドン在住のレッダウェイとアムステルダム在住のヴァン・ヘト・レーヴらの間で交わされた手紙が多く残っている。そこから判明することは、レッダウェイが財団の、特に露語での刊行事業に深く関わり、多大な貢献を行った事実である。刊行計画を提案し、原稿をチェックし、印刷所を選定し、経費の交渉を行い、亡命ソ連人の助けも借りながら、出版・販売に至る膨大な業務を彼が担当していた(AAHF: 1)。驚嘆すべきは、彼が関与した事業は財団のそれに限定されなかったことである。当時、英国ではソ連の様々な被迫害者を支援する各種の市民団体が活動しており、レッダウェイはそれらに関与しながら、ソ連における精神医療の政治犯への悪用を告発する運動をも主導していた(Hurst 2016)。

レッダウェイは、さらにスペンダーが着手した事業にも関与した。一九七一年一〇月、スペンダーは「作家学者インターナショナル」(Writers and Scholars International: WSI)の設立を公式に発表し、翌年には、機関誌『検閲目録』(*Index on Censorship*)の刊行を開始した。前者はソ連などの人権活動家を支援する国際委員会であり、後者はソ連を含む世界各地に看取される表現・言論の自由の侵害に関する論考を掲載するものであった。レッダウェイは前者には評議会メンバーとして、後者には編集委員の一人として関与している(Index 1972)。『検閲目録』は、スペンダーおよびその下で実務を担ったマイケル・スキャンメルの方針も反映して、ソ連人権運動だけでなく、広くグローバル規模で表現の自由を論じ、検閲や言論の自由の侵害事例を世界的に対象にした。それでも定期的にソ連の問題は取り上げられ、特に一九七四年には、ニューヨークに移住したリトヴィノフをロンドンに招聘し、WSIや『検閲目録』を生んだリトヴィノフの要請に改めて注意を向けた。リトヴィノフの論考「ソ連の人権運動」も掲載されている。この招聘にはレッダウェイも関わり、LSEでの講演企画に携わっている様子が、手紙のやり取りからうかがい知れる(AAHF: 2)。

四年近くのシベリア流刑を経てモスクワに戻った後も人権活動に従事して追放されたリトヴィノフが一九七四年にニューヨークに到着したとき、ケネディ空港で彼を迎えたのがエドワード・クラインであった。サハロフとも深い親交を築いてソ連の人権問題に関与し、異論派や西側支援者に広く知られた彼の名は、ゲルツェン財団のアーカイヴの各所に登場し、財団設立時の手紙や通信にもクラインとチェーホフ出版の名前が認められる。サミズダート文書は複数の出版関係者の手元にあることが少なくなく、どこがそれを刊行するのか、調整を要するケースもあったからである。ただ、クラインとの間には深い人間的な繋がりも築かれた。ヴァン・ヘト・レーヴ、レッダウェイ、クラインらは連携して活動し、同時に家族ぐるみの交流を続けた。ヴァン・ヘト・レーヴやレッダウェイがニューヨークに滞在する際、クラインのフラットが定宿であった(AAHF: 1-2; Reddaway 2020: 205)。

一九七〇年代初頭、クラインは、米国人権団体とソ連人権運動を結びつける役割を果たした。七〇年にサハロフ、ヴァレリヤ・チャリッゼらが「ソ連人権委員会」を設立し、海外の団体との連携を模索した際、クラインがニューヨークの国際人権連盟と繋いだ。クラインの会社が資金を出し、毎週、人権連盟の代表ジョン・ケリーがチャリッゼに電話をかけ、関係を構築し、ソ連人権委員会を人権連盟の傘下に位置付けた(Клайн 2004: 61-64)。七二年、チャリッゼは米国の大学の招聘によりニューヨークに来訪し、その折に市民権をはく奪され、以後、クラインとともにソ連人権擁護活動の支援に従事した。両者が新たに立ち上げたのがフロニカ出版であり、チャリッゼが編集責任者に就いた。七四年には同じく合衆国にやってきたリトヴィノフも同出版の活動に加わった。

フロニカ出版は、一九七二年の設立から八〇年代初頭まで各種の異論派ロシア語文献を出版したが、本稿との関連で重要なのは、ソ連の人権侵害情報を伝える二つの定期刊行物の発行である。サミズダート誌『時事日誌』の露語での刊行と、オリジナルが当局の妨害により停刊になった際、それを補完する目的で始まった『ソ連人権日誌』の英語版と露語版の発行である。それらすべての編集委員会にレッダウェイの名前があり、彼がこの雑誌の編集にも関与したことがわかる。いずれにしても、これらの定期刊行物、特に『時事日誌』の刊行は、レッダウェイを要に、ゲルツェン財団、WSI、フロニカ出版、AIからなるネットワークに位置付ける必要がある。

『時事日誌』を刊行する西側のネットワーク

『時事日誌』の第一号が、ゴルバネフスカヤの編集で現れたのは一九六八年四月である。日誌は複数のルートで国外に持ち出され、その一つがリトヴィノフからBBC特派員を経由してレッダウェイに届けられた。当時、両者に交流はなく、レッダウェイの論考がBBCラジオ放送で紹介され、それを聞いたリトヴィノフが送付先に自分を選んだのだろうとレッダウェイは振り返る。その後は別ルートで彼のもとに届けられ続けた(Reddaway 2020: 120-122)。タイプ打ちの『時事日誌』を露語と英語で刊行し、人権侵害情報をソ連と西側の双方に広める考えはレッダウェイの頭に早くから浮かんだ。一九七〇年一月一四日付のヴァン・ヘト・レーヴ宛の手紙で、彼は設立準備が進行中のWSIから英語版を出す計画があることを告げ、財団から出すより「日誌の将来的な生き残り」という点から望ましいとの見解を示した。WSIが知名度あるスペンダーの事業だからだろう。見逃せないのは、英語版を七〇〇部購入する

ＡＩの意向を手紙に付記していた点である。ただ結果的にはＷＳＩからの出版には至らず、第一一号までの『時事日誌』は、そのテクストを網羅的に引用し注釈を施したレッダウェイの著作として世に出た(AAHF 1; Reddaway 1972)。ただレッダウェイは、自分の手元に届く日誌がタイムリーに読まれ、反響を得るには、知名度あるＡＩがこれを刊行するのが望ましいと考え、ＡＩに働きかけた。ＡＩサイドには『時事日誌』の刊行は「不偏性」(impartiality)というＡＩの方針に合致しないとの意見もあったが、ソ連東欧圏での活動強化を模索していたため、第一六号(一九七〇年)以降、その英語版刊行に着手した。レッダウェイだけでなく、ＷＳＩ評議会にも名を連ねたＡＩ調査部長ズビネク・ゼーマンの後押しも大きかった(Reddaway 2020: 123; AI: 15, 45, 51)。

一九七二年末、サミズダート版の『時事日誌』はＫＧＢの圧力のため二七号で停刊を強いられたが、二年後、四つの号(第二八―三一号)が同時に出て復活した際も、ＡＩは引き続き英語版を刊行することを決めた。しかし、以前からあった消極的意見にＡＩが関与することで起こる別の問題も加わった。ＡＩ出版部は他の業務を多く抱え、日誌の各号の刊行に遅延が生じていたのである。もっとも、英語版の出版から撤退するのは、『時事日誌』それ自体に打撃となることが予想され、刊行や流通に関する技術的な問題を他者に委ねること、つまりＷＳＩと『検閲目録』とのジョイント事業に形をかえて継続することで決着を見た(AI: 15, 416, 417, 455)。こうして『時事日誌』の英語版はＡＩが発行主体であることに変化はないものの、第三三号以降、実際の作業は『検閲目録』が担当することになった。このような変更を伴いながらも『時事日誌』の英語版は、サミズダート版が停止する六四号(一九八二年六月)まで刊行を続けたのである。

レッダウェイは露語版の発行も視野に入れ、「文化冷戦」を担うベドフォード出版からもその要望が寄せられていた。同出版はソ連では禁書扱いの露語書籍を取り扱い、各種の経路でソ連の市民にそれを届けることで情報戦争の一端を担い、ゲルツェン財団が発刊した書籍の購入元でもあった(AAHF: 1; Reisch 2013: x)。一九七〇年代前半、レッダウェイは露語版にも積極的な姿勢を示したものの、あまりの多忙さ故に実現しなかった。それに代わり、一九七四年以降、フロニカ出版がチャリッゼ編集長の下で『時事日誌』の露語版に着手し、第二八号から第六四号までを刊行した。他方、第二七号までについて言えば、最初の六号分を雑誌の付録として掲載したポセフ版を除き、大半は日の目を見ていなかった。その六つの号も含め、印刷物としては欠けていた第二七号までを最終的に刊行したのはゲルツェン財団であった。第一号から第一五号、第一六号から第二七号の二分冊のスタイルで一九七九年に世に出た。一九七八年に米国に移住したリュドミラ・アレクセーエヴァがその編集を担った(AAHF: 2)。

以上のように、サミズダート誌『時事日誌』は、露語版・英語版ともに、本稿が取り上げた人物や支援団体が相互に連携しながら発行に尽力し、ソ連の人権侵害情報を広め、ソ連国内に加え西側の政界、メディア、世論に働きかけたのである。

五、越境的連携事業の歴史的意義

連携事業のその後

ゲルツェン財団から出版された露語書籍は計一八点に上ったが、一九七九年刊行の『時事日誌』露語版が結果的に財団の最後の企画となった。正式な解散は一九九八年だが、事実上、八〇年代初頭には活動を停止した。また、サミズダート版『時事日誌』が八二年の第六四号を最後に刊行停止となり、それに呼応するかのように、クラインらのフロニカ出版も主要な活動を終えた。同誌露語版に加え、『ソ連人権日誌』の露語版と英語版も第四八号を最後に刊行が終了した(CHR 48)。欧州安全保障協力会議(CSCE)のヘルシンキ最終議定書(一九七五年)を盾に活動を開始したモスクワ・ヘルシンキ・グループの解散表明も八二年九月六日に行われ(CHR 47: 30)、ソ連異論派運動で目立った存在であったモスクワの人権運動が活動停止に追い込まれたことが西側の支援活動にも作用した。表現の自由を核に人権擁護を貫いたモスクワの運動とそれを支えた西側市民の事業は、長い一九七〇年代に活発化し、八〇年代初頭に終焉を迎えたのである。

ここで一九八〇年代後半にゴルバチョフの下で進められた改革と異論派との関連に目を向けると、改革の思想的源泉やコンセプトには異論派からの借用物も含まれるが、両者を直接的な連続性で語ることは困難である。モスクワ・ヘルシンキ・グループの解散を論評したウィリアム・トーブマンは、異論派がソ連の大衆の中に影響を持ち得なかったこと、代わってナショナリズム、特に「ロシア・ファースト」の動きがソ連で顕著になっていることを指摘していた(*Ibid.*: 33)。ペレストロイカ後を見すえた場合、異論派の勢力が、人権ではなくナショナルな価値を基礎とする運動へとシフトしていったことが考えられる。

他方、『検閲目録』が現在に至るも刊行を続けている点は見落とせない。当初から、ソ連に限定せずグローバルな人権問題に焦点を合わせていたから、ソ連の終焉が直接には影響を及ぼさなかったのである。より積極的に意味づければ、WSIや『検閲目録』は、AIの活動と同様に、人権がグローバルな規範や実践として定着することに一定の役割を演じたといえる。サミュエル・モインのいう「最後のユートピア」としての人権は、いまなおグローバルな課題として残り続けているからである(Moyn 2010)。

CSCE人権レジーム形成への影響

ソ連末期の改革、そしてその後の事態の展開に異論派の運動が与えた直接的影響は限られていたとしても、より広くヨーロッパ規模ないしグローバルな意味での人権規範・実践への作用を考慮して、長い一九七〇年代におけるソ連人権運動及び西側の支援活動は評価されるべきであろう。特にここで念頭に置くのは、七五年のヘルシンキ最終議定書の調印に象徴されるCSCEとの関係である。最終議定書の人権条項を盾にして、ソ連や東欧の異論派が議定書遵守監視グループを組織化し、活動を活発化させたことは広く知られており、多くの研究がそこに集中している(Snyder 2011; Thomas 2001; 宮脇 二〇〇三)。ただ本稿が叙述してきたソ連人権運動とそれを支えた西側市民の事業は、人権規定挿入をめぐる七〇年代前半の東西の交渉や議定書調印に至るプロセスに無視しえない影響を及ぼしたと思われるが、従来の研究はその点を看過してきた。西側のメディアに異論派の動向を解説し、ソ連の人権侵害情報を広め、活動を支援する西側市民・知識人のプロジェクトは、西側の政界や世論に残したインパクトという点からも再評価される必要がある。ゲルツェン財団のアーカイヴやヴァン・ヘト・レーヴの全集には、これにかかわる重要な情報が複数認められるが、その資料に基づく考察は稿を改めて行わざるを得ない。

ともあれ、一九六八年一月のボゴラズとリトヴィノフのアピールは、長い一九七〇年代を人権の時代に変えたもっとも重要な文書に位置づけられる。このアピールがスペンダーの応答を呼び、それを受けたリトヴィノフの要請が引き金となって、ソ連異論派と西側支援者の共同事業が始まったからである。無論、赤の広場デモで示したリトヴィノフら異論派の覚悟ある行動が、支援者の事業を道徳的に支えたことも疑いない。

参考文献

菅英輝編(二〇一四)『冷戦と同盟——冷戦終焉の視点から』松籟社。

宮脇昇(二〇〇三)『CSCE人権レジームの研究——「ヘルシンキ宣言」は冷戦を終わらせた』国際書院。

米田綱路(二〇一〇)『モスクワの孤独——「雪どけ」からプーチン時代のインテリゲンツィア』現代書館。

AAHF, Archief Alexander Herzen Foundation, nos. 1, 2, 8, 56, 267, International Institute of Social History, Amsterdam.

AI, Amnesty International: International Secretariat Archives, nos. 15, 45, 51, 416, 417, 455, International Institute of Social History, Amsterdam.

Alexeyeva, Ludmilla (1985), *Soviet Dissent: Contemporary Movements for National, Religious, and Human Rights*, Middletown: Wesleyan University Press.

Alexeyeva, Ludmilla and Paul Goldberg (1990), *The Thaw Generation: Coming of Age in the Post-Stalin Era*, Pittsburgh: University of Pittsburgh Press.

CHR, *A Chronicle of Human Rights in the USSR*, nos. 47 (July-Sep. 1982), 48 (Oct. 1982-April 1983).

Hurst, Mark (2016), *British Human Rights Organizations and Soviet Dissent, 1965-1985*, London: Bloomsbury.

Index (1972), *Index on Censorship*, vol. 1, no. 1.

Matsui, Yasuhiro (2015), "*Obshchestvennost'* across Borders: Soviet Dissidents as a Hub of Transnational Agency", Yasuhiro Matsui (ed.), *Obshchestvennost' and Civic Agency in Late Imperial and Soviet Russia*, Basingstoke: Palgrave Macmillan.

Matsui, Yasuhiro (2020), "Forming a Transnational Moral Community between Soviet Dissidents and Ex-Communist Western Supporters: The Case of Pavel Litvinov, Karel van het Reve and Stephen Spender", *Contemporary European History*, 29-1.

Moyn, Samuel (2010), *The Last Utopia: Human Rights in History*, Cambridge: The Belknap Press of Harvard University Press.

Reddaway, Peter (1972), *Uncensored Russia: Protest and Dissent in the Soviet Union*, New York: American Heritage Press.

Reddaway, Peter (2018), E-mail to Yasuhiro Matsui on March 19, 2018.

Reddaway, Peter (2020), *The Dissidents: A Memoir of Working with the Resistance in Russia, 1960-1990*, Washington D. C.: Brookings Institution Press.

Reisch, Alfred A. (2013), *Hot Books in the Cold War: The CIA-Funded Secret Western Book Distribution Program Behind the Iron Curtain*, Budapest: Central European University Press.

Reve, Karel van het (1968), Reve's letter to Stephen Spender on August 22, 1968, Stephen Spender Archive, Bodleian Library, Oxford University.

Reve, Karel van het (ed.) (1969), *Letters and Telegrams to Pavel Litvinov, December 1967-May 1968*, Dordrecht: D. Reidel Publishing Company.

Richmond, Yale (2003), *Cultural Exchange and the Cold War: Raising the Iron Curtain*, Pennsylvania: The Pennsylvania State University Press.

Snyder, Sarah B. (2011), *Human Rights Activism and the End of the Cold War: A Transnational History of the Helsinki Network*, Cambridge: Cambridge University Press.

Thomas, C. Daniel (2001), *The Helsinki Effect: International Norms, Human Rights, and the Demise of Communism*, Princeton: Princeton University Press.

Амальрик, Андрей (1991), Записки диссидента. Москва: Слово.

Горбаневская, Наталья (1970), Полдень: Дело о демонстрации 25 августа 1968 года на Красной площади. Frankfult: Посев.

Клайн, Эдвард (2004), Московский комитет прав человека. Москва: Издательство «Права человека».

焦点 *Focus*

東欧のロック音楽と民主主義

福田 宏

一、ロック音楽による抵抗と民主化？

一九九八年九月一七日、クリントン米大統領はホワイトハウスにチェコのヴァーツラフ・ハヴェル大統領を招いてレセプションを行っている(Hagen 2019: 1-2)。その場には、ミュージシャンのルー・リード、そして社会主義時代のチェコスロヴァキア(当時)で結成されたバンド、プラスチック・ピープル・オヴ・ジ・ユニヴァース(The Plastic People of the Universe, 以下PPU)のミラン・フラヴサも招かれ、彼らによる共演が披露された(1)。一九六〇年代のアメリカで生まれたルー・リード率いるバンド、ヴェルヴェット・アンダーグラウンドは、ハヴェルのような東欧(2)における異論派の知識人や若者にも少なからぬ影響を与え、その音楽に刺激される形でPPUのようなバンドも結成された。こうしたロック・グループが社会主義政権によって一九七六年に厳しい弾圧を受けると、翌年初頭には異論派による抗議声明として憲章七七が出された。異論派とアンダーグラウンドのミュージシャンが直接結びついたのは、この時である。一九八九年の体制転換は大きな流血無しに達成されたことからビロード革命(ヴェルヴェット・レヴォルーション)と呼ばれるようになったが、この名称はロック音楽が民主化に果たした役割の大きさをも示唆している。ホワイトハウスにて一九九八年に行われたレセプションは、その点を改めて確認する場ともなった(3)。

本稿では、チェコスロヴァキアを軸としつつ、東欧の社会主義体制におけるロック音楽と民主化の関係に焦点を当てる。一九六八年八月、「プラハの春」と呼ばれた改革運動がワルシャワ条約機構軍によって弾圧された後、同国では「正常化」という名の揺り戻しの時代を迎えた。六〇年代に自由化を象徴する存在であったロック音楽は、七〇年代に入って一転して政府によって厳しく管理される対象となった(福田 二〇一六)。だが、それに抗う人間もいた。特に憲章七七が出された後には、リスクを冒して人びとがハヴェルの別荘に集まり、その敷地内にある納屋を会場としてPPUなどのコンサートが行われてもいる。さらには、カセットテープなどの録音が国内で密かに拡散され、西側世界では、亡命者や支援者のネットワークを介してレコードが制作・販売された。これは、旋律やビート、歌詞といった音楽それ自体にとどまる問題ではなかった。コンサート会場にて演奏者と聴衆が音を介して一体となる経験、あるいは、遠く離れた地で録音を聴くといった行為など、音楽教育者のスモールがミュージッキングと呼ぶ音楽実践(スモール 二〇一一)が加わることにより、人びとは結束力を高めていったとも考えられよう。例えばハーゲンの研究(Hagen 2019)ではPPUに焦点が当てられ、ミュージッキングによって抵抗の場が創出されていく過程が明らかにされている。

しかしながら、ロック音楽が常に反体制の方向を向くとは限らなかったし、全てのミュージシャンが抵抗の「英雄」であったわけでもない。仮に体制に対して異論を唱える場合であっても、その主張が西側の民主主義、すなわち市場経済を前提とする議会制民主主義に直結していたわけではなかった。ここでは、ミュージシャン・異論派・民主化の三つの関係をより精確に理解するために、東欧における民主化運動の内実(第二節)、PPUの具体的な歩み(第三節)、そして、一九七六年の弾圧をきっかけとしてミュージシャンと異論派が結びつく過程(第四節)を検討していくことにしたい。

二、東欧における民主化運動の内実

異論派のハヴェルは何を批判していたのか？

東欧の異論派サークルのなかで最も影響力を持った著作の一つと考えられているのが、一九七八年に書かれたハヴェルの『力なき者たちの力』(ハヴェル 二〇一九)である。だが、この書物において求められたのは単純な意味での民主化ではなかった。

まずハヴェルは、冷戦下における自国の現状を「ポスト全体主義」、すなわち独裁と消費主義が結合した体制として批判する(同：九一―一八頁)。ここでは、「古典的」独裁で見られたような社会主義革命の興奮や熱狂による暴力といった要素はもはや存在しない。イデオロギーはもはや内実を失っているにもかかわらず全てを管理する「口実」として依然として機能し、人びとはイデオロギーの空虚さを認識しながらも、消費主義、すなわち物質的な豊かさによって支配されてしまっている。さらにハヴェルは、近代的人間が「自分固有の状況の主人」でなくなっているという点では西側も同様と主張する(同：一一〇―一一四頁)。彼によれば、西側の人びとは高度に発達した産業社会において広告や情報の洪水に飲み込まれているため、東側よりもはるかに狡猾で洗練された形で消費主義に支配されてしまっている。それにもかかわらず、西側の人びとは議会制民主主義によって主体的に生きていると勘違いしてしまっており、その点において、西側における危機は東側よりも深刻である。

以上のハヴェルによる議論において前提とされているとおり、或る程度の物質的豊かさは、西側だけでなく東側においても成立していた。国際関係の面においても、米ソ間のデタントや西独の東方政策によって東側ブロックが相対的に安定したことにより、資本主義か社会主義かという対立は——言うまでもなく表面的には東西の対立は依然として継続していたが――実質的には後景に退いていた。ハヴェルが指摘する消費主義のような新たな問題提起は、こうした脱イデオロギー化の文脈の下で出てきたということになる。

東欧に市民社会は存在したか？

ドイツのユルゲン・ハーバーマスやフランスの東欧専門家であるジャック・ルプニクは、早くも一九九〇年の時点で、前年に生じた東欧の体制転換に幻滅し、この地域には将来を見据えた民主主義の議論がそもそも存在しなかったと批判している(Ther 2016: 84-85)。またアメリカの歴史学者コトキンは、東欧諸国においては市民社会が十分な力を持たず、実際のところは体制が自壊することによって民主化が実現しただけと主張している(Kotkin 2009)。例えば、チェコスロヴァキアにおいて憲章七七に最初に署名した者は二四二名に過ぎず、この数は体制末期の段階においても約一九〇〇名にとどまっていた。これは当局による締め付けとプロパガンダの「成果」でもあった。一般市民の大半は、政府によって大規模に展開された反憲章キャンペーンによって憲章の存在に気づかされたが、憲章そのものの正確な内容については知らないままであった(Bolton 2012: 175-178)。

ただし、コトキン自身もポーランドについては留保が必要としている。一九八〇年九月に「独立自主管理労働組合」として結成された連帯は、最盛期には全労働者の約八割に当たる約一〇〇〇万のメンバーを擁するに至った。翌八一年一二月の戒厳令による弾圧があったとはいえ、共産党による一党独裁は、連帯の登場によって実質的に動揺し始めていた。とはいえ、一九八九年のポーランドにおいても体制転換が予測されていたわけではない(Kotkin 2009: 206-217)。同年二月に政府がラウンド・テーブルでの連帯との対話を認めたとはいえ、非共産党組織に政権を譲り渡すつもりはなかったし、連帯の側においても、六月の自由選挙において自らが大勝することは全く予想していなかった。八〇年代のポーランドにおいて基本的な戦略とされたのは、「漸進主義」や「自己限定革命」といった考え方である(Trencsényi et al. 2018: pt. 2, 150-175)。国家から自立した社会を形成し、そのなかでの漸進的改革を目指すという立場からすれば、八九年の劇的な変化は想定外であった。だが、これらの点をもって、市民社会が不在であったと単純に結論づけるべきではないだろう(Falk 2003; 2011)。

ヘルシンキ宣言が東欧の民主化をもたらしたのか?

次に、東欧の民主化が西側からの働きかけによって実現したというテーゼ、特に「ヘルシンキ効果」(Helsinki effect)について考えてみたい。ヘルシンキ宣言とは、一九七五年八月、米ソを含む東西三五カ国からなる首脳が欧州安全保障協力会議(CSCE)にて調印した最終合意文書のことである。同文書には、第二次大戦後の国境の承認や内政への相互不干渉といった諸原則のほか、人権に関する条項も盛り込まれていた。これがソ連・東欧諸国における異論派の活動を活性化させ、西側NGOとの連携、最終的には東側ブロックに体制転換をもたらす重要な力になったと考えられている。例えば、一九七六年に結成されたポーランドの労働者擁護委員会(KOR)や、その翌年にチェコスロヴァキアで成立した憲章七七などの組織は、当初よりヘルシンキ宣言の存在を意識し、自国政府に圧力をかけるうえでの武器としてそれを用いたとされる。

確かに、マルクス主義においては、民主主義(特に議会制民主主義)や人権はブルジョア的概念と見なされていた。個人の権利は私的利益を追求する権利に過ぎず、議会にしても、それぞれの経済利益がぶつかる場でしかないと理解された。その意味において、民主主義や人権は普遍的な概念では有り得なかった。何より優先すべきは、個人ではなく労働者や民族といった集団の権利、あるいは、貧困からの解放という意味での経済的・社会的権利であった(Richardson-Little et al. 2019: 173-174)。

改めて指摘するまでもなく、一九三〇年代のソ連では未曾有の規模での粛清が行われ、第二次大戦前後には、そうした人権弾圧の波が東欧諸国にまで及んだ。だが、そうした「弱み」を持ちつつも、東側ブロックは一九四八年に国連総会で採択された世界人権宣言を具体的なルールに落とし込む作業に加わっている。この過程において東側が自らの「強み」になると考えていたのは、第三世界と結束して民族の自決権と反植民地主義を掲げ、かつ、経済的・社会的権利を強調することだった(*Ibid.*: 174-177)。これに対し、アメリカは経済的・社会的権利を条項に含めることに反対したため、人権規約は「経済的、社会的及び文化的権利に関する国際規約」(社会権規約、あるいはA規約)と「市民的及び政治的権利に関する国際規約」(自由権規約、あるいはB規約)の二つに分割された。一九六六年に採択された両規約については、ソ連・東欧諸国が七〇−七五年に率先して批准したものの、イギリスは七六年、フランスは八〇年であり、アメリカに至っては、九二年に自由権規約のみを批准し、社会権規約については未だに批准していない。

また、東側ブロックは一九六〇年の植民地独立付与宣言や六五年採択の「あらゆる形態の人種差別撤廃に関する国際条約」についても熱心な支持者となり、西側に対するプロパガンダとしてこれらを多いに活用した。以上の状況を考えれば、CSCEにおいて東側が人権条項に関して大幅に譲歩したわけではない。むしろ、戦後の国境を西側に認めさせたという意味において、東側はヘルシンキ宣言を自らの「勝利」と認識していた。そもそも、この会議が東側の要請によって開始されていること、そして、西側においてもヘルシンキ宣言がソ連・東欧の民主化を促進する力を持つとは考えられていなかった点を見落とすべきではないだろう。民主化という「ヘルシンキ効果」は、あくまで結果論であり、体制転換そのものも西側から東側への一方的な作用によって生じたものではなかったと考えるべきである(Bradley 2017; Kopeček 2019)。

三、PPUのアンダーグラウンドへの道

正常化体制におけるロック音楽

ロック音楽に対する締め付けは、軍事侵攻の直後から始まったわけではない。例えば、チェコスロヴァキアのポピュラー音楽雑誌『メロディィエ』の一九六九年二月号では、人気歌手のマルタ・クビショヴァーの写真が表紙を飾り、巻頭の計四頁にわたってインタヴューが掲載された。(4) 前年に彼女が歌った〈マルタの祈り〉は軍事侵攻への反対を示す象徴的な歌となっていたにもかかわらず、翌六九年にはそのレコードも発売されている。とはいえ、同じ年の秋には彼女は歌手としての活動を封じられてしまう。後にクビショヴァーは憲章七七の署名者となり、そのスポークスパーソンを務めることにもなる。

『メロディィエ』の同じ号(六九年二月号)には、前年九月に西独で開催された「エッセン国際ソング・フェスティヴァル」についての現地レポートも掲載されている。当記事では、アメリカのフランク・ザッパ率いるマザーズ・オヴ・インヴェンションやファッグスが「アンダーグラウンドのスターたち」として紹介され、西側における深刻な社会問題への「プロヴォタリアート」(挑発を意味するprovokeとプロレタリアートを合わせた造語)として描かれている。だが、正常化されたチェコスロヴァキアではそのような問題は解決済みであり、西側のようにアンダーグラウンド音楽が破壊的影響を及ぼす心配はないとされた。この記事は、サブカルチャーに対する党指導部の不安を解消し、かつ、政府当局に対してサイケデリックなどロックの新しい潮流を自国でも許容するよう求めるものであった。

では、こうしたなかでPPUはいかなる道を歩んだのか? PPUは、一九六八年九月末、すなわち軍事侵攻の直後に結成されているが、政治的な意図は特になかったと考えられている(Čuňas & Valenta 2018: 38-41)。バンドの名称は、マザーズ・オヴ・インヴェンションによるアルバム《アブソリュートリー・フリー》(一九六七年)の第一曲〈プラスチック・ピープル〉にちなんでいる。PPUは六九年春にプロ資格を取得したが、リーダーのイヴァン・マルチン・イロウスが商業路線に否定的であり、雑誌の表紙にカラー写真を掲載することすら拒否したという。七〇年五月、ライセンスの更新にあたってバンド名や歌詞に英語を使用しないよう求められたPPUは、手続きを放棄してプロ資格を失った。この時期にはロックに対する規制が強まりつつあったが、PPU自体は、当局に抵抗するというよりはむしろ、バンドとしての方針を貫きたいという理由で資格を諦めたようだ。

その後、PPUがアマチュア・バンドとして活動している時期に、カナダ人のポール・ウィルソンがヴォーカル兼ギタリストとしてメンバーに加わっている(Machovec 2018: 43-47)。六七年よりチェコで英語を教えていた彼は、歌詞の英訳や西側のトレンド紹介といった面でも活躍していたが、PPUが独自性を志向し、チェコ語での歌詞を優先するようになったこともあり、七二年にバンドから離れている。当時は、西側のコピーから始まった各バンドが独自路線を追求し始めた時期でもあった。

PPUは一九七三年に改めてプロ資格の申請を行い、当初は問題なしと知らされていたにもかかわらず、実際には不合格となった(Čuňas & Valenta 2018: 48-49)。翌七四年にはプロ資格を有するアーティストに対して厳格な再審査が実施され、音楽理論や実技の試験だけでなく、マルクス＝レーニン主義の知識も要求された。この時の審査では、受験者六四七五名の内、資格を更新できたのは三四五〇名のみであった(Vaněk 2010: 392-394)。

一九七四年三月末には、俗に「ブヂェヨヴィツェの虐殺」と呼ばれる大規模な介入事件も発生している(Kudrna & Čuňas 2015)。チェスケー・ブヂェヨヴィツェの近郊にて二日にわたって行われたコンサートの内、初日の公演は問題なく終了した。だが、二日目の夕方になって地元住民より「長髪族」(vlasatci)の大群と騒音に対する苦情が寄せられたため、警察はコンサートの中止を決定した。チケット代を返してもらえないまま会場から追い出された約四〇〇名の聴衆は不満の声を上げ、中には警官を「ゲシュタポ」と非難する者もいたという。そこから暴力的な弾圧が始まり、鉄道駅へと逃げる若者たちを警官隊が殴打する格好となった。注意すべき点は、当局による強権的な措置を歓迎する地元住民が少なからず見られたことだろう。プラハなどの大都市では、六八年頃には「長髪族」やロック文化は珍しいものではなくなっていたが、地方では七〇年代に入ってからも一定のアレルギーが見られたということになる。いずれにせよ、この一件を契機としてロックに対する締め付けはより厳しさを増し、たとえアマチュアであっても、既に当局に目を付けられていたPPUのようなバンドは公的な場での演奏ができなくなった。

イロウスによる「第二文化」構築の試み

PPUのイロウスは、自らの音楽を実践できる場、言い換えれば、当局による制限や商業主義によって左右されない独自の場を模索した。彼はそれを、公的に認められた「第一文化」とは異なる「第二文化」と名付けている。一九七四年九月に農村地域にて結婚式の余興という形で行われたパフォーマンスは、その最初の試みであり、「第二文化の第一回フェスティヴァル」と呼ばれた。同年末から七五年二月にかけて、PPUは最初の録音も行っているが、この時点では発表できる可能性はなかった(Riedel 2016: 120-124)。ただし後述するように、当録音のレコードは憲章七七の発表後に西側で発売されることになる。

一九七五年二月、イロウスは「第二文化」のマニフェストとでも言うべき「第三のチェコ音楽復興についてのレポート」(Jirous 1975)(以下、レポートと表記)を執筆する。このレポートにて彼は、自国におけるロック史を概観し、必ずしも明示的ではないものの、六〇年代初めの揺籃期を第一の復興、六〇年代後半の最盛期を第二の復興、そして一九七〇－七三年頃を第三の復興と位置づける。エスタブリッシュメント(establishment)、すなわち体制によるロックの破壊が七〇年代に入ってから進行する中で、この状況が永遠に続くかもしれないという絶望のなかに自分たちは置かれている(*Ibid.*: 25)。そうした精神的なゲットーにおいて、ミュージシャンは、陽気に、かつ尊厳を持って生きなければならない。

しかしながら、とイロウスは続ける。西側のミュージシャンたちは、自らの成功によってエスタブリッシュメントとして認められ、体制側の「第一文化」に取り込まれる危険に晒されている(*Ibid.*: 30-31)。立派な車やファッションを手に入れ、消費社会の餌食になってしまうこともあるだろう。それに対し、自分たちはエスタブリッシュメントに認められる可能性を持たないため、本当の芸術、すなわち真実を追究することができる。つまり、西側のアンダーグラウンドにとっての使命はエスタブリッシュメントの破壊であるのに対し、自分たちにとっては、現時点での体制枠組が変わる見込みがない以上、その枠組の外にて第二文化を構築することが使命となる。

以上のイロウスの議論をみる限り、ロックによって正面から体制に抵抗するという意図はうかがえない。むしろ、政治を避けて音楽の世界に逃避するという主張のようにも見える。だが、ハヴェルは一九七八年の『力なき者たちの力』にて、イロウスの主張する「第二文化」を「真実の生」を生きるための突破口と見なすことになる(ハヴェル 二〇一九:九四―九八頁)。それはロック音楽のみにとどまるものではなく、文化領域の全体に、最終的にはあらゆる領域に拡大されるべきものであった。だが、イロウスがこのレポートを書いた七五年の時点では、ミュージシャンと異論派の有機的なつながりはまだ存在していなかった。

四、アンダーグラウンド音楽と異論派の邂逅

ミュージシャンの大量逮捕から憲章七七へ

一九七六年二月二一日にはイロウス自身の結婚式に併せて「第二文化の第二回フェスティヴァル」が開催された。ハヴェルが初めてイロウスと本格的な対話を行ったのは、その直後であったとされる。後にハヴェルは、若いミュージシャンに対する偏見、すなわち、反社会的な服装と長髪、品の無い言動、アルコールや薬物への依存、子供じみた反抗といったイメージを持っていたと告白している(ハヴェル 一九九一:一九一―一九五頁)。だが、仲間内から「変人」

(Magor)のあだ名で呼ばれながらも独特のカリスマ性を持ったイロウスに接することで、そのような不信感は一気に解消されたという。

PPUなどのメンバー一九名が一斉に逮捕されたのは、二人の対話が行われてから間もない一九七六年三月一六日であった。八月末から開始された裁判では、容疑者たちが二月の結婚式にて三〇〇名以上を集めたうえで風紀紊乱(výtržnictví)を引き起こしたとされ、イロウスの懲役一八カ月を最長として計四名に有罪が言い渡された。皮肉なことではあったが、この裁判が体制に批判的な人びとを集結させる役割を果たし、裁判所の廊下や傍聴席は新たな出会いの場となった。それまで「孤立していた主要なグループが接近し、非公式に――新たに結びついたさまざまな関係や友人関係を仲介として――結び合い、将来の「憲章七七」の基礎をかためた」(同:一九九頁)のである。だが、当時の彼ら/彼女ら自身には、自らを異論派と位置づける感覚は存在しなかったし、チェコ語やスロヴァキア語において、体制から距離を置く人びと、或いは反体制派といった意味でdisidentという単語を使うこと自体がなかった。この時期の国営ラジオにおいても、ラジオ・フリー・ヨーロッパのチェコスロヴァキア向け放送にて使われ始めた異論派という言葉に対し、強い違和感が表明されている(5)。

同様の点については『力なき者たちの力』でも再三にわたって指摘されている(ハヴェル 二〇一九:六三―六八頁)。ハヴェルが懸念していたのは、西側からソ連・東欧に与えられた異論派というカテゴリーが、憲章七七などで活動する特定の人びとを固定化し、特権化することだった。彼にとって最も重要なことは全ての人びとが「真実の生」を生きることであって、特定の人びとと普通の人びとを分断し、後者を「嘘の生」の中に放置することではなかった。そのため、同書では留保を付けたうえでカッコ付きで「異論派」が用いられている。だが、このカテゴリーが誕生したことにより、東側における運動の組織化や、東西を越えた市民レヴェルでのネットワーク構築が容易になったことは確かであろう。

憲章七七の文面は一九七六年一二月に作成され、クリスマスから年明けにかけて二四二名の署名が集められた後、翌七七年一月六日に西側の主要メディアで公表された。憲章七七は、徹頭徹尾、二つの人権規約(社会権規約と自由権規約)の遵守をチェコスロヴァキア政府に要求している。[6] この両規約については、同国による署名は六八年、批准は七五年、発効は七六年三月二三日であった。同国の法令集にて当該規約が公表されたのは同年一〇月一三日であり、奇しくも、ミュージシャンの逮捕や裁判と時期が重なっていた。憲章七七では、彼らに対する弾圧を具体的事例として挙げつつ、自由権規約前文(恐怖からの自由)、同一条(表現の自由)、同一四条(被疑者の権利)、同一七条(名誉及び信用の保護)、同一八条(宗教の自由)、社会権規約八条一項(ストライキ権)、同一三条(教育を受ける権利)などが同国で無視されている現状を批判している。七五年のヘルシンキ宣言に関しては、内容についての言及はないものの、同宣言の履行を調査する最初のフォローアップ会議が憲章と同じ七七年にベオグラードで開催される点は強調されている。

なお、ハヴェルを含む七名の作家が一九七六年八月一六日付で西独のノーベル賞作家ハインリヒ・ベルに送付した公開書簡では、ヘルシンキ宣言への言及が見られるものの、人権に関わる内容は含まれていない。[7] ここでは、「同宣言によってソ連・東欧の国際的地位が確定し、正常化体制も相応に安定化したにもかかわらず、チェコスロヴァキア政府は、私的な場で、しかも政治的でもない歌を歌っているだけの若者をなぜ弾圧するのか?」という主旨の問いかけがなされただけである。ただし、モスクワでは七六年五月に「ソ連におけるヘルシンキ宣言の履行促進のための社会団体」(いわゆるモスクワ・ヘルシンキ・ウォッチ)が設立されたほか、同様の組織がウクライナ、リトアニア、アルメニアなどでも誕生していた。[8] とはいえ、当時においてヘルシンキ宣言がどの程度の実効性を持つことになるかは依然として不明であり、少なくとも憲章七七を立ち上げる時点では、ヘルシンキ宣言よりも人権規約に重点を置く戦略が採られたものと考えられる。

ＰＰＵの音楽は何を訴えていたのか？

憲章七七が公表されることにより、異論派およびアンダーグラウンドのミュージシャンをめぐる状況は一変した(Bolton 2012: 171-185; Bren 2010: 104-107)。共産党機関紙『ルデー・プラーヴォ』では、一九七七年一月一二日以降、憲章の署名者を「国際的反動」の手先として中傷する記事が連日のように掲載された。同月二八日には各界の著名人が国民劇場に集まり、反憲章の文書に署名する様子がテレビで生中継され、その後は一般の人びとも職場単位で同文書への署名を求められた。憲章そのものへの署名者は言うまでもなく、反憲章への署名拒否者も、仕事を失ったり、尋問や監視の対象になったりする危険があった。また、国営テレビ局はミュージシャンを攻撃する番組をテレビで繰り返し放送し、彼らがドラッグ・セックス・アルコールに溺れ、放蕩の限りを尽くしていると説明した(Československá televize 1977)。そこではハヴェルのような異論派も名指しされ、ミュージシャンと結託して、西側からの支援を受けつつ破壊工作を行っているとされた。

皮肉なことだが、こうした政治状況は、ミュージシャンと異論派の関係をより緊密にする効果をもたらした。一九七七年一〇月には、フラーデチェクにあるハヴェルの別荘敷地内の納屋にて、「第二文化の第三回フェスティヴァル」が敢行されている(Čuňas & Valenta 2018: 125-127)。刑務所からのイロウスの出所記念も兼ねて開催された当コンサートでは、クビショヴァーを含む憲章の署名者も集まっている。この時、ＰＰＵはハヴェルの勧めにしたがって〈一〇〇のポイント〉と題する曲を披露した。

奴ら〔政府〕はソ連軍の撤退を恐れている……

奴らは政治犯を恐れている……

奴らは人権宣言を恐れている……

なら俺たちは何故奴らを恐れるのか？

全体として見れば、このように明確な政治的メッセージを含む曲は、PPUの作品にはほとんど見られない。一九七八年にはPPUにとって初めてとなるアルバム《Egon Bondy's Happy Hearts Club Banned》(9)がフランスで製作され、正常化体制に抵抗するロックバンド、あるいは、憲章七七のきっかけを作ったロックバンドという位置づけで西側世界に送り出された(Riedel 2016: 242-260, 348-350)。このレコードには「幸福なゲットー」(Merry Ghetto)と題する六〇頁にも及ぶライナーノーツ(英語・仏語の二言語併記)が付され、既に言及したイロウスの「レポート」やハインリヒ・ベル宛ての公開書簡、さらには哲学者ヤン・パトチカのエッセイなども収録されている。だが、第一曲の〈二〇歳〉は以下のように酒浸りの生活を思わせるような歌詞である。

いま二〇歳の人ならば／むかついて吐きたがっているだろう
しかし四〇歳の人ならば／もっと吐きたがっているだろう
結局六〇歳の人だけが／硬化症により安らかに眠れるだろう

何らかの政治的メッセージを期待してこのアルバムを聴き始めた人は困惑するに違いない。このレコードに収録された全ての作品を再生しても、最後まで幻惑的なサイケデリックなサウンドが鳴り響くだけである。そもそも、これらの曲は憲章七七以前の一九七四—七五年に録音されたものであり、当然のことながら、西側に何かを訴えるという意図は含まれていなかった。七六年の大量逮捕の時期に国外追放となったカナダ人の元PPUメンバー、ウィルソンは、亡命したチェコ人などの協力も得て、この録音を国外に持ち出して公表することに成功したが、楽曲だけの発売では不十分と考えたのであろう。ミュージシャンの苦境と憲章七七を世界に知らしめるためには、大部のライナーノーツとレコードを組み合わせることが必要とされたのである。鉄のカーテンを越えた一体的なミュージッキングを創出するために、このアルバムには大量の言葉・絵・写真が付加されたと言える。(10)

ミュージシャンと異論派の間、あるいは、政治的なるものについて

ミュージシャンにとって、ハヴェルなど異論派との関係を維持することは大きなリスクでもあった(Čuňas & Valenta 2018: 141-146)。八〇年九月にはポーランドで連帯が設立され、パンクが大衆運動を盛り上げるうえで少なからぬ役割を果たしたこと、また、八一年一二月に戒厳令が敷かれた際には、そのパンク・ミュージシャンが過激な抵抗者となったことも(ライバック 一九九三: 一二章)、チェコスロヴァキア政府の警戒心を強める原因となったのだろう。当事者の回想等によれば、弾圧が最も厳しくなったのは一九八一年から八二年の期間であったようである。この時期には、農村部で秘密裏に行ったコンサートに対してヘリコプターによる大がかりな捜索が行われ、場合によっては、コンサートや練習の場所として使っていた建物が破壊されるようなこともあった。

こうした中で最も姿勢が一貫していたのはイロウス本人であろう。彼自身は、一九七三―八九年の期間中、計五回・延べ八年間投獄され、さらに二年にわたって保護観察下に置かれた。イロウスは憲章七七の署名者となり、ミュージシャンと異論派の結節点であり続けたが、彼の活動の中心はあくまで第二文化でありロックであった。それを音楽への単純な引き籠もりと見なすのであれば、それは非政治的行為であり、結果として体制を利する行為に過ぎなかったと見なすこともできる。だが、彼が目指していた第二文化を、ハヴェルが指摘したように自立的領域を構築する試みと考えるのであれば、それは政治的な行為であり、場合によっては、市民社会を生み出すうえでの第一歩であったとも見なしうる。だが結局のところは、それが政治的行為となるかどうかについては、個人と国家の関係性、そして両者を取り巻く同時代のコンテクストによって変化する。イロウスのケースについては、本人の信念に基づいた言動と当局の非妥協的な対応によって対立が生まれ、それが憲章七七につながることによって政治的な結果が生み出されたということになろう。

PPUメンバーの中で最も政治的であったのは、サクソフォーンとクラリネットのヴラチスラフ・ブラベネツであ

る(Čuňas & Valenta 2018: 128-140)。憲章七七の署名者であり、「PPUの超越的ロック音楽と市民による異議申し立てのジンテーゼ」を目指していた彼は、例えば、一九七〇年代に西側で出版されたソルジェニーツィンの『収容所群島』を楽曲の素材として取り上げている。八二年に国外追放となったために計画は途中で放棄されたが、一部の作品については出国の数日前に歌詞無しで録音され、八四年に西側で発表されたアルバム《牛肉の屠殺(Hovězí porážka)》に収められている。

PPUの中で最も非政治的であったのは、ベース・ヴォーカル・作曲担当のフラヴサである。彼は憲章七七の署名者ではなく、ハヴェルからも距離を置きたがっていた。だが、皮肉なことに彼は秘密警察から目を付けられ、「協力者」になるよう執拗に圧力をかけられた。その主たる理由は、彼の義父母であるニェメツ夫妻が幅広い人脈を有する異論派知識人であり、憲章七七の署名者であったことである。この夫婦は一九六〇年代よりプラハの自宅を開放し、正常化時代も含め、多様な人が交流する場を創り出していた。PPUのメンバーも七三年頃よりニェメツ家に出入りするようになり、フラヴサは七五年に娘の一人と結婚した。ここで形成されたネットワークが後にミュージシャンと異論派を結びつける重要な基盤になったわけだが、そうである以上、ニェメツ家が秘密警察の監視対象となることは避けられなかった。体制転換後にアクセス可能となった秘密警察のファイルでは、フラヴサが「協力者」の候補になったとされているが、実際に「協力」したかどうかについては今もなお不明である(Riedel 2016: 339-344; Čuňas & Valenta 2018: 258-275)。

五、ロックの視点から問いなおす試み

本稿では、正常化時代のチェコスロヴァキアを軸に、ヘルシンキ宣言をめぐる国際関係から個々のミュージシャン

までズームアップする形で検討してきた。ロック・グループの弾圧が憲章七七を生み出し、それが「ビロード革命」の一つの源流になったという事実は、ロックと民主化の関係を考えるうえで大変興味深い現象である。度重なる投獄にもかかわらず自らの姿勢を貫いたハヴェルのような異論派についても、その意義は否定されるべきではないだろう。だが、ミクロな部分を見れば見るほど政治と音楽の関わりは陰影に富んだものとなる。異論派の主張についても、その全てが一九八九年の体制転換に直結するものだったわけではない。現在では、旧東欧においても民主主義の「後退」が指摘されるような時代である(仙石 二〇二二)。その点を考えれば、八九年に起きたことは果たして民主化であったのか、そして、社会主義時代に生きた人びとが実際に何を求めていたかについては、改めて検討することが必要であろう。本稿は、ロックの視点からその課題に迫ろうとした一つの試論である。

注

(1) 当時の映像はYouTubeにて公開されている。William J. Clinton Presidential Library, President Clinton at Havel State Dinner, 1998 (https://youtu.be/J48zVrxdleE)最終閲覧日二〇二二年一一月三〇日(以下、全てのURLについても同様)。

(2) 冷戦後の旧東欧については、中・東欧(中東欧)や東中欧といった呼称が一般的であるが、本稿では主として社会主義期を扱うため、当時の名称としての東欧を用いる。地域概念については、福田(二〇二〇)などを参照。

(3) NHK《映像の世紀――バタフライ・エフェクト》シリーズの「ヴェルヴェットの奇跡――革命家とロックシンガー」(二〇二二年五月九日放送)もまた、こうした理解に基づいて制作されている。

(4) "Od rána do večera s Martou Kubišovou", *Melodie*, 7: 2 (1969), 33-36; Josef Kotek, "Underground music a její sociální otazníky", *ibid.*, 37-40.

(5) "Pořad Československého rozhlasu *O trestné činnosti nedávno odsouzené skupiny výtržníků The Plastic People of Universe*, jenž byl vysílán 8. 12. 1976 mezi 17. a 18. hod. v rámci relace tzv. Studia 7", in Machovec, et al. (2012: 437-438).

(6) 憲章七七の声明文の邦訳についてはハヴェル(二〇一九:一二五―一三一頁)、原文(確定稿および草稿)についてはCísařovská &

Prečan (2007: vol. 1, 1–5; vol. 3, 1–15)。
(7) "Dopis Heinrichu Böllovi", in Machovec, et al. (2012: 146–147). 書簡の掲載先は一九七六年八月二八日付『フランクフルト総合新聞(Frankfurter Allgemeine Zeitung)』。
(8) Trencsényi, et al. (2018: pt. 2, 116–118); 吉川(一九九四：九〇–九二頁)。なお、ヒューマン・ライツ・ウォッチの前身であるヘルシンキ・ウォッチが米国で設立されたのは一九七八年である。
(9) このタイトルは、ビートルズが一九六七年に発表したアルバム《Sgt. Pepper's Lonely Hearts Club Band》を意識して付けられたものである。タイトル名に含まれているエゴン・ボンディ(本名ズビニェク・フィシェル)は、一九四八年の二月事件を機に離党した元共産党員であり、PPUには一九七三年頃より詩を提供するようになった人物。
(10) ライナーノーツにおいては、六八年の軍事侵攻に抵抗するためにPPUが結成されたという事実に反する説明も付されていた。Riedel (2016: 253).

参考文献

吉川元(一九九四)『ヨーロッパ安全保障協力会議(CSCE)——人権の国際化から民主化支援への発展過程の考察』三嶺書房。

スモール、クリストファー(二〇一一)『ミュージッキング——音楽は〈行為〉である』野澤豊一・西島千尋訳、水声社。

仙石学(二〇二一)『中東欧の政治』東京大学出版会。

ハヴェル、ヴァーツラフ(一九九一)『ハヴェル自伝』佐々木和子訳、岩波書店。

ハヴェル、ヴァーツラフ(二〇一九)『力なき者たちの力』阿部賢一訳、人文書院。

福田宏(二〇一六)「ロック音楽と市民社会、テレビドラマと民主化——社会主義時代のチェコスロバキア」村上勇介・帯谷知可編『融解と再創造の世界秩序』青弓社。

福田宏(二〇一九)「紅い刑事ドラマとチェコスロヴァキアの社会主義——テレビによる同時代史の構築」越野剛・高山陽子編『紅い戦争のメモリースケープ——旧ソ連・東欧・中国・ベトナム』北海道大学出版会。

福田宏(二〇二〇)「東欧の虚実——地域研究の視点から考える」『東欧史研究』四二号。

ユルチャク、アレクセイ(二〇一七)『最後のソ連世代——ブレジネフからペレストロイカまで』半谷史郎訳、みすず書房。

ライバック、ティモシー（一九九三）『自由・平等・ロック』水上はるこ訳、晶文社。
Bolton, Jonathan (2012), *Worlds of Dissent: Charter 77, the Plastic People of the Universe, and Czech Culture under Communism*, Cambridge, Harvard University Press.
Bradley, Mark Philip (2017), "Human Rights and Communism", J. Fürst, S. Pons and M. Selden (eds.), *The Cambridge History of Communism*, vol. 3: *Endgames? Late Communism in Global Perspective, 1968 to the Present*, Cambridge, Cambridge University Press.
Bren, Paulina (2010), *The Greengrocer and his TV: The Culture of Communism after the 1968 Prague Spring*, Ithaca, Cornell University Press.
Císařovská, Blanka and Vilém Prečan (eds.) (2007), *Charta 77: Dokumenty 1977-1989*, 3 vols., Praha, Ústav pro soudobé dějiny AV ČR.
Čuňas, František Stárek and Martin Valenta (2018), *Podzemní symfonie: Plastic People*, Praha, Argo/Ústav pro studium totalitních režimů.
Falk, Barbara J. (2003), *The Dilemmas of Dissidence in East-Central Europe: Citizen Intellectuals and Philosopher Kings*, Budapest, Central European University Press.
Falk, Barbara J. (2011), "Resistance and Dissent in Central and Eastern Europe: An Emerging Historiography", *East European Politics and Societies*, 25: 2.
Hagen, Trever (2019), *Living in the Merry Ghetto: The Music and Politics of the Czech Underground*, Oxford, Oxford University Press.
Jirous, Ivan Martin (1975), *Zpráva o třetím českém hudebním obrozením* [samizdat], Reprint: Machovec, et al. eds. (2012), English version: Machovec, ed. (2018).
Kopeček, Michal (2019), "The Socialist Conception of Human Rights and its Dissident Critique: Hungary and Czechoslovakia, 1960s-1980s", *East Central Europe* 46: 2-3.
Kotkin, Stephen (2009), *Uncivil Society: 1989 and the Implosion of the Communist Establishment*, New York, The Modern Library (Kindle edition).
Kudrna, Ladislav and František Stárek Čuňas (2015), "Zásah, který změnil underground: Rudolfov, 30. březen 1974", *Paměť a dějiny* 2015: 1.
Machovec, Martin (ed.) (2018), *Views from the Inside: Czech Underground Literature and Culture (1948-1989)*, Praha, Karolinum Press, 2nd edition.
Machovec, Martin, P. Navrátil and F. S. Čuňas (eds.) (2012), "*Hnědá kniha*" *o procesech s českých undergroundem*, Praha, Ústav pro studium totalitních režimů.

Richardson-Little, Ned, H. Dietz and J. Mark (2019), "New Perspectives on Socialism & Human Rights in East Central Europe since 1945", *East Central Europe* 46: 2-3.

Riedel, Jaroslav (2016), *Plastic People a český underground*, Praha, Galén.

Ther, Philipp (2016), *Die Neue Ordnung auf dem Alten Kontinent: Eine Geschichte des Neoliberalen Europa*, Aktualisierte Ausgabe, Berlin, Suhrkamp.

Trencsényi, Balázs, et al. (2018), *A History of Modern Political Thought in East Central Europe*, vol. 2: *Negotiating Modernity in the "Short Twentieth Century" and Beyond*, 2 parts., Oxford, Oxford University Press.

Vaněk, Miroslav (2010), *Byl to jenom rock'n'roll?: hudební alternativa v komunistickém Československu 1956-1989*, Praha, Academia.

【映像資料】

Česká televize (2014-15), *Fenomén underground*, 40 works, https://www.ceskatelevize.cz/porady/10419676635-fenomen-underground/

Československá televize (1977), *Atentát na kulturu*, https://www.ceskatelevize.cz/porady/1064042026-atentat-na-kulturu/

コラム | *Column*

ドイツ「過去の克服」の系譜

星乃治彦

「過去の克服」(Vergangenheitsbewältigung)は、「過去」をナチスの過去とし、「克服」を政治学者イェッセが定義したような「①ナチス犯罪を認定し、②これを決着させ、③民主化していく」と理解されることが多い。戦後直後主に西ドイツの方向性を指し示す概念として、著名な中世史家ヘルマン・ハイムペルによって言及され、初代西ドイツ大統領を務めたテオドア・ホイスが多くの演説で使用し、一九五〇年代半ばには一般的な概念として普及するようになった。

広義の「過去の克服」は、実践的には占領軍によるニュルンベルク裁判(一九四五—四六年)から開始された。そこでの「非ナチ化」はナチス犯罪の認定とその責任者の追及という形で進められ、加害者の処罰、犠牲者の名誉回復、法体制の安定化が図られた。これに対しヤスパースなどは一九四五年すでに「罪責問題」を論じ、外部からの追及とは別個に、ドイツ人自身による追及姿勢の必要性を主張し、「過去の克服」の原点ともされた。その後西ドイツでは四九年非ナチ化終了宣言が出されるなど一時期後退が目立つようになり、五六年に成立した連邦補償法も対象から共産主義者を排除するなど、冷戦の影を強く反映した。他方で五八年にはナチス犯罪追及センターが設置され、六三年からフランクフルト・アウシュヴィッツ裁判も断続的に開かれ、六一年にはイスラエルでアイヒマン裁判も行われた。こうした主に司法の分野でのナチス犯罪追及姿勢の継続は、七九年二〇年間かけたナチス犯罪に対する時効の廃止や、アウシュヴィッツ否定論を刑法一三〇条国民扇動の罪違反と見なす動きへとつながった。

「反ファシズム」を国是とする東ドイツでは、より徹底した形で非ナチ化が進められたものの、そこでの「ナチ」は反共主義を中心に理解され、反ユダヤ主義などの視点は弱く、人権という観点から、東ドイツ体制自身にも向けられる内省的議論も不十分であった。

西ドイツではその後ナチスの過去との対決を主張する「六八年運動」を背景に、一九六九年西ドイツ首相に就任した社会民主党のブラントは、ワルシャワ・ゲットーでの謝罪シーンを演出し、教育の現場でも変化が訪れた。七九年テレビで放映されたアメリカ製作の『ホロコースト』シリーズは、ナチス犯罪を知らされてこなかった新しい世代に衝撃を与えた。八五年、戦後四〇周年に当たってヴァイツゼッカー大統領は、「過去に目をつむる者は、現在にも盲目となる」と訴えたが、同時期は、コール首相がドイツ人の新たなアイデンティティを求めて「歴史政策」を推し進めた時期とも重なり、「歴史家論争」などナチスの過去を相対化しようとする傾向も見ら

ワルシャワのゲットー英雄記念碑前で跪き，黙禱するブラント．1970年12月7日（dpa/時事通信フォト）

れるなど、矛盾に満ちたものだった。

一九九〇年ドイツ統一以降になると、東ドイツの政権党であったドイツ社会主義統一党（ＳＥＤ）支配の過去を見直すための調査委員会が九二年から九五年にかけて連邦議会の中に設けられた。そこでは、国家保安省（シュタージ）の人権侵害の実態が明らかにされた。このころ優勢だったのは、全体主義理論の影響を強く受けて、ナチスの独裁とＳＥＤ体制を同一視して「二つの過去の克服」をする傾向であった。

二〇〇五年になると、社会民主党と緑の党の連合政権の下で、現代史家マルティン・ザブロウが長を務める「ＳＥＤ独裁の歴史を見直す歴史組織設立のための専門委員会」（通称ザブロウ委員会）が設けられた。そこでは東ドイツ社会の複雑な性格が問題とされ、独裁的政治体制でありながら、民衆の日常史の中で見られた体制順応、反抗、政治的無関心などが指摘された。この答申には「ＳＥＤ独裁のソフト化」という批判もあったが、現在でも東ドイツに暮らす相当数の人が東ドイツを肯定的に捉えている、といわれる。

この間、ナチス研究の深化・拡大も進んだ。ナチスの過去とされる暴力支配、人間性に対する犯罪、他民族殺害、ホロコースト、人種主義、戦争責任など広範にわたる実態が浮き彫りにされ、体制協力の問題も注目される一方、対象もユダヤ人だけではなく、障がい者や同性愛者、シンティ＝ロマなどのマイノリティに拡大された。ベルリンの中心部にホロコースト警鐘碑を建立するべきかなどの議論も展開され、「記憶」の問題としても語られるようになった。人権の観点から取り扱う傾向も強まり、個人補償や企業責任も問題とされ、一九九九年には政府と民間企業で補償基金が設立された。またジェンダー研究の進展や暴力への関心の高まりは、ナチスの戦時性暴力などへの関心を喚起した。

「過去の克服」に発した問題体系は、過去の美化に傾斜しがちな歴史修正主義と対立しながら、ナチスに限らない独裁的体制から民主的体制に移行した国の「過去」へも展開し、さらには、植民地支配や人種主義も「過去」として俎上にあげられるようになっている。こうした問題意識の拡大から、「過去の克服」は、現段階では、「過去の見直し」（Aufarbeitung）という言葉でむしろ表されるようになってきている。

焦点 *Focus*

日本経済
——高度成長からバブル経済へ

原山浩介

はじめに

高度経済成長期の人々の生活が華々しいものとして語られるとき、いくつかの典型的なイメージがある。家庭へのテレビの普及、自動車の登場、公団住宅での生活といったものは、その最たるものではないだろうか。そしてこのイメージは、戦後の民主化と重ね合わされて、人々が経済的にも平等になっていったかのような想像さえ呼び起こす。たしかに、後にみるように、耐久消費財の普及を踏まえれば、人々の生活の均質化は一定の実態を伴っているといえる。しかし、もちろん、厳密な意味での均質化や平等は決して成就してはおらず、仮に当時において、そのような感覚を強くする人々がいたとしても、その視界の外側には常に落としこぼしている他者が存在した。高度経済成長期に都市部を中心に建設された公団住宅には、年齢や所得、生活スタイルが似かよった住民が多かったように思えるが、もちろん相互に同じではないし、またいうまでもなく日本中の全ての人が公団住宅に住んでいたわけではない。

むしろ、高度経済成長期の、華々しく、均質で平等でもあるようなイメージは、人々の生活の実態ではなく、経済成長が続き、人々の生活の底上げが広範に展開していったプロセスそのものへの評価に根ざしている。そしてその評価は、同時代意識として成立していた部分もあっただろうが、むしろ高度経済成長を終えてから一般に流布したところも大きいとみられる。

その一方で、高度経済成長の終焉と前後して、均質化の外側がやや可視化されやすくなる。そして円高やバブル景気と前後して進んだ「国際化」により、それまで想定していなかった「外側」を認識する必要も生まれていく。この変化は、高度経済成長期の大衆消費社会とは少し違った座り心地をもたらしつつも、人々を、依然として継続的な経済成長が豊かさをもたらし続けるとの感覚のなかに置いた。

ここでの豊かさへの感覚は、「経済大国」化と連動していた。バブル景気に先立って、日本から海外への輸出が拡大し、バブル景気のさなかで日本の貿易黒字が、アメリカ合衆国などとの貿易摩擦を深刻化させていた。日本企業の製品が多くの国や地域で目につくようになり、同時に円高対策で公定歩合が引き下げられたことで、財テクによる投資が日本国内のみならず海外にも及んだ。他方で、一九八〇年代後半は内需が拡大した時期でもあり、そうしたなかでの日本企業の国際競争力が注目され、「日本的経営」が海外でももてはやされた。つまり世界経済における、日本の「経済大国」としての存在感がバブル景気の過程で増していき、それが翻って、バブル景気の下での国内的なカネ余りと相まって、「経済大国」としての自意識を高めたということになる。

通常、経済成長を歴史として記述するときには、その華々しさの外側にあった問題、例えば生存権を問うた朝日訴訟、安保闘争、米軍統治下の沖縄といった事柄とともに、時代の構造を見定めながらたどっていくことが多い。しかし本稿では、むしろ大衆消費社会にまずは腰を下ろし、高度経済成長期からバブル期までに折り重ねられた経験と社会像を、飛び石を踏むようにたどってみたい。

一、高度経済成長と「均質化」

「均質化」への戸惑い

高度経済成長期の終わりに近い一九七一年に、神奈川県藤沢市を拠点に、有機農産物の共同購入運動を軸にして、食の安全に関わる取り組みを行う「食生活研究会」が作られた。このグループでは市民講座など多彩な活動を行い、一九七三年からは佐渡島で年一回の「自然学園」を開催していた。安全な食べ物を求めようとする市民運動であり、かつ、農、自然、そしてムラと関わりながらのこの活動は、代表の浅井まり子の佐渡島への移住へと展開する。一九八二年に、浅井は何人かの子どもたちと一緒に、佐渡島の畑野町(当時)に移り住んだ。佐渡島での体験は『全国婦人新聞』に連載された[1]。そのなかに、次のような記述がある。

海に囲まれた佐渡は魚はもちろん、米、果物(みかん、ゆず、りんご、なし、桃)そして小さいながら酪農もある恵まれた土地柄です。

海が荒れれば物が運ばれて来ないということで昔から自給率が高かったし、そうした意識があったようですが、果して今はどうでしょうか。すっかり変った生活です。昔と違って本土も近くなりましたが、気をつけないと佐渡のものと思って買った海草が本土のものであったりします。佐渡のものを買い支えることは佐渡にとって大切なことだと思うのですが…。

世の中が変っているのに佐渡だけ置き去りにされては困ると考える人もありましょう。しかし新しさを、都会と同じレベルを求める余り、人間として大切なものを切り捨ててはいないでしょうか。(浅井 一九八二)

浅井はまた別のところでも、「畑があっても、作らずに野菜はスーパーで買う人たちがたくさんいます。年間、七千トンの果物や野菜が本州から取り寄せられているそうです」と、農産物流通の現実を記している(浅井 一九八三)。佐渡島の食生活が、食料の供給も含めて本州などのそれに近づいているこうした現実は、都会で食の安全を求める市民運動を担いながら、いわば食と農の原点に身を置こうとした浅井にとって、残念なことだったのだろう。しかしこれは、日本国内の商品流通の「発達」によってもたらされた「均質化」にほかならず、それは経済成長が、人々の日常を鋳型にはめる力を持ち、その力によって「豊かさ」がもたらされたことの帰結でもあった。

以下ではその「豊かさ」と「均質化」の意味を、マクロな現象から考えてみたい。

耐久消費財の普及

高度経済成長を象徴する耐久消費財としてしばしば言及される三種の神器(洗濯機・冷蔵庫・白黒テレビ)や三C(カラーテレビ・クーラー・自動車)のうち、洗濯機・冷蔵庫・テレビは、一九七三年までに農家・非農家いずれにおいても九〇%の普及率に達した。しかしこの時点では、全世帯の普及率でみると、自動車は三六・七%、エアコン(ルームクーラー)に至っては一二・九%に過ぎない。その後の安定成長期を経た一九九一年になると、自動車が七九・五%、エアコンが六八・一%と、ようやく広く普及したといえるような数字になってくる。このほか、一九九一年には、電子レンジが七五・六%、VTR(ビデオデッキ)が七一・五%にまで普及している。つまり、二一世紀にも続いていく人々の物質面での生活様式の骨格が広く浸透するのは、パソコンや携帯電話を除けば、実際には概ね一九九〇年頃ということになる。

この普及過程を、農家世帯と非農家世帯に分けて示したのが**図1**である。非農家世帯においてこれら耐久消費財の普及が先行し、農家世帯がその後を追う形になっている。自動車(乗用車)の普及が農家世帯で先行するのは、都市部と農村部の公共交通の事情の差異を反映している。このグラフで注目しておきたいのは、高度経済成長期の農家と非農家との間の普及のタイムラグの短さである。白黒テレビの普及率は、一九六三年に人口五万人以上の都市の非農家で九割を超え、農家はその三年後に同じく九割を超えている。冷蔵庫は非農家が一九七〇年、農家が一九七三年に九割に達し、洗濯機に至っては一九七〇年に農家・非農家が同時に九割を超えている。

これを、中国における耐久消費財の普及過程と比較してみると、その特徴をイメージしやすいだろう。中国の耐久消費財の普及（二〇〇世帯当たりの所有台数）は、都市部住民世帯と農村部住民世帯でそれぞれデータが取られているが、都市においては洗濯機が二〇〇〇年、冷蔵庫は二〇〇五年には九〇を超えているが、農村においては、五〇を超える

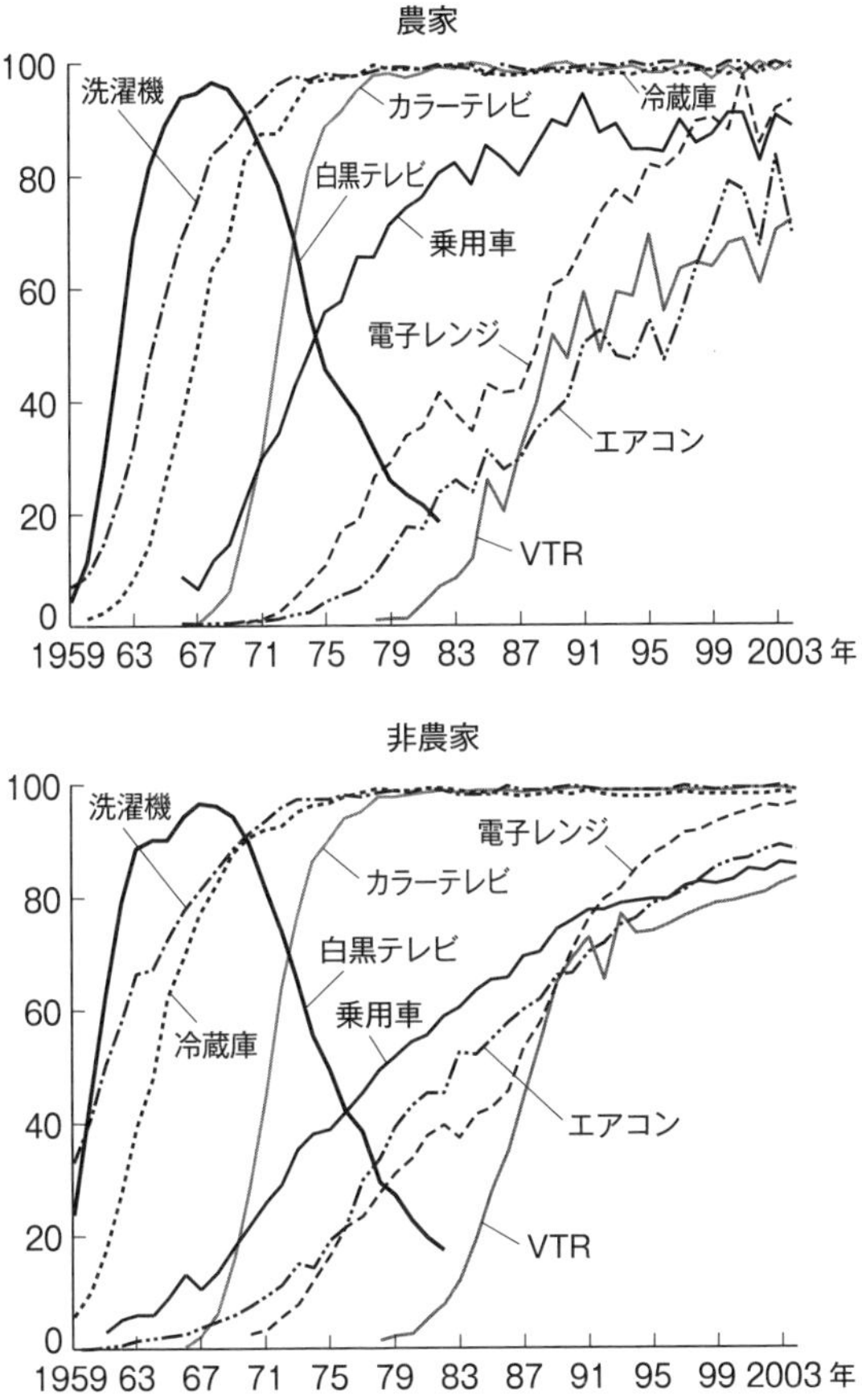

図1　耐久消費財の普及率（農家／非農家）

注：1959-63年の非農家の普及率は，人口5万人以上の都市の非農家のもの．

出典：経済企画庁調査局『消費者動向予測調査結果報告』，経済企画庁調査局『消費者動向予測調査』，経済企画庁調査局『消費動向調査年報』，内閣府経済社会総合研究所景気統計『消費動向調査年報』より，筆者作成．

のが二〇一〇年と二〇一一年、九〇を超えるのは二〇一九年と二〇一七年である(Science Portal China「中国統計年鑑」)。

いうまでもなく、中国では農村と都市の経済格差が大きく、政策的にも異なる扱いを受けてきた。こうした部分は、日本のみならず西欧諸国やアメリカ合衆国とも大きく異なっているため、中国を例外的な事例として扱うことも可能ではある。しかし、農村と都市(農家と非農家)を通じてハイペースで耐久消費財が普及した日本のようなケースは、グローバルにみれば必ずしも標準的な現象ではなく、むしろ特殊例として認識しておく必要がある。

消費社会の「平等」

こうみてくると、たしかに高度経済成長期は、物質的には均質化のプロセスであったという一面がみえてくる。このプロセスにおいて展開した、「消費者運動」と呼ばれる一群の市民運動は、消費者の利害の共通性に根ざしており、その意味ではまさしく「均質化」が前提となっていた。

時代を遡れば、敗戦直後、後に「消費者運動」を担うことになるいくつかの諸団体を含む市民団体が、闇物価の撲滅、配給の改善、不良物資の追放などを要求していた。それらは、たしかに多くの人々が共通に抱える悩みであった。しかし高度経済成長期になると、よりはっきりと「消費者の利益」というところに関心が向き、企業・事業者に比して消費者がないがしろにされているのではないかという視点が浮上してくる。

これは一九五七年の全国消費者団体連絡会が結成される動機づけにもなっている。同年の二月八日付の同団体の文書では、「色々な中小企業関係の組織法案が提出されようとしています。しかし、これらの法案は(中略)一方的に協定価格をきめて戦時中の㋮(マルコウ)や㊿(マルキョウ)と同じように消費者を苦しめ、さらに消費者や勤労者の自由な共同購入活動を封じてしまおうとするものです」(全国消費者団体連絡会 一九八七:一四頁)とされている。このときに批判の対象となっていた法律は、中小企業団体組織法と環衛法であり、いずれも競争抑制的な性格を持つ法律であった。

また、ここでいう「自由な共同購入活動を封じ」るとは、生活協同組合に対する規制強化を指している。

ただ、注意せねばならないのは、ここで矛先が向けられているのは、「中小企業」であったことである。つまり構図としては、大企業ではなく、中小零細経営(そこには生協と競合する小売店も含まれる)と、「消費者や勤労者」との対峙になっている。もっとも、この「消費者」の境界の引き方はそれぞれの課題や時期によって変化し、例えば国鉄運賃の値上げに反対する場面では「乗客」、米価に関しては食糧管理行政を俎上に載せながら「非農家」の利害が問題にされた。そして一九七〇年から七一年にかけてのカラーテレビ不買運動では、大手家電メーカーとの対峙という形になり、そこでは消費者団体と農家団体との共闘も行われた。

つまり、この「消費者運動」という枠組みにおいて、「消費者」は基本的には都市に住む給与所得者、そして実質的にはその家計を預かる女性を準拠点にしながら、利害を共有する内側と外側の境界線が設定され直し続けた。そこでは消費という一点において基本的に同じ立場にあり、言外に相互に一定の平等性が担保されている、あるいは担保されるべきだとの前提があった。

成長と「均質化」のかげり

しかし一九六〇年代末から七〇年代にかけて、それまでの「均質」ないし「平等」な消費社会像は揺らいでいった。このことは、いくつかのきっかけから説明できる。

ひとつは公害問題の前景化である。四大公害病裁判が、一九六七年から六九年にそれぞれ始まることになるのだが、それと前後して、それまで多くの人々の視界の外にあった公害の被害／被害者が、経済成長のさなかでの政府・企業の対策の欠落とともに認識されるようになった。

その一方で、先に示したように、耐久消費財が概ね行き渡ったことで、多くの人々が同一の新商品を欲するという一様な消費行動が落ち着き始めた。カラーテレビ不買運動は、家電メーカーに対して価格の引き下げを求める広範な動きになり、最終的にはメーカーから値下げを引き出した。これは、消費者が目に見えて勝利を収めた最初のケースであり、また高度経済成長期から続く一様な消費行動を背景とした「消費者運動」の最後の一幕でもあった。

さらに、一九七三年の第一次石油危機もまた、人々の認識を変える要因となった。それまで基本的には発想の外にあった資源の有限性を、石油をはじめとする物資の不足や物価の高騰を通じて痛感させられることになった。この不足と高騰には、人々の不安感からくる買い占めや、意図的な価格のつり上げが介在しており、それゆえに、全てを資源の問題にのみ帰せられるものではないが、しかし経験としてのインパクトを考えると非常に大きなものだったといえる。

先に見た浅井まり子の取り組みは、こうした変化を前にしながら展開したものである。公害への怖れや怯えは、第二次ベビーブームのなかで親となる人々のなかにあった食への不安感とも共振し、物質的な豊かさを求め続けたことへの反省が生まれ、求めたいと考える「安全」には、技術革新によっては克服の難しいコストが必要であることもはっきりしてきた。

有機農産物などの「安全」を求めようとする動きは、都市部を中心に各地で展開したものであり、その意味では一般性があったものの、そうした運動に加わった人々は数としては少数派に過ぎなかった。ただ、ここで確認しておきたいのは、均質化や平等を旨とする消費社会が内包する揺らぎ、ないしはその外側が、人々のごく日常を足場にしながら想像しやすくなっていったということである。

「中流意識」の台頭

こうして高度経済成長期の終焉を迎えていくのだが、それにもかかわらず、「中流意識」はむしろ高まりと見せた。

「国民生活に関する世論調査」には「お宅の生活程度は、世間一般からみてこの中のどれに入ると思いますか」(但し文言には変化がある)との問い(回答選択肢は、上、中の上、中の中、中の下、下)があり、中の上・中の中・中の下の合計値が、一九六四年は八七・一%、翌年以降も八六・五%、八七・四%と、九割に近い数字が続いている。そして、一九七三年になると、九〇・二%を記録する。

一九七七年には朝日新聞紙上で「新中間層論争」が展開された。社会学者の見田宗介は、「新中間階層」が現象として認められるのは、「極貧でもないし、十分に豊かでもない「中間的」な大多数の幅広い層が日本に存在して」おり、「外見的には生活様式の一定の一様性をもっている」ことに由来しているとまとめている(『朝日新聞』一九七七年八月二四日夕刊)。これはこの議論に加わった論者のみならず、人々の一般的な受け止め方でもあっただろう。

世論調査の数字として示された「中流」と、論争のなかの「新中間階層」の認識に対する肯定的な説明の材料は多くある。本稿で示した耐久消費財の普及状況もその一つになり得るだろう。とはいえ、では何を以て「中流」「新中間階層」であり、あるいはそうではなくなるのか、という基準を設定することは難しい。世論調査の数字をたどると、一九八〇年代には九〇%を若干下回り続けるものの、バブル崩壊後の「失われた一〇年」を経て二〇一〇年代に至るまで、概ね九〇%を上回っており、所得などの生活実態の変化との関わりが薄いまま、「中流」は根強く存在し続けている。

自意識や社会描写としての「中流意識」や「新中間階層」は、持続的な経済成長を前提としながら広く用いられ、「一億総中流社会」というのっぺりとした把握にも結びつきながら、「均質化」の揺らぎやその外側とせめぎ合い続けることになる。

二、変わる世界の見え方――バブル景気の到来

「プラザ合意」からバブルへ

一九八五年九月に、ニューヨークのプラザホテルでG5(アメリカ、イギリス、フランス、西ドイツ、日本)の蔵相による「プラザ合意」が成立した。すでに一九七一年のニクソン・ショック(ドル・ショック)を経て、ブレトン・ウッズ体制(アメリカドルを基軸通貨とする為替の固定相場制)は崩壊していたのだが、このプラザ合意はさらなるドル安誘導を進めようとするものだった。

これによってもたらされる円高が、日本の輸出産業にダメージを与え、「円高不況」を招来することが危惧されたが、実際には円高と低金利を背景とするカネ余りの下で、一九八六年末から一九九一年初頭までバブル景気が過熱した。「バブル」とは、土地や株などの資産価格が、実体経済と乖離して泡のように膨張することを指している。この「バブル」が膨らむ過程では、ほとんどの人が、いずれ弾け飛ぶものだなどと考えてはいなかった。

バブル期は、歴史的な大きな変化を経験した時期でもあった。世界的には、一九八九年のマルタ会談(米ソ首脳会談)による冷戦の終結、同年のベルリンの壁崩壊、そして一九九一年までのソビエト連邦の崩壊過程を通じて、世界秩序が大きく変容した。他方で日本国内では、日本専売公社、日本電信電話公社、日本国有鉄道が、それぞれ日本たばこ産業、NTT、JRに民営化された。これはイギリスのサッチャリズム、アメリカ合衆国のレーガノミクスと並ぶ、日本における新自由主義の嚆矢でもあった。そうした大きな変動が、空前の資産価値の上昇とカネ余りのなかで経験された。

「大衆消費社会」の終焉

バブル景気に先立ち、一九八五年に、広告代理店である博報堂の生活総合研究所が、『「分衆」の誕生』を刊行した。同書の冒頭部分には、「画一性を特徴とする大衆は、差異性を軸にうごめく細分された人々へと分化してしまった。私たちは、こうした状況を「分割された大衆」ということで、「分衆」と呼んでいる」(博報堂生活総合研究所 一九八五:三頁)と記されている。「均質化」のプロセスとしての高度経済成長期が過ぎ去った後のマーケティングの変化を捉え、消費社会論風の分析を加えながら、細分化/多様化する消費者へのアプローチを提案している。

同書での個々の分析の当否はともかくとして、高度経済成長期における「均質化」のプロセスとは異なった局面を迎えているという認識そのものは、高度経済成長の終焉前後からみられた諸変化を反映したものである。これをマーケティングのプロパガンダとして発展させつつ、華々しい消費社会イメージを喚起したところに同書の新しさがあった。ただ、その後のバブル景気と、そのなかで起こった「経済大国」の経験は、同書で想定されていたよりもさらに大きく、社会の骨格を変えていくことになる。

土地ブームの夢物語

「バブルに踊らされた」という表現がある。バブル景気に乗って、投資をしたり、買い物をしたり、あるいは損失を出したりすることを示すフレーズである。個人レベルで実際に大きなお金を動かした人もいただろうが、そのような人は決して多数派ではなかった。ただ、バブル経済の繁栄が将来にわたって続くと考えながら、例えば、後から考えれば高額な不動産を購入したりした人は多かっただろう。

伊丹十三監督の映画『マルサの女2』は、そうしたバブル景気のさなかの一九八八年に公開された。地価の高騰を前提とした開発を、銀行・政治家・宗教団体・やくざなどが結託して進め、地上げを行いながら巨額の利益をあげようとするところに、国税局が脱税捜査のメスを入れる筋立てになっている。

この映画のなかで、宗教団体に国税局の査察が入った後の、地上げ屋でありかつ宗教団体の幹部である男に対する取り調べのシーンがある。緊迫感の高いこのシーンで、その男は取り調べの最中に興奮して、次のような本音を激しい口調でまくしたてた後、自ら頭を壁に打ちつけて血まみれになる。

俺は国のために地上げ屋やってるんだよ。東京が国際的な情報都市として世界の金融センターになるためにはなぁ、世界中の企業を東京に集めなきゃならねぇんだよ。そのためには、オフィス面積が絶対的に不足してるんだ。その不足を埋めるために高層ビルを建てるしかねぇだろ。〔中略〕政府や大企業のお偉いさんたちがなぁ、自分の手を汚すか？　汚すわきゃねぇだろう。ニッポンの改革のためにはなぁ、誰かが汚ねえ仕事を引き受けなきゃならねぇんだよ。俺たちやらなかったら東京なんて、すぐに香港にその地位を奪われちまうんだ。てめえらそれでいいのか？　おい、ニッポンがどうなってもかまわねえってのか。

東京が「世界の金融センター」になるために多くのオフィスを用意する必要があり、さもなければ「香港にその地位を奪われ」るという言い分は、二一世紀の現実に照らすといささか大ぶろしきに見える。しかし、この映画公開の翌一九八九年末には、日本の急速な地価上昇と円高の進行によって、日本の国富はアメリカの一・六倍、地価総額は四倍(日本列島ひとつでアメリカが四つ買える)になっていた(岩田　一九九二：二七―二九頁)。そのような背景が、「世界の金融センター」としての東京は手の届くところにあるのだという映画のセリフを受け入れさせた。

地価高騰がもたらしたもの

この土地ブームは、地価上昇が続くという「土地神話」を前提としていた。地価の急激な上昇は、投機的な思惑が介在しながら、人々の生活を根底から変えるインパクトを持った。『マルサの女2』にも出てくる「地上げ」、つまり大規模開発のための土地の買い集めは、住宅や商店など既存の地域基盤を根こぎにするものでもあった。急激な地価の上昇で、マイホームの購入を諦めざるを得なくなる人が大都市を中心に出てきた。一九八〇年代末のリゾートマンションブームは、マイホームへの諦めと不動産投機の思惑が入り混じったものだった。新潟県湯沢町にはこの時期にリゾートマンションが林立し、「ブームのピーク時には、新聞の全ページ広告を一、二回出したら完売」したとのコメントを残した広告代理店があるほどに、リゾートマンションの販売は加熱していた(新潟日報報道部 一九九〇：六一頁)。

短期間で町の景観が大きく変わった湯沢町の例は突出したものだったが、一九八七年に制定されたリゾート法を背景にしながら各地でリゾート開発が進んだ。一定の交通アクセスが確保されていれば、農山漁村であっても開発対象となり、スキー場やゴルフ場がつくられていった。

その一方で、住宅に比して広い土地を所有する都市部の農家へのやっかみや、土地の「高度利用」への思惑が、一九九二年の生産緑地法の改正による、市街化区域での農地に対する宅地並み課税に結びついていった。もちろん、農業の収益でこれを賄うのは困難であり、それへの対応として、生産緑地の指定を受ける道が作られたのだが、その場合、税制面の優遇と引き換えに三〇年間の営農義務が課せられることが定められ、営農継続の決断のハードルが格段に上げられてしまった。

こうして、不動産を購入するにせよ、売却するにせよ、それができる者とそうでない者の格差は、歴然と開くことになった。それまでにも、開発行為による局地的な地価の上昇はあったが、バブル期にはそれが格段に広い範囲で起こった。リゾート開発のターゲットとなった農山漁村では、環境問題への意識の高まりと相まって社会問題化するケースも少なくなかった。そして都市農業は、非農業の論理によってくびきが課されることになり、その影響は人口減少過程に入っても残り続けている。

円高と海外志向

海外旅行が自由化された一九六四年当時、実際にはまだ高嶺の花であった。大卒男子初任給の約二万円に対し、ハワイ旅行は三五万円から四〇万円だった(矢口 二〇〇二：一三四、二二六頁)。その後、海外旅行は大衆化していくのだが、そこには二つの画期がある。まずは一九七一年で、日本人出国者は一〇〇万人の大台を突破した。もう一つは、約五五〇万人が出国した一九八六年で、一九七九年以来概ね四〇〇万人台で推移してきたものが、ここから急増し一九九〇年に約一一〇〇万人に達するに至る(「出入国管理統計表」)。この二つの画期は、いずれも先に述べた、一九七一年のニクソン・ショック(ドル・ショック)、一九八五年のプラザ合意という、円高ドル安に向かわせた二つの出来事と対応している。

円高の進行は、日本人旅行者の動きを活性化するばかりではない。企業もまた、円高によってドル建ての輸出価格が急騰する一方で、海外での資材や労働力の調達が有利になることから、海外に製造拠点を持つ企業が増えていった。もっとも、その動きは、一九九〇年代や二〇〇〇年代と比べると限定的なものにとどまり、国内の製造業が海外に流出する「産業空洞化」の懸念がすぐに現実になることはなかった。海外への製造拠点の移転は「急速に進んだわけではなく、かなりの長期間かけて緩やかに進展した」(石井 二〇一一：三五六頁)のであり、裏を返せば、海外への製造拠点の設置が珍しいことではなくなる、その原型がバブル期に作られたということにもなる。

外国人労働者の増加

その一方で、日本で収入を得ようとする外国人も増え始めた。

一九八〇年代に入ると、「じゃぱゆきさん」と呼ばれた女性が増えていった。興行ビザを取得してダンサーなどとして働くために入国する女性たちのなかには、少なからず売春などの風俗業に従事する実態があり、一九八〇年代半ばにかけて、繁華街などでは東南アジア出身の女性たちの姿が増えていった。興行ビザでの入国のほか、観光ビザなどで入国して在留資格外の活動をする人々も増えていった。一九八五年になると「資格外活動事犯者及び資格外活動がらみの不法残留事犯者」の、「総数五六二九人のうち、性別では女性が四九四二人」と圧倒的に多く、職種は「ホステスが四一〇八人、ストリッパーが三三六人、売春婦が二八八人」、国籍ではフィリピン人とタイ人が大半を占めていたとされる(外村 二〇一三:二八三―二八六頁)。

この男女比は、一九八八年に逆転し、「女性が五三八五人に対して男性八九二九人」が摘発された。これは、単純労働に従事する男性の労働者が増えたことを反映している。女性が「じゃぱゆきさん」と呼ばれたのに対し、男性は「外国人労働者」として把握され、両者に対する一般の認識は異なるものだった。そして、男性労働者を念頭においた形で、「外国人労働者」の受け入れに関する議論が行われるようになる(伊藤 一九九二)。

この「外国人労働者」は、プラザ合意以降の円高の進行によって日本で稼ぐことが格段に有利になったことと、バブル期の労働現場における人手不足が呼び水になった。しかも、日本が「経済大国」であるとの意識が浸透するなかで、「外国人労働者」の受け入れが「積極的な経済貢献であるかのような認識も生まれ」たとされる(外村 二〇一三:二八八頁)。

「共生」「多様性」への気づき

一九八〇年代は、「共生」という用語が社会の目指すべきあり方を指すものとして頻用され、続いて「多様性」もキーワードになっていった。これは、ここまで見てきたように、外国人の存在、海外との往来が多様に展開していく現実に対応する一面があった。

さらに、日本から満洲に送り出された満蒙開拓移民などのうち、戦後も中国に残された「中国残留日本人孤児」の訪日調査（肉親探し）が一九八一年から始まった。このことはニュースなどで繰り返し報じられ、肉親探しに訪日した人々のプロフィールを紹介するテレビの特別番組も放送されるなど、日本による植民地支配の爪痕が、当の日本人のなかにあることを印象づけた。

このほか、一九八〇年代後半になると「戦争責任」に関する議論も高まり、メディアなどにその用語が登場する頻度が増えていった。また、外国人登録法により在日コリアンに対する指紋押捺が義務づけられていたことをめぐり、押捺拒否の動きが各地で起こり、一九九一年には日韓首脳会談において廃止の意向が日本側から示された。

他方で、コンテクストは異なるが、一九八五年に男女雇用機会均等法が制定された。これは女性差別撤廃条約の批准を直接的な契機としており、採用・昇進等における男女平等についての雇用者の努力義務などを内容としている。当初の法律では賃金の平等が定められていないなど、批判が少なからずあったものの、就労面で男女が平等であるべきとする発想がようやく法律として形を持つに至った。

こうした過程を通じて、あるいはその後も、様々に差別やマイノリティーの問題が前景化したにもかかわらず、外国人やジェンダーをめぐる差別が残り続け、また過去の戦争・植民地支配に対する無反省とも結びついた歴史修正主義やこれと連動する差別もある。このように課題は依然として山積しているものの、「経済大国」という自画像を追い風にしながら、「共生」「多様性」が模索され、「均質」や「平等」の外側に目を向けつつ、諸問題を克服していかねばならないとする規範的な言説が示されていったことの意義は大きいといえるだろう。

「外圧」と規制緩和

「経済大国」となった日本に対して、市場開放を求める「外圧」が強まった。背景には、工業製品の輸出などによる日本の膨大な貿易黒字があり、単なる自由貿易の推進という域を超えて、「経済大国」としての責任が問われ、また財界からは輸出産業のさらなる成長を前提とした対応、すなわち輸入の拡大による摩擦の解消がしばしば求められた。

一九八九年から九〇年にかけて行われた日米構造協議では、アメリカの対日貿易赤字を解消するための要求が提示された。この交渉を通じて、日米双方が採るべき対応がまとめられていくのだが、日本ではそのひとつとして、先述の農地に対する宅地並み課税と並んで、大規模小売店舗法(大店法)の改正を行うこととなった(一九九一年)。アメリカ合衆国で展開していた玩具量販店のトイザらスの日本への出店は、その象徴的なものとなった。この改正以降、大規模小売店の出店が容易になり、後のロードサイドへの大規模店の展開、並びに旧来からの商店街の衰退へのステップになった。

このほか、一九八六年に、WTOの前身に当たるGATTのウルグアイ・ラウンド交渉(多国間交渉)が開始された。この交渉をめぐって日本で注目されたのは、農産物の輸入自由化、とりわけコメの輸入受け入れ問題であった。財界は、国際分業の立場を取りながら、輸入受け入れを求めた。好景気を背景とした国内農業に対する圧迫は、生産緑地の問題と同根のものであった。国際交渉においても完全な輸入阻止は困難となり、日本政府は一九九三年に輸入(ミニマム・アクセス)の受け入れを決めた。

こうした規制緩和を、国内的に正当化する主張において重要な役割を果たしたのは、「消費者」であった。日本の農家を守るために消費者は高い農産物を買わされている、大規模小売店の出店規制によって消費者は不便を強いられている、といった具合に、「消費者」を引き合いに出すことで主張の正当性が保たれようとした。もっとも、コメの輸入受け入れに対する抵抗は強く、こうした主張や批判は、実際の人々の要求と常に一致したわけではない。

バブルの勢いを借りながら、論法のツールとなった「消費者」という用語は、高度経済成長期に想定されたような利害を共有する大衆消費社会の「消費者」とは少し違っており、経済人(Homo Economicus)に近いものであった。市場原理に委ねる度合いを増やしていくことへの不安は、バブル景気の勢いのなかで十分には顧みられず、「均質化」や「平等」を規範から削ぎ落とす方向へとかじを切った。

おわりに——「失われた一〇年」へ

高度経済成長期からバブル景気に至るまでの期間は、経済的には基本的に右肩上がりの時代であった。「豊かさ」の実現を軸とした「均質化」のプロセスの経験とその終焉、そして一国主義的な社会認識の解体という経過をたどった。さらにバブル期には、「グローバリゼーション」や「新自由主義」が、用語としてはほとんど意識されていないながらも現実化しはじめた。空前の資産価値の上昇、カネ余り、そして好景気は、そうした大きな変化への怖れをかき消し、バブル崩壊後の停滞とそこでの「格差社会」の前景化の条件を作った。

バブル期に用意されたともいえる長期にわたる経済的な低迷とその克服の困難をめぐって、「失われた一〇年」というフレーズが「失われた二〇年」「失われた三〇年」に置き換えられ続け、その期間の長さは、高度経済成長期からバブル期を含む安定成長期にかけての「右肩上がり」の三十数年に迫ろうとしている。この「失われた」の背後には、成長や好景気というプロセスに基づく安定を前提とした社会像があり、それを写し鏡にして「失われた」社会を捉える感覚も存在している。

その一方で、外見的な生活様式の一様性を背景に、「均質化」の揺らぎにもかかわらず、「失われた」という把握の底流にある諸課題は、「経済人」として生きられる日常のなかでしばしば忘却され、二一世紀になってもなお、未来の不透明さを抱えながらのマジョリティとしての「中流」が作り出されてきた。「右肩上がり」であることを前提としていた「中流」は、「経済大国」であるとの自負のなかでの「共生」や「多様性」をはじめとする様々な認識／キーワードとともに、異なる背景のなかに置き直されており、その意味や問題の構造が変わってきた。バブル期に準備されていた新自由主義は、人びとが社会を把握し、あるいは自らを規定する思考や方法を組み替えてきたともいえる。

欠如態としてのバブル崩壊後の世界という認識を克服するのはもちろんのこと、高度経済成長によってもたらされた「均質化」の果実と弊害、「平等」の外側への知覚、バブル期における「共生」「多様性」へのアプローチといった蓄積や経験が秘める可能性と教訓を踏まえながら、経済成長神話に依存せずに、どのような社会像を、政治・経済、そして市民の生活のあり方として作り出し、共有していくのかという、それ自体としては高度経済成長の終焉以降に提起され続けてきた課題に対する向き合い方が問われている。

注

（1）この連載は、後に加筆の上、浅井（一九九一）にまとめられている。

参考文献

浅井まり子（一九八二）「体験　佐渡のくらし４」『全国婦人新聞』第六八九号、一二月一〇日。

浅井まり子（一九八三）「体験　佐渡のくらし10」『全国婦人新聞』第七〇一号、四月三〇日。

浅井まり子（一九九一）『佐渡へ――土と人間の物語』亜紀書房。

石井晋（二〇一一）「プラザ合意・内需拡大政策とバブル（一九八五―八九年を中心に）」小峰隆夫編『バブル／デフレ期の日本経済と経済政策　歴史編　一　日本経済の記録――第二次石油危機への対応からバブル崩壊まで』内閣府経済社会総合研究所。

伊藤るり（一九九二）「「ジャパゆきさん」現象再考――八〇年代日本へのアジア女性流入」梶田孝道編『外国人労働者論――現状から理論へ』弘文堂。

岩田規久男（一九九二）『ストック経済の構造』岩波書店。

全国消費者団体連絡会（一九八七）『消団連三十年の歩み』。

武田晴人（二〇一九）『日本経済史』有斐閣。

外村大（二〇一三）「安定成長期日本の外国人労働者――グローバリゼーション下の移動の胎動」『アジア太平洋討究』二〇号。

新潟日報報道部（一九九〇）『東京都湯沢町』潮出版社。

博報堂生活総合研究所編（一九八五）『「分衆」の誕生――ニューピープルをつかむ市場戦略とは』日本経済新聞社。

原山浩介（二〇一一）『消費者の戦後史――闇市から主婦の時代へ』日本経済評論社。

満薗勇（二〇一五）「日本における中流意識の歴史的展開――消費史との関係を中心に」『歴史と経済』第二二七号。

矢口祐人（二〇〇二）『ハワイの歴史と文化――悲劇と誇りのモザイクの中で』中央公論新社。


経済企画庁調査局『消費者動向予測調査結果報告』。

経済企画庁調査局『消費者動向予測調査』。

経済企画庁調査局『消費動向調査年報』。

内閣府経済社会総合研究所景気統計『消費動向調査年報』。

「討論・新中間階層　その構造と動向と　下」『朝日新聞』一九七七年八月二四日夕刊。

Science Portal China「中国統計年鑑」(https://spc.jst.go.jp/statistics/stats_index.html) 最終閲覧日二〇二二年八月三〇日。

出入国在留管理庁「出入国管理統計統計表」(https://www.moj.go.jp/isa/policies/statistics/toukei_ichiran_nyukan.html) 最終閲覧日二〇二二年八月三〇日。

内閣府「国民生活に関する世論調査」(https://survey.gov-online.go.jp/index-ko.html) 最終閲覧日二〇二二年八月三〇日。

コラム | *Column*

「光州は生きている！」

——光州事件がはらむ「構造」の連続性と普遍性

真鍋祐子

一九八〇年五月一八日から二七日未明にかけて韓国南西部の中心都市・光州《クァンジュ》で勃発した「光州事件」は、学生と市民による民主化運動と戒厳軍の武力弾圧、これに銃で応戦した市民たち（市民軍）の闘いが、空挺部隊の投入で壊滅させられるまでの出来事をさす。七九年一〇月二六日に朴正煕《パク・チョンヒ》大統領が暗殺されると、朴一派を排して台頭した全斗煥《チョン・ドゥファン》率いる「新軍部」が一二月一二日に粛軍クーデターを起こす。独裁者の死で束の間民主化への希望が兆した八〇年の「ソウルの春」の後、全斗煥は五月一七日に非常戒厳令を全国に拡大（五・一七クーデター）。光州事件は一八日朝、休校令に抵抗して全南《チョンナム》大学正門前に集まり、非常戒厳撤廃と全斗煥退陣を叫んだ学生たちへの武力弾圧に端を発する。

一九八七年六月の「民主化宣言」後、与野党勢力図が逆転した八八年秋の国会で聴聞会が開かれるまで、この事件は公式には「なかったこと」、むしろ国家に反逆した「アカ」、「暴徒」による「暴動」と貶められてきた。そうした抑圧的な状況の中、関係者たちは事件勃発の日付をとり、隠語のように一連の経緯を「五・一八《オー・イルパル》」と総称してきた。

「光州事件」とは、この出来事の政治的、歴史的評価に対する主体的な問いを避けた、客観性を装う第三者的態度と受け止められがちな日本特有の呼称で、韓国では使用されない。

韓国ではまず、この事件をどう称するかで各人の政治的立場が明示される。八〇年代の軍事独裁体制や保守言論、これに親和的な人々は、混乱をもたらす好ましくない状態という負の意味で「光州事態」と呼んだ。対して進歩派の歴史学者・姜萬吉《カン・マンギル》は、光州市民の抵抗を圧政に対する未完の民主革命と捉え、八八年に初めて「光州民衆抗争」と呼ぶことを提唱した。「民主化宣言」による初の直接選挙で大統領となった新軍部出身の盧泰愚《ノ・テウ》も、同年これを「民主化運動」として前向きに評価する特別談話を発表。続く金泳三《キム・ヨンサム》政権により光州聖域化が進められた九〇年代半ば以降は、国内外に「光州民主化運動」(Gwangju Democratic Movement)という名称が定着していった。他方、八〇年当時から運動勢力の間では「光州蜂起」や「光州虐殺」という呼び方もなされており、欧米の文献でも Gwangju Uprising, Gwangju Massacre といった表記が多く見られる。

つまり光州事件をどの名称で語るかは、語り手の歴史意識とも深くかかわることだった。一国史にとどまらず、この事件が悲劇的な結末を迎えたことの構造的意味を世界史の文脈から問う立場の人々は、「光州民衆抗争」と呼んだ。わけても地下に潜行して先鋭化した運動勢力は、五月二七日未明の

富山妙子「政治家たち・日米韓」1980年，リトグラフ，40.5×37.0 cm（韓国民主化運動記念事業会所蔵）Ⓒ TOMIYAMA Taeko

空挺部隊の投入は駐留米軍の認可なしにはありえなかったこと、米レーガン政権が、クーデターという非民主的手法で実権を握り、光州を捨て石に成立した全斗煥独裁政権を「反共の砦」として容認したことを烈しく批判し、民族解放をめざす反米民族主義的な運動理念を練り上げた。光州事件が抉り出したのは、分断国家・韓国をめぐる日米韓同盟のポストコロニアルな「構造」だった。その本質を素早く見抜いた富山妙子（一九二一―二〇二一年）は光州に寄せた版画作品「政治家たち・日米韓」（一九八〇年）を発表している（写真）。

一九八八年六月、光州事件に対する民衆審判と責任者処罰を主張して抗議の焼身自殺をとげた学生がいる。炎の中で、彼は「光州は生きている！」と絶叫した。二〇一七年五月、光州民主化運動三七周年記念式の追悼辞で文在寅《ムン・ジェイン》大統領はこの言葉をとりあげ、「〝光州〟のために闘った烈士たちを称えたい」とし、タブー視されてきた光州事件の真相究明に取り組むことを約束した。この大統領の声明は、光州に惨劇をもたらした「構造」がいまだしぶとく生き続け、真相究明を阻んできたことの何よりの証左である。その後、文政権は南北融和をめざす独自の外交を通し分断状況を克服すべく尽力したが、日米それぞれの思惑に揺さぶられ、挫折する。

一方、ポストコロニアルな「構造」に抵抗する光州の理念は、韓国同様、日本による戦争と植民地支配に傷つけられ、戦後も大国を後ろ盾とした独裁政権の圧政に苦しむアジアの人々へと敷衍された。それは八〇年代のタイやフィリピンの民主化運動を刺激し、「民主化ドミノ」と呼ばれる現象をもたらした。また、八二年に韓国を訪問した香港の学生が光州の弔い歌「ニムのための行進曲」にインスパイアされ、八四年に *March for the Beloved* と題して英訳し、仲間たちと歌い始めたのを機に、この歌は香港からカンボジア、マレーシア、タイ、インドネシア、台湾へと広がった。二〇二一年二月にミャンマー国軍が起こしたクーデターに対し、光州の市民社会はいち早くミャンマー市民への連帯を表明した。軍の暴虐に抵抗するデモ隊が *March for the Beloved* を歌う姿は、YouTube を通してミャンマーから世界へと拡散された。

このように光州事件に内包された「構造」は、「光州は生きている！」という抵抗の言葉とともに、国境を越え、縦にも横にも連続的に遍在してきたといえるだろう。

焦点｜*Focus*

アジア新興諸国の発展

高木佑輔

はじめに

アジア新興諸国の発展は、二〇世紀後半の世界史における事件である。市場経済のメカニズムを重視したアジア新興諸国の発展により、ソ連型の発展モデルの正統性を大いに損ねた。他方、市場万能の発想と一線を画す発展経路を示すことにより、いわゆる新自由主義とも異なる道筋を示した結果、多くの新興独立国が「東に倣え」(ルック・イースト)を志向した。二〇世紀後半、「東」は日本のことを指したが、二一世紀に入って顕著となった中国の発展により、米国流の「ワシントン・コンセンサス」とは異なる「北京コンセンサス」などが論じられるにいたった(ハルパー 二〇一一)。

ただし、アジア新興諸国の発展経路を子細に検討すれば、ワシントン・コンセンサスと北京コンセンサスというような二元論は的外れであることに気づく。明治日本の経験が示すように、独自の文化や政治経済制度の発展を踏まえながら、必要な改革を断行したことがアジア新興諸国の発展の礎となった。北京コンセンサスを強調する視点が同時代の欧米との対比による議論であるのに対し、本稿では、発展に至る歴史的経緯を辿ることで、アジア諸国が、市場経済の仕組みを漸進的に取り入れながら新興国への道を辿った過程を明らかにする。

一、「アジア新興諸国」とは何か

新興「国」とは何か

二〇〇三年、アメリカの投資銀行最大手のゴールドマンサックスがブラジル、ロシア、中国、インド(後に南アフリカが加わる)からなるBRICSの台頭に言及して以来、新興市場への関心が高まった。ただし、歴史を振り返れば、急速な経済成長を遂げたのはBRICS諸国に限らない(末廣 二〇一四)。途上国における急速な発展を指摘した報告としては、一九七九年に出版されたOECDの報告書『新興工業国の挑戦』がその嚆矢といえる。この時に注目を浴びた諸国が新興「工業」国/経済(NICs/NIEs)と呼ばれたことが示す通り、当時は工業化こそ経済成長という認識が存在した。その後、ラテンアメリカNIEsは累積債務問題に苦しみ、ヨーロッパのNIEsは観光を中心とする成長に転換していった結果、アジアNIEsに関心が収れんした。一九九三年に世界銀行が出版した『東アジアの奇跡』では、高実績アジア経済として、日本、韓国、台湾、香港、シンガポール、マレーシア、タイ、インドネシアが挙げられた(世界銀行 一九九四)。

ゴールドマンサックスの報告書が新興「市場」という言葉を使ったことに示す通り、二一世紀初頭の関心は先進国にとっての新たな投資機会であった。しかしながら、中国の現状変更的な姿勢が示すように、新興「市場」を擁する諸国は国際政治上のアクターとして存在感を示すに至った。本稿は、国際政治経済の客体と思われがちな新興市場や新興経済ではなく、国際政治経済の主体としての新興「国」に注目する(Shiraishi and Sonobe 2019)。

アジア新興諸国

新興国についての一致した定義はない。共通するのは、先進国には見られない高い経済成長率、経済規模の大きさからくる世界経済への影響、さらに急速な変化に起因するリスクに対する関心の三つである。新学術領域研究「新興国の政治と経済発展の相互作用パターンの解明」で政治経済班を代表した恒川は、経済規模の大きさの目安として、米国の一％以上という基準を設定し、経済成長率そのほかの数値を参考にして二〇一四年までの時点における新興国として二八カ国を挙げた(Tsunekawa 2019)。世銀およびアジア開発銀行(ADB)のデータにより、一九九〇年から二〇二〇年までの時期について、恒川の指標を使うと、世界全体で二五カ国(台湾と香港を含む)を抽出できる。そこから、しばしば先進国の指標とされるOECD加盟国(二〇二一年時点)を除くと一七カ国となる。これら諸国を経済規模の大きい順に並べると、中国、インド、インドネシア、台湾、ナイジェリア、タイ、エジプト、イラン、アラブ首長国連邦、フィリピン、マレーシア、シンガポール、パキスタン、香港、バングラデシュ、ベトナムとカザフスタンとなり、一四カ国が広義のアジアに含まれる。本稿では、これら一四カ国をアジア新興諸国とみなしたうえ、本巻丸川論文と二四巻川島論文で個別に検討される中国を除く一三カ国、特に東南アジア諸国の来歴を振り返る。

なお、東南アジアには、途上国地域ではまれにみる安定的な地域協力枠組みとしての東南アジア諸国連合(ASEAN)があることなどから、アジアを一つの地域とみる見方がある。アジア域内の貿易、投資や人的交流の深まりを考えれば、新興アジアを一つの塊としてとらえる視点の重要性は否定しようがない(末廣 二〇一四)。ただし、本稿ではアジア諸国の共通の経験や相互のつながりに配慮しつつも、諸国の協力関係を必ずしも自明のものとはみなさない。アジア諸国の国際関係を考えるうえでは、協力のみならず競争にも注目する必要があると考えるためである。また、アジアの新興諸国は、二〇世紀には米国市場と、二一世紀にはグローバル・バリュー・チェーンを通じて世界市場とつながることで発展しており、地域としてのまとまりのみならず、各国の開放性もこの地域の特徴である。

二、新興諸国の経済開発

前史としての独立と経済ナショナリズムの時代

アジア新興国の多くは、独立戦争や暴力を伴う政変を経験したこともあり、独立直後には経済運営も過度に政治化した。韓国の李承晩、台湾の蔣介石、インドネシアのスカルノ、あるいはベトナムのホー・チ・ミンなどの指導者は、いずれも戦争指導者の顔を持ち、経済成長よりも祖国統一や独立が重要な政治課題であった。特に冷戦の最前線となった韓国と台湾では、米国からの軍事援助に頼る部分も多く、自国経済の発展よりも援助の維持や援助資金の使途の自由裁量に関心が集中していた。

インドシナを除く東南アジア諸国は、冷戦の最前線に立つことはなかったが、植民地からの独立を経験したことなどから、政治の論理を無視した経済運営は困難であり、経済ナショナリズムが経済運営の基本となった。独立直後の東南アジア諸国の経済を分析したフランク・ゴーレイは、経済ナショナリズムの本質を、経済のパイを拡大するのではなく、パイの取り分を大きくすることに見出した(Golay et al. 1969)。植民地経済の主役は宗主国資本であった。それに加えて、一二巻所収の諸論文が詳述するように、多様な外来者が商業ネットワークの中核を担う場合が少なくなかったが、独立直後の政府はこうした外来の存在を敵視し、外来者の所有が多かった民間資本の国有化を進めた。

さらに、多くの新興独立国の指導者は、一次産品輸出と完成品輸入からなる植民地経済構造を変えるため、輸入代替工業化政策をすすめた。輸入代替工業化とは、それまで輸入に頼っていた工業製品の国内製造を実現するべく、完成品の輸入に高関税を課し、工作機械の輸入には優遇レートを適用して国内の民族資本による工業化を志向する産業政策であった。

輸出の停滞や自国市場の小ささなどの問題に直面し、経済ナショナリズムを追求した多くの諸国は国際収支危機や過度なインフレを経験した。例えば、オランダ資本の国有化と輸入代替工業化を志向したインドネシアは、一九五八年一月を一〇〇とした場合、一九六五年七月の段階で生活費が一万〇一四一とおよそ一〇〇倍にも達し、経済活動は破綻寸前となり、同年のスカルノ政権崩壊の遠因となった(*Ibid.*: 198)。ゴーレイらの著作の主題『東南アジアにおける低開発と経済ナショナリズム』がいみじくも示す通り、この時期の東南アジア諸国は低開発や停滞こそがその特徴であり、その要因として経済ナショナリズムに注目が集まった。

生産性の政治とテクノクラシー

アジアを見るまなざしが停滞から発展へと変わるのが一九八〇年代後半以降である。世界銀行がまとめたように、「東アジアの奇跡」を説明する上では、市場の役割を重視する新古典派アプローチ、政治体制にまで分析対象を広げた修正主義アプローチがある。修正主義アプローチが重視するのは、経済開発における国家の役割を強調する開発国家の議論である。この概念を提唱したジョンソンが説明を試みたのは、欧米の目から見て特異なほど成長した日本の事例であった(ジョンソン 一九八二)。ジョンソンの事例分析には、明治以来の官僚機構の発展を辿る歴史研究の要素もあるが、開発国家の概念を提示する際に念頭にあったのは米ソという同時代の経済大国であったため、開発国家論は、日本の異質性を強調する議論と親和性を持つことになった。

他方、世界銀行報告書の著者たち自身は、二つのアプローチの中間として、自らのアプローチを「市場友好的」アプローチと呼んだ。報告書の著者たちは、高実績アジア経済は、基本的に市場経済の役割を重視しながらも、政府が適切な人的資本への投資(教育機会の拡充)、民間企業の競争的な環境の整備、国際貿易の開放性の維持やマクロ経済の安定等に責任を持った点に注目した。換言すれば、政府が市場メカニズムを理解し、促進した点を重視した。

こうした漸進的な改革を可能にしたのは、独立直後の政治指導者が相次いで退き、新たな政治指導者の下で「生産性の政治」が広まったためともいえる。生産性の政治とは、階級対立やエスニシティの違いが政治化するのを避けるべく、経済成長によって対立を相対化する試みである(Maier 1978, 白石 二〇〇〇)。独立直後の新興アジアの指導者たちが経済ナショナリズムに基づいて経済政策運営を政治化したとすれば、次の世代の指導者たちは経済政策運営を漸進的に脱政治化したといえる。

日本の高度経済成長に続き、韓国と台湾では、それぞれ「漢江の奇跡」や「台湾奇跡」と呼ばれるような経済成長を実現した。韓国では、一九六一年に政権を取った朴正熙大統領の下、厳しい輸出促進策が採られた。政府による輸出促進は、輸出実績を政府からの投資資金提供に連動することで、政府主導の企業間競争を作り出した(世界銀行 一九九四)。他方、台湾においても、一九六五年の高雄における輸出加工区設置にみられるように、一九六〇年代に経済改革が進んだ。台湾政府内部でこうした改革の実務を担ったのが李国鼎らの開発官僚であった。李国鼎は、経済部長と財政部長を歴任し、KT派と称されるような開発官僚閥を率いた(田島 一九九八)。

日本、韓国と台湾が政府主導の産業政策を重視したのに対し、東南アジア諸国は、欧米の大学院で経営学や経済学などを学んだテクノクラートによるマクロ経済管理と海外直接投資の誘致が経済政策の中心となった。東南アジアにおいて改革の先陣を切ったのは、一九五七年に世界銀行の助言を仰いだタイであった。タイの改革の中心にいたのが、タイ国立銀行総裁となるプオイ・ウンパコーンである。総裁就任後も、産業投資奨励法の制定と実施、さらに国家経済開発庁の運営にも辣腕を発揮した。プオイは後進の育成にも励み、欧米留学のための奨学金を用意し、中央銀行、財務省や首相府直轄の国家経済社会開発委員会と予算局などに専門知を蓄積したテクノクラートが結集する礎を築いた(Suehiro 2005)。一九六〇年代以降、当時西側陣営に属した東南アジア諸国の多くがテクノクラートを重用し、経済政策運営を合理化していった(東京大学社会科学研究所 一九九八)。

経済開発に関するいくつかの誤解

東アジアとラテンアメリカを比較して、前者が輸出志向で後者が輸入代替工業化を重視したとする見方も根強いが、これは事実認識の上で問題がある。実際には、いずれの地域においても輸出志向と輸入代替の双方が追求された。アジア新興国とラテンアメリカ諸国との間の発展経路の違いが顕在化したのは一九八〇年代であった。第一次石油危機後、米国系商業銀行の支店網が張り巡らされていたラテンアメリカの主要国には、ユーロダラー市場からの資金が流れ込んでいた。しかしながら、第二次石油危機により先進諸国の景気が後退、先進諸国の利上げの結果、国際金利が上昇し、ラテンアメリカ諸国の債務の継続性に疑問符が付き始めた。一九八二年にメキシコで債務危機が発生すると、ラテンアメリカ諸国の多くが累積債務問題に苦しむようになり、一九八〇年代はラテンアメリカにとっての失われた一〇年となった。後にアジア金融危機の際に批判されるワシントン・コンセンサスという政策パッケージは、こうしたラテンアメリカの経済危機に対する処方箋であった(バルマー＝トーマス 二〇〇一)。

また、この時期に経済成長を実現した諸国の多くが権威主義体制であったことから、権威主義体制が経済成長の基盤であるという主張がなされることがあるが、政治体制と経済成長との関係は単純ではない。二一世紀に入ってからの中国の経済的台頭は、権威主義体制と経済成長を安易に結びつける議論を喚起しているものの、そもそも同じ権威主義体制下の毛沢東時代の経済的な困窮を無視した立論であり根拠に乏しい。東南アジアの事例でいえば、独裁体制を築きながら、経済が崩壊の瀬戸際に至ったフィリピンの事例がある。経済成長を実現した一部の国が権威主義体制をとっていたからといって、権威主義体制をとれば全ての国で経済成長が実現することはない。

三、地域化とグローバル化

民間企業主導の地域化とアジア太平洋経済圏の興隆

アジア新興諸国の繁栄の特徴は、一国の繁栄のみならず、複数の国々が連続的に発展した点にある(末廣 二〇一四)。かつてアジアの発展経路は、雁の群れに着想を得て雁行形態論と呼ばれた。雁行形態論が想定したのは完成品の輸出競争力の盛衰であったが、工業化の進展により、部品や加工品の国際貿易を前提とした製造工程の分業(フラグメンテーション)が起きると、生産ネットワーク論、さらにはグローバル・バリュー・チェーン論が支配的となった。一つの製品を製造するための企業内貿易や産業内貿易が増加した結果、アジア諸国の主要な貿易相手が同じアジア諸国となる「アジア化するアジア」と呼ばれる現象が生じた(末廣 二〇一四、大泉・後藤 二〇一八)。

ただし、「アジア化するアジア」のきっかけはアジアの外で起きていたことも重要である。一九八〇年代、米国市場が重要市場であり、安全保障を米国に頼る日本にとって、対米関係の管理は極めて重大な課題であった。当時の米国は、貿易収支と財政収支のいずれも赤字という双子の赤字に苦しんでいた。一九八五年、米国ニューヨークのプラザホテルにおいてG5の蔵相が為替レートの調整に合意、一九八五年は一ドル二三九円だったものが、九〇年には一四五円、九五年には九四円となった(大泉・後藤 二〇一八:三五頁)。

こうした円高の結果、米国向け製品を作っていた国内製造業の国際競争力は激減し、米国や東南アジア諸国への海外直接投資が急増した。その結果、既に輸出加工区などの経済特区を整備し、政情も安定していたタイ、マレーシアやインドネシアなどへの投資が加速し、東アジア地域は部品資材の貿易が増大し、生産ネットワークが張り巡らされることとなった。また、一九九〇年代前半に再度の円高に見舞われると、中国沿岸部やフィリピンなどの地域にも日本企業の進出が進んだ。こうした生産ネットワークの生み出す最終財が、米国市場を主な輸出先としたことにより、アジア太平洋経済圏が出現した。

地域化と地域主義

G5の為替調整の結果生産ネットワークが広がったことに見られるように、アジア太平洋地域の統合は、地域主義のような政治的な意志に基づくものではない。そもそもASEANは、一九六七年の発足当時ぎくしゃくしていた東南アジア諸国間の対立の回避、信頼の醸成の必要性に加え、国際社会への復帰を意図するインドネシアなど、各国それぞれの異なる思惑の下に成立した(山影 一九九一)。

民間企業による海外直接投資と、部品や資材の貿易を軸とする地域統合について、政治学者は地域化、経済学者は事実上の(デファクトの)地域統合と呼び、欧州に見られる政治的な意志としての地域主義や法に基づく(デジュール)地域統合と区別した(Katzenstein and Shiraishi 1997)。

地域協力の枠組み作りが進まなかったことは、一九九七年のアジア通貨危機に際し、危機の原因分析と、復興に向けた足並みの乱れにも顕著に表れた。米国は、ラテンアメリカの経済危機の経験から類推して、政府の放漫財政や地縁・血縁を重視する商慣行がもたらすコーポレートガバナンスの不全などを問題視、危機はアジア経済の構造、いわゆる政商(縁故)資本主義(crony capitalism)に起因すると主張、構造改革を強硬に主張した。他方、日本政府は、危機は一時的な流動性不足によるものと主張、米国と対立するのみならず自ら行動を起こした。例えば、「新宮澤構想」は日本からの二国間援助だけでアジアの五カ国に総額三〇〇億ドルを供与するものだった(榊原 二〇〇五:七七―七八、一九七―二〇三頁)。

結果としてみると、アジア通貨危機は、東南アジア諸国と北東アジア三カ国との結びつきを強めた。二〇〇〇年五月、ASEANプラス3(日中韓)会合において、チェンマイイニシアティブ(CMI)の結成が決まったが、これは通貨危機時の一時的な流動性危機に対応するための国際協力の枠組みであり、日本政府の処方箋に沿う地域協力枠組みの結成であった。二〇一〇年には、二国間取り決めの束であったものを、多国間の取り決めであるCMI・マルチラテラリゼーション(CMIM)に再編した。さらに二〇一一年には、ASEANプラス3諸国のマクロ経済動向を監視するASEANプラス3マクロ経済研究所(AMRO)がシンガポールに発足し、地域における金融協力を支える制度作りが進んでいる(アジア開発銀行 二〇二二:二二、三三九頁)。

アジア諸国の法に基づく地域統合(地域主義)は、事実上の経済統合(地域化)を後追いする形で進んだ。実際、ASEAN自由貿易地域創設の目標は一九九二年に掲げられたが、先発の六カ国で関税が原則撤廃されたのは二〇一〇年、後発四カ国の撤廃は二〇一八年であった。その間、ASEANと中国(二〇〇五年)、韓国(二〇〇七年)、日本(二〇〇八年)、そしてインド、豪州、ニュージーランドとは二〇一〇年にFTAが順次発効した。さらに、二〇一五年には経済共同体を含むASEAN共同体を発足させ、二〇二二年には、ASEANとの二国間FTAが発効している上記の六カ国に声がけする形で議論の始まった地域的な包括的経済連携協定(RCEP)が成立した。ただし、RCEP交渉の最終段階でインドが離脱したように、この地域の経済統合は枠組みありきというよりは、事実上の経済統合の有無に大きく左右されてきた。また、二〇二二年時点の「環太平洋パートナーシップに関する包括的及び先進的な協定」(TPP11)に署名した東南アジア諸国は、シンガポール、ブルネイ、マレーシアとベトナムにとどまることに見られるように、東南アジア各国の自由貿易協定に対する立場は一枚岩ではない。

政府に求められる専門知

アジア通貨危機の当時、米国政府が指摘した構造問題について、新興国の政策当事者自身こそが問題意識を持っており、漸進的であっても改革を進めている。例えば、アジア通貨危機からの二〇年を考えると、有力な経済閣僚は、多くの東南アジア諸国で政権交代を経た後にも新政権に残留あるいは再任されてきた。

政治的な党派性を超えて経済政策運営にかかわった代表的なテクノクラートは、タイのソムキット・チャトゥシピタックである。ソムキットは、米国ノースウェスタン大学ケロッグ経営学院で博士号を取得し、タイの名門チュラロンコーン大学の研究者としてキャリアを歩み始めた。その後は、ビジネスにもかかわりつつ、後に首相となるタクシンの側近として閣僚アドバイザーを務め、通貨危機直後の一九九八年には同氏と共にタイ愛国党を結党、タクシン政権発足後は、財務相や商務相を務めた。後に副首相となると、同政権の経済政策運営の要となった。タクシン政権について、とかくポピュリスト的なバラマキが強調される傾向があるが、発足当初は、企業経営の論理を国家経営に導入する統治スタイルが注目されていた。このスタイルを作る際に参照されたのが、ソムキットの著作『タイ国家社会論』であった(末廣 二〇〇八)。ソムキットは、クーデターによりタクシン政権が崩壊した後の二〇〇七年、軍により経済政策を担当する委員に任命され、二〇一四年に発足したプラユット政権では、二〇二〇年まで副首相として経済政策を担当し、東部経済回廊開発などを指揮した。

インドネシアにおいては、スリ・ムルヤニの来歴が興味深い。米国イリノイ大学で財政学を専攻し、博士号を取得し、インドネシア大学で教鞭をとったのち、国家開発計画省の長官を務めた。二〇〇五年にスシロ・バンバン・ユドヨノ政権で財務大臣に就任し、経済調整担当大臣を兼務し、経済政策の司令塔となった。政府債務の圧縮、国債の格付け改善、汚職撲滅、さらには税収増のために辣腕を発揮した(佐藤 二〇一一)。ユドヨノ政権で有力政治家と衝突した後、二〇一〇年に世界銀行専務理事に転出、二〇一四年にジョコ・ウィドド政権が発足した後も世界銀行にとどまっていたが、二〇一六年の同政権の内閣改造に伴って財務相に復帰、就任直後から、資産を海外に秘匿する可能性のある富裕層に対する恩赦措置などを実施して税収の増大に努めている。

フィリピンのロドリゴ・ドゥテルテ政権については、大統領の人権軽視や報道機関への弾圧に注目が集まった一方、経済運営では、それ以前の政権からの継続性が顕著であった。財務大臣カルロス・ドミンゲスと予算管理大臣のベンジャミン・ジョクノの二人は、以前の政権の閣僚経験者である。また、発足当初の国家経済開発庁長官（社会経済計画大臣兼任）だったアーネスト・ペルニヤは、米国カリフォルニア大学バークレー校で経済地理学の博士号を取得、フィリピン大学経済学部やアジア開発銀行などに勤務した。ジョクノとペルニヤは、二〇〇四年、当時のグロリア・マカパガル・アロヨ政権に対して財政危機を訴えた政策提言論文『深化する危機』の共著者であったし、ペルニヤの後任となったカール・チュアは、研究助手として『深化する危機』作成に加わった。ドゥテルテ政権は、税制改革、ビジネス環境整備のための法整備、長年の課題となっていた米の輸入の数量規制の撤廃などに取り組んだ。ドゥテルテ政権の経済改革を支える経済チームには、大統領交代とは関係なく、フィリピン経済の運営に何らかの形でかかわってきた人々の声が反映されていた（Takagi 2023）。さらに、二〇二二年六月に発足したフェルディナンド・マルコス政権では、ベニグノ・アキノ政権で国家経済開発庁長官を務めた経済学者のアルセニオ・バリサカンが同じポストに再任され、前述のジョクノが財務大臣に任命されるなど、経済政策運営を担う人材からは変化よりも継続を重視する姿勢が明白である。

いずれにも共通するのは、米国の有力大学に学び、大学で教鞭をとれるだけの専門知を有することと、多国籍企業や国際機関の指導者と直接渡り合える国際性である。政治体制の変動や、与野党が逆転するような政権交代があっても、こうした経済閣僚が必要とされる背景には、様々なグローバル・バリュー・チェーンを通じて国際経済に深く結びついた新興国経済の実態がある。

グローバル化

漸進的な改革により、アジア諸国の特徴は「低開発」からグローバル経済の中で躍動する「新興経済」に代わった。貿易面では「アジア化するアジア」が顕著な一方、直接投資の出し手という意味では米国の存在は無視できない。中国の台頭がもはやニュースですらなくなった二〇一九年と二〇二〇年でさえ、投資に関しては米国が最大の出し手であることに変わりはない。ASEAN投資報告書によれば、ASEANへの投資の出し手上位五カ国は、二〇一九年には、米国（三四六億ドル）、日本（二三九億ドル）、シンガポール（一五七億ドル）、香港（一二九億ドル）とカナダ（一〇一億ドル）、二〇二〇年には、米国（三四七億ドル）、シンガポール（一四〇億ドル）、香港（一二〇億ドル）、日本（八五億ドル）と中国（七六億ドル）である。いずれもフローの数字であり、ストックで見れば二〇一八年時点の米国の投資は三三九〇億ドルとなり、日本、韓国と中国を合わせた額を凌いでいる（Shambaugh 2021: 78）。

ただし、このことがアメリカ単独の経済覇権を意味するわけではなく、世界経済の安定には先進国と新興国の協力が不可欠になりつつある。リーマン・ブラザーズ破綻から三カ月後の二〇〇八年一一月には、ワシントンDCで初のG20首脳会合が開催され、G7だけが世界経済の重要問題を議論する場である時代の終わりを象徴した。G20は、一九九九年、アジア通貨危機の経験を踏まえて新興国を加えた二〇カ国の財務大臣・中央銀行総裁が金融システムの安定について議論する場として発足した。アジア太平洋地域から、中国、インド、韓国、インドネシアとオーストラリアが加わり、中南米からメキシコ、ブラジルとアルゼンチンが加わった。さらに中東からサウジアラビア、アフリカからは南アフリカが加わった。二〇カ国の選出にあたっては一定の地域的な配慮がなされたというが、アジア通貨危機がG20発足の契機であるように、アジアにおける新興国の台頭がG7諸国にとっても重大な関心事項であることに変わりはないだろう（アジア開発銀行 二〇二一：三四〇頁）。

都市化と中間層の拡大

新興国の発展は、都市化と共に生じてきた。例えば、一九五〇年代の東・東南アジアの都市人口比率は一七・四％だったが、二〇一五年には五六・五％に達している（遠藤・大泉 二〇一八：一六二頁）。新興国化に伴い、アジア諸国は農村中心社会から都市中心の社会に変貌した。かつては都市におけるインフォーマル経済の拡大、失業者の増大、スラム化や貧困など、工業化を伴わない過剰都市化が問題視されていた。こうした問題は残るものの、特に一九八〇年代以降は、工業化の進展とサービス産業の拡大に伴い、生産と消費の中心としての都市に注目が集まっている（遠藤・大泉 二〇一八）。

都市化のインパクトについて、都市とその近郊がそれ以外の地域とは全く異なる経済水準に達したことが示唆的である。例えば、二〇一九年のタイにおいて国全体の一人当たりGDPは七八五二ドルだが、バンコク首都圏に限れば一万五二六七ドルとなる（Asian Development Bank 2021 およびタイ国家経済社会開発庁資料より算出）。同じく、二〇二〇年のインドネシアの国全体でみると一人当たりGDPは三九〇四ドルだが、ジャカルタ特別州のみに限れば、およそ一万七八六〇ドルとなる（Asian Development Bank 2021 およびインドネシア統計庁資料より算出）。世界銀行の区分を使えば、タイもインドネシアも高位中所得国であるが、首都圏は既に高所得国化している。

都市の経済成長は、集積（アグロメレーション）の結果として説明される。分割された製造工程の一部が、特定の地域に集中して発展することを言う。その原理は、特定地域に生産が集中すれば、生産に必要なインフラ、情報や労働者が集中するため、生産コストが低下するという規模の経済である（遠藤・大泉 二〇一八）。

都市の経済成長の結果、都市中間層は重要な国内市場を形成するようになった。アメリカのシンクタンク東西センターは、一日あたりの家計支出が一〇ドル以上一〇〇ドル未満の家計を中間層として、二〇一〇年と二〇三〇年の状況を算出した（East West Center 2021）。それによれば、二〇一〇年現在で九一〇〇万人いるASEANの中間層は、二〇三〇年には三億三四〇〇万人に増大するという。人口比に直すと、二〇一〇年には二四％だった中間層が、二〇三〇年には五一％に達することになり、ASEAN全体では中間層が人口の多数を占めることになる。中国とインドの中間層も同期間に大幅に増加する一方、アメリカ、EU、日本はむしろ中間層が減少する。先進国では中間層の落ち込みが論じられる一方、アジアでは中間層が増大することを裏付けている。

デジタル化

二〇世紀末から二一世紀初頭にかけての新興国の台頭は、情報通信技術の発展に伴う製造業のサービス化と経済全体のデジタル化を伴う点に特徴がある(伊藤 二〇二〇)。経済のデジタル化は、「通信インフラと端末の普及、それにともなう起業環境や労働市場の変化」を指す(同：一五頁)。経済のデジタル化と工業化の違いの一つは、経済成長を生み出す地理空間がグローバル化する点にある。工業化の場合、生産ネットワークの展開は中間財等の物理的な輸送コストが問題となるが、デジタル化の場合、インターネット環境と人材があれば地球上のどことでもつながりうる。また、デジタル化のような技術革新は、新興国において先進国と異なる蛙飛び(リープフロッグ)のような発展経路を生み出す。例えば、固定電話が普及する前に携帯電話が普及したように、銀行口座が普及する前に電子決済網が広がりつつある。

特筆すべき事例としては、カンボジアにおける中央銀行デジタル通貨「バコン」がある(宮沢 二〇二〇)。もともと、自国通貨よりも米ドルの信用が強いカンボジアの金融当局は、自国通貨の流通量を増やすことなどを目的に中央銀行デジタル通貨の発行を計画し、日本のベンチャー企業ソラミツに業務を依頼した。二〇二一年に発行されたバコンは、現在までのところ世界最初の中央銀行デジタル通貨と考えられる。スマートフォンを通じた決済、送金ができることから、銀行口座の普及が進まないカンボジアの金融包摂にも貢献している。このバコン開発を支えたのは、日本企業であるが、創業者は日本に帰化する前はアメリカ人であった。また、開発チームの一部はロシアで活動している。バコンはまさにデジタル化により地理的な制約を超えた技術革新の事例といえる。

おわりに

二〇世紀の歴史を振り返れば、新興諸国の台頭は、経済運営における専門知の重視が大きな要因となった。二一世紀に入り、G7がこれまでのような経済成長を実現することは考えられず、中国ですら高齢化に直面することを考えれば、インドやフィリピンのような若年人口の多いアジア新興諸国、さらに若いアフリカ諸国の発展に対する期待が高まる。グローバル化の負の側面よりも正の側面を多く感じるアジア新興諸国においては、欧米で見られるような移民排斥や反グローバリゼーションを唱えるポピュリスト指導者も、少なくとも今のところは台頭していない。

しかしながら、サービス化とデジタル化による経済成長は、工業化のような雇用機会の増大に結びつくとは考えにくい。さらに、都市化と経済成長が結びつく中、周縁との格差は拡大しつつある。国全体で高所得国化する前に高齢化が進みつつある状況への対応策は、必然的に政治化せざるを得ないだろう。他方、格差是正に対する不満は、一部の政治指導者の強権的な振る舞いを正当化する口実となる側面もある。また、デジタル化の負の側面としてフェイクニュースの蔓延も懸念される。それらの結果として経済運営まで合理性を失えば、繁栄の土台を切り崩すことにもなりかねない。テクノクラシーを通じて専門知から政治を切り離した新興諸国は、かつてとは異なる形で専門知を政治の中に埋め込むことが必要ではないだろうか。

また、本稿で触れなかったアジア新興諸国発展の基礎として、この地域の政治的な安定がある。一九七五年のベトナム戦争の終結、さらに一九九一年のカンボジア和平の実現以降、この地域で国家同士がぶつかる戦争は起きていない。しかしながら、米中対立は、この地域の繁栄の土台を揺るがしかねない。アジア諸国の間には、各国の相互理解を深める仕組みが不十分なままである一方、先進国だけが世界政治をけん引する時代は終わった。国内の経済開発に集中してきたアジア新興諸国が地域の平和と繁栄に政治的な意思を示すことができるかが問われている。

参考文献

アジア開発銀行(二〇二一)『アジア開発史——政策・市場・技術発展の五〇年を振り返る』澤田康幸監訳、勁草書房。

伊藤亜聖(二〇二〇)『デジタル化する新興国——先進国を超えるか、監視社会の到来か』中央公論新社。

遠藤環・大泉啓一郎(二〇一八)「都市化するアジア——メガリージョン化する都市」遠藤環他編『現代アジア経済論——「アジアの世紀」を学ぶ』有斐閣。

大泉啓一郎・後藤健太(二〇一八)「アジア化するアジア——域内貿易と経済統合の進展」遠藤環他編『現代アジア経済論——「アジアの世紀」を学ぶ』有斐閣。

榊原英資(二〇〇五)『日本と世界が震えた日——サイバー資本主義の成立』角川ソフィア文庫。

佐藤百合(二〇一一)『経済大国インドネシア——二一世紀の成長条件』中央公論新社。

ジョンソン、チャーマーズ(一九八二)『通産省と日本の奇跡』矢野俊比古監訳、TBSブリタニカ。

白石隆(二〇〇〇)『海の帝国——アジアをどう考えるか』中央公論新社。

末廣昭(二〇〇八)「経済社会政策と予算制度改革——タックシン首相の「タイ王国の現代化計画」」玉田芳史・船津鶴代編『タイ政治・行政の変革　一九九一—二〇〇六年』アジア経済研究所。

末廣昭(二〇一四)『新興アジア経済論——キャッチアップを超えて』岩波書店。

世界銀行(一九九四)『東アジアの奇跡——経済成長と政府の役割』白鳥正喜監訳、東洋経済新報社。

田島俊雄(一九九八)「中国・台湾二つの開発体制——共産党と国民党」東京大学社会科学研究所編『二〇世紀システム4　開発主義』東京大学出版会。

東京大学社会科学研究所編(一九九八)『二〇世紀システム4　開発主義』東京大学出版会。

ハルパー、ステファン（二〇一一）『北京コンセンサス――中国流が世界を動かす？』園田茂人・加茂具樹訳、岩波書店。

バルマー＝トーマス、ビクター（二〇〇一）『ラテンアメリカ経済史――独立から現在まで』田中高他訳、名古屋大学出版会。

宮沢和正（二〇二〇）『ソラミツ――世界初の中銀デジタル通貨「バコン」を実現したスタートアップ』日経BP。

山影進（一九九一）『ASEAN――シンボルからシステムへ』東京大学出版会。

ASEAN (2021), *ASEAN Investment Report 2020-2021: Investing in Industry 4.0*, Jakarta: ASEAN Secretariat.

Asian Development Bank (2021), *Key Indicators for Asia and the Pacific 2021* (https://www.adb.org/publications/series/key-indicators-for-asia-and-the-pacific)最終閲覧日二〇二二年一月一〇日。

East West Center in Washington (2021), *ASEAN Matters for America/America Matters for ASEAN*, Washington: East-West Center.

Golay, Frank H. et al. (1969), *Underdevelopment and economic nationalism in Southeast Asia*, Ithaca: Cornell University Press.

Katzenstein, Peter J. and Takashi Shiraishi (eds.) (1997), *Network Power: Japan and Asia*, Ithaca: Cornell University Press.

Maier, Charles S. (1978), "The Politics of Productivity: Foundations of American International Economic Policy after World War II", P. Katzenstein (ed.), *Between Power and Plenty: Foreign Economic Policies of Advanced Industrial States*, Madison: The University of Wisconsin Press.

Shambaugh, David (2021), *Where great powers meet: America & China in Southeast Asia*, Oxford: Oxford University Press.

Shiraishi, Takashi and Tetsushi Sonobe (eds.) (2019), *Emerging States and Economies: Their Origins, Drivers, and Challenges Ahead*, Singapore: Springer.

Suehiro, Akira (2005), "Who Manages and Who Damages the Thai Economy? The Technocracy, the Four Core Agencies System and Dr. Puey's Networks", T. Shiraishi and P. N. Abinales (eds.), *After the Crisis: Hegemony, Technocracy and Governance in Southeast Asia*, 京都大学出版会。

Takagi, Yusuke (2023), "Technocracy and Populism in the Philippines", M. Feldmann and G. Morgan (eds.), *Business Elites and Populism: The Odd Couple?*, Oxford: Oxford University Press.

Tsunekawa, Keiichi (2019), "Globalization and the Emerging State: Past Advance and Future Challenges", T. Shiraishi and T. Sonobe (eds.), *Emerging States and Economies: Their Origins, Drivers, and Challenges Ahead*, Singapore: Springer.

UNCTAD (2021), *World Investment Report 2021*, Geneva: United Nations.

コラム｜Column

開発独裁

玉田芳史

開発独裁は、経済成長を最優先目標に掲げ、その実現のためには政治の安定が不可欠と主張して国民の政治的な権利や自由を厳しく制限する権威主義体制を指す。日中韓と東南アジアをあわせて東アジアと呼ばれる地域には、一九六〇年代から九〇年代にかけて、反共産主義の権威主義政権のもとでめざましい経済成長を遂げた国が多い。

典型は、タイのサリット政権(一九五八年—)、韓国の朴正熙政権(一九六一年—)、インドネシアのスハルト政権(一九六八年—)といった軍事政権、さらにフィリピンのマルコスの戒厳令体制(一九七二年—)である。台湾、シンガポール、マレーシアも開発独裁と見なされることがある。

世界銀行が一九九三年に『東アジアの奇跡——経済成長と政府の役割』を刊行し、「奇跡」と形容したように、独裁が開発に必ずしも成功するわけではない。東アジアではフィリピンが顕著な失敗例であった。独裁は開発の必要条件でも十分条件でもない。開発は独裁を正当化するための口実にとどまることもあった。

東アジア諸国の大半は一九四五年以後に植民地から独立した。独立当初に目指されたのは、民主的な政治体制による国民国家建設であった。新興独立国は、植民地時代に収奪されたという認識から、外資への警戒感が強く、排外的な経済ナショナリズムによって国民生活の改善を図るべく政府が経済に関与しようとした。しかし、資本・技術・人材などの不足が、さらに戦乱や政権の腐敗が、邪魔をした。

一九四九年の中華人民共和国の成立と翌年の朝鮮戦争の勃発を受けて、アメリカは共産主義の封じ込めに一段と熱心になった。アメリカは権威主義政権に対して軍事援助で梃子入れをする一方、共産主義に対抗する豊かさをもたらす経済運営能力も期待した。経済の混乱や国民の窮乏は、共産主義への招待状となりえたほか、一九五〇年代後半にソ連が勢力拡大のために途上国向けの開発援助を増やしたからであった。アメリカは自国企業の進出を助けようとする思惑もあって途上国に経済ナショナリズムを放棄して外国からの投資に門戸を開くように求めた。

途上国が経済発展や工業化を目指して開発政策を推進するには、専門的な知識や技能を備えたテクノクラートが必要であった。彼らは、経済開発計画の立案や実施、開発を促進する法律の整備、開発資金の効率的な管理運営などを担当した。それに加えて、政府は外資を呼び込むために、労働運動に規制を加えた。

開発独裁は、経済特区や工業団地に集中しがちな工業化だ

サリットがタイの東北地方開発拠点として建設したコーンケーン県の県都中心部にある銅像（タワッチャイ・ウォーラキッティマーリー氏撮影）

けではなく、農村部でも灌漑、電気、道路、学校、保健所などの生活基盤の整備を進めた。これは、開発の恩恵を国民に実感させ、独裁の正当化を図るためであった。

　タイの例をみてみよう。この国は一九世紀に植民地化を免れ、絶対君主制が成立した。独立国とはいえ、植民地と大差がない政治経済状況に不満を抱く人民党が一九三二年に革命を敢行して、立憲民主主義を導入し、タイ人のためのタイ経済を謳って政府主導の殖産興業に乗り出した。しかし、四半世紀後には開発独裁が始まり、経済ナショナリズムを放棄した。

　経済政策の転換は、冷戦と国内の権力闘争に起因していた。権力闘争は君主制の復権と関連していた。対日協力ゆえに一九四四年に失脚していた人民党の軍指導者ピブーンは、冷戦下の四八年に首相に復帰した。ピブーンはアメリカからの軍事援助を切望しており、五〇年に率先してベトナムのバオ・ダイ政権承認と朝鮮戦争への派兵を決めた。アメリカは同年タイと経済技術協定や軍事援助協定を締結し、五四年に東南アジア条約機構（SEATO）の本部をタイにおいた。

　陸軍司令官のサリットは一九五七年と翌年にクーデタを繰り返して、純然たる軍事政権を樹立した。サリットは、アメリカを安心させて軍事援助を引き出すために、五八年クーデタ直後に共産主義者を多数逮捕したり、中国との関係を冷却させたりした。この親米軍事政権は六〇年代に、アメリカのベトナム戦争に深く関与することになる。

　サリットは政治的正統性を、立憲民主主義に代えて、経済開発と君主制に求めた。一方で、外資に門戸を開いて経済発展を目指そうとした。一九六〇年代には日本からの投資が急増して、工業化が進んだ。他方で、防共の象徴となる君主制の権威強化に尽力し、その君主からの支持で独裁を正当化した。一九六五年から武装闘争を始めていたタイ共産党は、七五年のベトナム戦争終結で攻勢を強めたものの、七八年からのベトナム軍のカンボジア侵攻でポル・ポト派を助けるようとする中国から支援を打ち切られたため、八〇年代初めに壊滅した。国境に迫っていたベトナム軍も八〇年代後半には撤退した。冷戦が終わると、開発独裁は高度成長と君主制の絶大な権威へと結実した。この果実は九七年のアジア通貨危機で揺らぐことになる。

集点 Focus

中国の変貌と大国への道

丸川知雄

一九七八年の中国はとても苦しい状況にあった。

一九六六年から一〇年間続いた「文化大革命」のもとで経済の停滞と社会の混乱が続き、人々は困窮していた。一九七八年の時点で総人口の八二%が農村に住んでいたが、そのうちの実に九七・五%が貧困だった。ちなみに、ここでいう貧困とは二〇一〇年に定められた貧困線以下の収入しかない人々を指し、その貧困線とは基本的な衣食住および医療、義務教育を賄えるだけの収入を意味する。一九七八年当時の貧困線はそれよりもずっと低くて、一日に二一〇〇キロカロリー摂取できる収入と定義されていたが、農村人口の三一%がその水準以下の収入しかなかった。端的に言って農村人口の三割ほどは飢えていたのである。

都市の住民とて貧困なことには変わりはなかった。都市の人々には食料などの配給があったので最低限の生活は保たれていたものの、例えば綿布の配給は一人当たり年間五・三―六・六メートルであった(陳 二〇〇七:九頁)。既製服を買うのにもこの配給枠のなかでしか買えなかったので、年に三着も服を買えばもうおしまいである。賃金は長い間上がらない一方、物価は若干上昇したので、一九七七年の賃金水準は五七年に比べて実質で一五%も下がっていた(丸川 二〇二一:五四頁)。

そうした都市の困窮に輪をかけたのが農村に送り込まれていた青年たちの帰還である。文化大革命の初期、社会が混乱して大学入試が実施されなくなり、職場も機能を停止するなか、政府は都市の中卒や高卒の若者たちを「再教育」という名目で農村に送り込み、農業に従事させた[1]。おそらく数年の労働ののちに帰還させるつもりだったのだろうが、多くの若者がそのまま放置され、一九七七年に農村に滞在していた都市の若者の数は八六四万人にも上っていた。翌年から都市への大量帰還が始まったが、都市に戻っても若者たちに職はなく、都市は失業者であふれた。一九七八年には民主化運動が盛んになったが（天児 二〇二一）、その背景には行き場を失った若者たちの不満があった。

国民に貧困を強いることで、政府は国内総生産（GDP）の三割をも国家財政に集中していた（丸川 二〇二一：一三八頁）。その資金は主に工業への投資や軍備に費やされていたが、一九六五年以降、工業でも戦争を強く意識するようになった。アメリカやソ連の侵略を受ける恐れのある沿海部や東北部への新規の投資は控え、内陸部の山あいに、敵の目から隠すように、鉄鋼、化学、兵器などの大工場が建設され、沿海部から数百万人がそこで働くために移住した。しかし、立地条件が余りに悪かったため、なかなか生産が始められなかったり、生産開始にこぎつけても効率が悪かったりした。

このように一九七八年の中国は、長年の歪んだ体制のため、どこから手を付けていいのかわからないほどの苦境にあった。ただ、そこから抜け出すために為政者たちが採った政策はシンプルなものであった。第一に、労働者と農民たちに対する報酬を引き上げること、第二に、生産性を引き上げるために役立ちそうなことを何でも試してみることである。中国が工業の生産性を引き上げるためにまずとりかかったのが外国からの設備の導入であった。

一、対外開放政策の始まり

中華人民共和国時代の外国の設備導入には四つの波があった。第一は、一九五〇年代のソ連・東欧からの大規模な設備・技術導入、第二は、一九六三―六六年の日本やオーストリアなどからの小規模な設備導入、第三は、一九七三年からの日本、西ドイツ、フランスなどからの大規模な設備導入、そして第四は一九七八年からのいっそう大規模な設備導入である。

第三の波の時には、主に化学繊維と化学肥料の工場設備の導入が行われた。つまり、衣服の不足を解消するための繊維と、食料を増産するための化学肥料の生産を増やそうとしたのである。こうして、一九六五年から戦争準備に傾斜していた投資の方針を、国民生活の向上を目指す方向へ転換しようとしていた。こうした転換の背景には、一九七二年にアメリカのニクソン大統領が訪中し、日本や西ドイツなどとの国交も回復するなど、西側諸国との関係改善が大きく前進したことがある。

ただ、この第三の波の時は、中国共産党内の政治的対立の影響で建設が妨害されたり、輸送の効率が悪かったりして、工期が伸び、工場が稼働しだしたのは一九七八年以降になることが多かった。

一方、第四の波は、中国の改革開放政策を始動させたという意味で大きな画期となった。中国政府は一九七八年二月に西側先進国からの設備導入によって鉄鋼、非鉄金属、石油化学などの大規模工場を全国各地に築き上げるという壮大な計画を打ち出した。そのなかの最大のプロジェクトが上海宝山製鉄所の建設である。それまでは、内陸にばかり新たな製鉄所が築かれてきたため、上海や周辺地域に鉄鋼を多く使う産業が発達していたにもかかわらず銑鉄が不足し、内陸や東北部から輸送していた。

中国政府はこうした矛盾を打開し、一九六〇年代以来停滞していた鉄鋼技術の向上を実現するために外国からの設備導入を行おうとしたのだが、その協力相手として期待されたのが日本である。というのも日本は一九六〇―七〇年代に新鋭設備を次々と建設して鉄鋼の生産量と生産性を急速に高めたからである(陳 二〇〇七:一四〇―一四四頁)。中国はなかでも新日鉄にターゲットを絞り、君津や大分の最新鋭の鉄鋼設備と同じものを上海・宝山に建設するよう要請した。新日鉄は第三の波の時に武漢に圧延設備を供与しており、その熱心な取り組みが評価されていた。一方、新日鉄としても石油ショック以来、過剰設備に悩んでいた日本の鉄鋼業を再生したいという動機があったし、日本の財界のリーダーとして日中貿易を発展させる起爆剤にしたいという思いもあり、宝山製鉄所建設に対する協力要請に応じた（前田 一九七八）。当時新日鉄会長だった稲山嘉寛は、一九七八年二月に日本側の代表として、中国側と「日中長期貿易取り決め」を締結したが、宝山製鉄所はその第一号案件となった。この取り決めとは、一九七八年から八五年の期間、日本から中国へ設備、技術、建設用資材を一〇〇億ドル輸出し、中国から日本へ原油と原料炭を一〇〇億ドル輸出するというものであった（小島 二〇一二 a）。

この取り決めが示唆するように、中国側は石油・石炭の輸出によって外貨を稼ぎ、その資金で外国から設備を輸入するつもりだった。だが、一九七八年に投資の過熱により輸入が前年より五割も増え、年末には外貨準備の残額が一五・六億ドルになってしまった。この年に外国と契約した工場設備購入契約は総額六〇億ドルにものぼったので、早晩支払い困難に陥ることが明らかであった。翌一九七九年二月には中国側から日本の各社に対して契約発効を見合わせたいという連絡が来た。

日本の各社はすでに設備の製造に入っていたため、急なキャンセルは困るとして日本政府も巻き込んで中国側を説得した。結局、日本輸出入銀行や日本の民間銀行から設備輸入のための資金を中国側に融資することによって中国側にキャンセルを思いとどまらせた（小島 二〇一二 b）。

こうして中国が外国からの借金に踏み切ったことが「対外開放政策」の始まりであった。中国は一九五〇年代にソ連から設備や技術を導入した時もソ連から多額の借金をした。しかし、中ソ対立が始まった一九六〇年以降、中国はソ連から借りた資金を必死に返す一方で、新たに外国から融資、援助、投資を受け入れることはほぼなかった。

だが、所得が極めて低いのに、投資の資金を国内のみから絞り出そうとすれば国民に窮乏生活を強いることになる。

そんな「やせ我慢」はやめて、外国から融資や援助を受けてもいいではないか、という議論が一九七七—七八年には学者や政治家の間から出てきた(前田 一九七八：一八五—一八七頁、関山 二〇一二：一〇九—一一一頁)。こうした底流があったところに一九七九年初めの外貨逼迫が起きたため、中国政府は堰を切ったように外国資金の受け入れに踏み出した。前述のように、日本の銀行から設備輸入のための融資を受け入れ、一九七九年九月には訪日した谷牧副総理が日本政府に対して円借款の供与を要請した。同年七月には広東省と福建省で「特殊な政策と柔軟な措置」をとることを決定し、試験的に「輸出特区」を設置することが決まった。これが翌一九八〇年には「経済特区」と再定義されることになる。同じ七月に中外合資経営企業法が制定され、外国企業の直接投資を受け入れる法的基盤もできた。こうして対外開放政策が一気に滑り出していったのである。

二、委託加工の展開

中国の対外開放政策の中心は外国企業の直接投資の受け入れである。中国はアメリカと並んで世界有数の外国直接投資受け入れ国であり、中国に進出した外資系企業は輸出入や中国での事業活動を通じて中国経済をグローバル経済と結びつけてきた。だが、実は二〇〇〇年代半ばまでは外資系企業よりも委託加工の方が輸出拡大に貢献していた。委託加工こそが中国を「世界の工場」の地位に押し上げたのだ。

委託加工とは、外国のバイヤーが材料(例えば布)を中国の企業に提供し、中国の企業がそれを製品(例えば衣服)に加工して外国バイヤーが引き取り、加工賃を中国の企業に与えるという形態の貿易である。こうした貿易が初めて行われたのは文化大革命たけなわの一九七一—七二年のことであったらしい。日本から中国に合繊の生地を輸出し、中国の工場で縫製した衣服を日本側が買い取るという貿易が実施された。ところが、中国側で生地を輸入する時に関税をかけたので、日本側にとってこの貿易形態にはメリットがなく、そのまま立ち消えになった(上野 一九七九)。本来、委託加工の特徴は、部品や材料の輸入に対する関税などの税金を免除する代わりに、それを加工した製品を全量輸出させるところにある。そうすることで、関税が高い中国のような発展途上国でも、委託加工に従事する企業はあたかも輸出加工区にいるかのように、素材や部品を免税で輸入し、輸出品の生産に勤しむことができる。

そうした本来の意味での委託加工が実施されるようになったのは一九七六年頃からで、香港企業と広東省の企業の間で始まった(楊 一九七九)。一九七八年の時点ではすでに香港企業が広東省の各地で電子時計、録音機、アパレルなどさまざまな製品の委託加工を行っていた。そして、この年に来日した中国の経済代表団は日本の企業にも委託加工を利用して中国で輸出向けの製品を作るよう誘ってきた(藤本 一九七九)。

この頃はまだ委託加工と直接投資との間には一線が引かれていた。加工を受託する中国の工場に適切な機械がないので、外国のバイヤーが例えばミシンを提供するようなこともあったが、その場合には、外国バイヤーから中国の工場に渡す加工賃からミシン代を少しずつ差し引いていき、最終的にはミシンの所有権が中国側に移るようにした。つまり、中国側の工場が分割払いでミシンを買い取る形にするわけである。

ところが、一九八八年に筆者が広東省の珠江デルタ地域にある東莞市でたびたび聞いたのは、外国バイヤーが機械設備一式を無償で提供するケースが増えているということであった。時には外国側が工場の建物まで建ててしまったり、工場で働く労働者の募集や管理まで行うケースもあった。こうなると委託加工と直接投資とは実態においてほとんど差がない(丸川 一九八九)。

だが、こうして外国側が経営の主導権をとっている委託加工工場の多くは外資系企業として法人登記されておらず、名目上は現地の村営企業であった。外国側は従業員に給料を払うほかに、従業員一人当たり一定金額の費用を村に支払う。この費用のなかに、村営企業として納めるべき税金や、従業員の社会保険料、さらに地代に相当する部分まで含まれている。

この摩訶不思議な工場形態が一九九〇年代末には珠江デルタ地域の輸出産業で主流となった。一九九九年に東莞市の統計局が地元産業の実態を解明するために行った調査によると、委託加工企業が市内に八七七一社あって、市内の工業企業の五二%を占め、そこで働く従業員は総勢一〇九万人にのぼり、市の輸出額の四九%を占めていた(東莞市統計局・東莞市企業調査隊 二〇〇〇)。この「委託加工企業」(中国語では「"三来一補" 企業」)は法律上の定めがなく、「名目的には村営企業だが実態としては外国側が経営し、委託加工という貿易形態に従事する企業」と説明する以外にない存在である。これが存在するのは東莞市や深圳市宝安区、龍崗区など広東省の珠江デルタ地域のみであった。

広東省には内陸部などから一五〇〇万人以上(二〇〇〇年時点)の出稼ぎ労働者が流入し、その多くが委託加工工場で働き、隣接する宿舎で暮らしていた。出稼ぎ労働者が次から次へと押し寄せてくるので、珠江デルタ地域の輸出産業の給料は内陸部並みに安かった。一方で、国際貿易港の香港が近いというメリットもあったので、この地域は衣服、電子製品、玩具、家具などの「世界の工場」に成長していった。

委託加工は中国の輸出拡大に大きく貢献し、総輸出に占める割合は一九八六年には一八%だったのが、九〇年には四一%、九六年から二〇〇四年は五五%以上になった。一九八八年から九〇年にかけて中国は激動の時期で、八八年にはインフレの高進によって庶民の不満が高まり、八九年には北京などで大規模な民主化要求デモが発生し、六月に人民解放軍がデモを暴力的に鎮圧する「天安門事件」が起きた。その後は厳しい抑圧によって経済は不況に陥り、多くの国有企業で給料が払えない事態に陥った。中国は西側諸国から経済制裁を受け、日本からの援助も中断された。ところが、珠江デルタの委託加工工場では民主化も経済制裁もどこ吹く風で、相変わらず出稼ぎ労働者たちが輸出製品の生産に励み、そのおかげで激動の時期にも中国の輸出額はハイペースで伸び続けた。民主化運動の鎮圧後、いったん世界に背を向けかけた中国政府も、輸出が成長し続けたことでグローバル化の恩恵を感じ取り、一九九二年以降はむしろいっそうの対外開放を進めた。こうして一九九三年以降の外国企業の直接投資ラッシュを呼び込み、中国経済はグローバル経済とますます緊密に結びついたのである。

三、農業の変革

安徽省における突破

一九七八年から中国の改革開放の時期が始まるが、その初期の段階、すなわち七八年から八五年までの時期に目覚ましい成功を見せたのが農業と農村の改革であった。それまでは人民公社のもとで集団農業が実施されてきたが、農民一人当たりの農業生産は一九五五年が一〇〇とすれば一九七七年は九九、つまり二〇年余りの間まったく上昇しなかったのである。ところが、一九七七年の農民一人当たり農業生産を一〇〇とすると、八五年は一六五と大きく伸びた。これは集団農業をやめて各農家による戸別経営を導入した効果である。

一般に、改革開放政策の起点となったのは一九七八年一二月に開かれた中国共産党第一一期中央委員会第三回総会だと言われる。ところが、意外にもその総会でなされた農業に関する決定では、集団農業を堅持し、「生産請負制は認めない」「田畑を農家に分けて経営させるようなことは許さない」と明記されていた(高原・前田 二〇一四:三八頁)。集団農業から戸別経営への大転換はこの会議で決まったのではなく、一九七八年から八一年にかけての激しい論争と実践のなかで進んだのである。

農業の変革を中心になって進めた一人が当時安徽省の共産党第一書記だった万里であった。彼は一九七七年六月に就任するとさっそく農業の生産向上にとりかかり、一一月には省内の地区や県の党の代表者を集めて農村問題に関する会議を開いた。そこで万里は生産隊(集団農業を担う末端組織)の自主権の尊重や農家による副業の奨励など六項目の提案をしたのだが、集団農業の枠組から一歩も出ない提案であったにもかかわらず、出席者の多くから「こんなのは社会主義ではない」と反発を受けた。実は万里と省農業委員会副主任の周曰礼はさらに生産請負制も提案しようと思っていたのだが、とても言い出せる雰囲気ではなくなってしまった(李 二〇一六:一〇六―一〇七頁)。

翌一九七八年、安徽省は春から八、九カ月も雨が降らないひどい干害に襲われた。万里は九月に緊急会議を開き、「このまま農地を荒れるままに放置したら、来年は生活がさらに苦しくなる。農地を放置しておくぐらいだったら、農民にめいめい麦を植えさせて難局を乗り越えよう」と提案した。そしてこの会議で集団の土地を農民個人に貸し出し、その収穫物は農民のものとする「生産請負制」を、干害克服までの緊急措置として実施することが決まったのである。また、この年に安徽省鳳陽県小崗村では一八戸の農家が、逮捕されるのを覚悟で集団の土地を各戸に分ける「戸別経営」の導入に踏み切った。

なお、「生産請負制」(中国語で「包産到戸」)とは集団の農地を個々の農家に分けて農業を行い、生産ノルマを超えて生産した農作物は農地を請け負った農家に多く分配する制度である。一方、「戸別経営」(中国語で「包干到戸」)とは農家が戸別に農業を行い、国家に対する食糧売却義務を果たせば、それを超過して生産した作物は自由に処分できるという制度である。一九八三年には中国のほとんどすべての農村で戸別経営が採用されたので、そのパイオニアである小崗村が有名であるが、集団農業を打破するために先に推進されたのは生産請負制であった。

翌一九七九年二月、周曰礼は十数人の調査チームを引き連れて安徽省肥西県山南人民公社に赴いた。干害が終わっても山南人民公社ではまだ生産請負制を続けているという告発の手紙が省の党委員会に数多く届いていたからだった。ただ、周自身は生産請負制を推進したいと考えていたので、むしろ農民たちがその効果を語ってくれることを期待していた。だが、農民たちは政治的批判を受けることを恐れて、なかなか本音を語らなかった。調査が五日目に入っても埒が明かなかったので、調査チームは農民たちに「生活がよかったのはどの時代か」と尋ねた。すると農民たちは

「土地改革の時だ[2]」「曽希聖が「責任田」をやった時だ[3]」と口々に言いだした。そこで周は農民たちに思った通りに発言するよう促し、最終的には、公社の幹部や農民たちは生産請負制を求めているという報告書をまとめた。この報告を受けて、一九七九年三月に省党委員会は貧困地域や農業生産が停滞している地域、およびすでに生産請負制を実施している地域では当面生産請負制を続行すべきだとの指示を行った(李 二〇一六：一〇九－一一一頁)。

生産請負制をめぐる論争

同じ三月に北京で全国の農業関係者を集めた農業政策に関する会議が開かれ、安徽省の代表として参加した周曰礼はまる一日かけて生産請負制がいかに有効かを説いた。だが、周の発言に対して激しい反発が起きた。会議の期間中、『人民日報』に生産請負制は社会主義公有制を破壊するものだと批判する投書が掲載された。実は、農業担当の副総理だった王任重が裏で糸を引いていたのである。

会議が終了した翌日、党主席の華国鋒が参加者を呼んで会議の状況を聴いた。農業部副部長が「会議紀要」を起草したが、それに対して周曰礼が敢然と異議を唱えた。周は「紀要は生産請負制と田畑を農家ごとに分けてしまうこと(「分田単干」)を同一視して否定しているが、両者は別のものだ。生産請負制は生産手段の集団所有を維持し、労働に応じた分配を行うものだ」と主張した。要するに生産請負制は社会主義の原則を踏み外していないと主張したのである。華国鋒は二つの意見の折り合いをどうつけるか悩んだが、最終的には会議紀要のなかに周の意見を部分的に取り入れることにした。すなわち、「山深い、辺鄙な地域に孤立して存在する農家が生産請負制をとることは認められるべきである」ことと、すでに生産請負制を実施している農村を批判しない、という二項目が加えられた。この会議紀要は四月に中共中央から全国に伝達された。党中央委員会総会で生産請負制を認めないと決めてからわずか五カ月後に、限定的ではあれ、生産請負制が認められることになったのである(唐 二〇一一：二五－二七頁)。

しかし、その後も生産請負制の実施をめぐる対立が続いた。生産請負制を実施していた山南人民公社には安徽省に駐留する軍の高級将校が怒鳴り込んできて、その場で上級機関の肥西県の党委員会書記に電話して生産請負制をやめさせるよう圧力をかけた。もともと肥西県党委員会は一九七九年二月に山南人民公社で生産請負制を継続することが決まったときに、これを対外的に広報しないことや県内の他の公社では実施しないとするなど消極的だったが、外部からの圧力の高まりを受けて、七月には県内での生産請負制をやめるよう指示した。すると、山南人民公社の党書記も、生産請負制を続ければ政治的批判を受けると恐れるようになり、また生産請負制を実施するなかで生産隊が所有していた用水や役牛を農民たちが奪い合うという問題も発生したので、生産請負制をやめると言い出した。

一方、万里は動揺を呼ぶ原因になった『人民日報』の投書に対抗するために省農業委員会に生産請負制を擁護する文章を作らせ、それも『人民日報』の投書欄に掲載された。万里はまた省内の各県に赴いて、生産請負制の実施には省党委員会も同意しているのだから、『人民日報』の記事などに動揺せずに続けてほしい、と説いて回った。八月には省党委員会の会議で「山南人民公社で生産請負制を実施することは省党委員会で決定したことだから、誤りがあればその責任は省党委員会および私にある。肥西県が生産請負制を強制的にやめさせたのは誤りだ」と発言した。万里は山南人民公社の党書記と会って、実験なのだから生産請負制を続けるよう促した。それでも党書記は嫌だと言い張ったので、万里は彼を解任して省内の「学習班」で半年間学習させることにした。こうして山南人民公社での生産請負制は一九七九年末まで継続されることになり、肥西県も生産請負制中止の指示を撤回したが、省内の他の県では生産請負制を途中でやめてしまい、農業生産にマイナスの影響が出たという(李 二〇一六：一一三―一一六頁)。

一九七九年一二月に万里は山南人民公社に赴いて、生産請負制は食糧増産の効果をあげたと総括した。しかし、翌一九八〇年一―二月に開かれた「全国農村人民公社経営管理会議」でも生産請負制は資本主義への道だとの批判が続いた。会議の代表たちが華国鋒の前で「会議紀要」をまとめた際、華国鋒はすでに生産請負制を実施しているところでは無理やりやめさせるべきではないと述べた。でき上った会議紀要では、生産請負制は辺鄙な地域に限られるべきだとしたものの、「集団農業が長年うまく行かず、農民たちの生活が困難で、自発的に生産請負制を採ったごく少数の農村に対しては、強制的にやめさせるべきではない」との一文が加わった。集団農業が長年うまく行かず、農民たちの生活が困難な地域はごく少数どころか多数だったので、この一文は生産請負制にさらに道を開くものとなった。

全国展開

だが、それでも生産請負制に反対する声は強く、その震源地の安徽省でも、万里が一九八〇年三月に国務院副総理兼国家農業委員会主任として転出すると、とたんに省党委員会が消極的になってしまった。万里は安徽省での生産請負制が後退することを懸念して元部下たちを励ましたりしたが、この時に強力な援軍が現れた。鄧小平である。鄧小平は万里から安徽省での生産請負制の状況について報告を受けると、決然とこれを支持し、四月から五月にかけての党中央の会議で、貧困地域では生産請負制を推進すべきだとたびたび発言した。その発言内容は六月に安徽省に伝えられ、省内での生産請負制批判が収まった。

党中央の他の改革派指導者、すなわち趙紫陽(当時副総理)や胡耀邦(当時中央書記処総書記)も生産請負制推進の立場を鮮明にした。趙紫陽は一九八〇年六月に貧困地域だけでなく集団農業がうまく行っている地域でも生産請負制をやってみてはどうかと提案し、六月から八月にかけて、鄧小平と胡耀邦の意見に基づいて、党中央の多数の幹部たちがグループに分かれて一〇省の農村の現状を視察した。九月には党中央が省・市・自治区の第一書記たちを集めて生産請負制の問題を議論した。広東省、内モンゴル自治区、貴州省の第一書記は生産請負制を支持したが、黒竜江省、上海市、北京市などの第一書記は反対し、様子見を決め込む第一書記も多かった。こうした一連の調査と会議をふまえて党中央は農業政策に関する新たな政策文書を公布したが、そこでは農業の増産に有利なものであれば形式にとらわれずに実施すべきだとされ、生産請負制だけでなく戸別経営も許容された。同年一〇月の時点で生産請負制や戸別経営を実施した生産隊は全国で五〇・八％と過半を超えた。

党中央はその後も生産請負制や戸別経営を導入することで農村の生活が大きく改善したという報告を伝達して地方幹部の説得を続けた。その結果、一九八一年一〇月の時点では全国の生産隊の六四・六％で生産請負制を導入し、しかもこの頃には戸別経営への移行も始まっていた。一九八二年一月に党中央が伝達した最初の文書（いわゆる「一号文件」）は、前月に開催された全国農村工作会議の紀要であるが、そのなかで生産請負制も戸別経営も「社会主義の集団経済」に属するものだと規定した。これは、それまで続いていた「生産請負制や戸別経営は資本主義だ」とする批判の声を黙らせる効果を持った。同年末には全国の生産隊の七八・七％がこれらを採用するに至り、それ以後今日に至るまで、戸別経営が農村の基本的な制度として定着した（唐 二〇一一：二七一三一頁）。

四、民間企業の産声

本稿の冒頭で見たように、一九七八年に農村から大勢の若者たちが都市に帰還したことで、失業問題が悪化したが、その後の中国の発展につながった側面もある。仕事にあぶれた若者たちのなかから後に中国経済を牽引することになる民間企業が生まれたのである。この頃から、従業員が七名以下の民間企業が「個人経営」（「個体工商戸」）として存在を認められるようになった(4)。中国政府が民間企業を認めたのは、少しでも雇用を拡大したいという切迫した動機に基づいていた。

その頃に誕生した民間企業の一例として、二〇二〇年時点で中国のアパレル産業で売上額第二位だったヤンガー（雅戈爾）集団を挙げることができる。ここではそのオーナー経営者となった李如成のライフヒストリーと重ねながらその歩みを見ていこう(任 一九九七、陳 二〇〇四)。

李如成は一九五一年に上海の病院食堂で働く父のもとに生まれた。一九五七年に巻き起こった反右派闘争のなかで病院の院長が「右派」だとして弾圧されたが、父は院長に同情する言葉を吐いたとして「右派」にされ、一家は浙江省寧波市郊外の段塘村に追いやられた。極貧と飢えのなかで一九六一、六二年に李の両親と三歳の妹が相次いで病死し、四人の子供たちが残された。子供たちは内職をして食いつなぎ、李は中学に進学したが、彼が一五歳の時に都市の青年を農村に送る運動が始まった。李は兄弟たちの負担を減らすために中学を中退して応募し、寧波市郊外の雅渡村の生産隊で農民として働くようになった。段塘村と雅渡村は三キロぐらいしか離れておらず、今日ではいずれも都市の一部となっているが、当時は鎮(町)と農村という違いがあったようである。

李は一五年間農業に従事した後、一九八〇年に鎮に戻ってきた。鎮政府は帰還青年たちに就業先を手配したが、「右派の子弟」のレッテルが貼られた李にあてがわれたのは、鎮の講堂の舞台下にある地下室を作業場とする従業員五四人の縫製工場の仕事だった。この工場は寧波市のニット工場の下請けとしてランニングシャツやTシャツを作る仕事をしていた。この工場は鎮政府が二万元を出資して帰還青年たちの受け皿として作ったもので、その名を青春服装廠といった。

青春服装廠は他の企業から縫製作業を受託することをなりわいとしていたが、受託先の経営悪化により仕事がなくなり、賃金が何カ月も払えない状況になった。農村幹部出身の経営者はなすすべもなく、社内での派閥抗争に明け暮れていた。その頃裁断部門を率いていた李は、吉林省のニット工場で生地の売れ残りがあるので加工先を探しているという話を偶然耳にした。李はさっそくその工場に赴き、大量の生地を託されたうえに、その五割に相当する量の生地を安価で買い付けてきた。前者は五万着の綿ニット衣料に加工して吉林省の工場に渡し、後者は数万着の衣服に加工して各地で売り歩いた。

吉林省の工場は青春服装廠の仕事ぶりに満足し、翌年はさらに三倍の縫製業務を委託してきた。こうして企業の危機を救った李に対する社内の評価は急速に高まり、彼は八三年に社長に就任した。その後の青春服装廠は上海の有名アパレルメーカーの縫製下請をしたり、自社ブランドのアパレルを売り出したりして徐々に成長していったが、一九八八年に株式会社に転換する話が持ち上がった。同社は最初の資金を鎮政府が出した経緯から公有企業の一種である集団所有制企業とされてきたが、企業を大きく発展させた功績は李ら従業員にある。改革開放期の中国には、政府が最初にわずかな額の出資をした経緯から形式的には国有企業や集団所有制企業になっているものの、従業員が独立独歩の経営を続けてきた結果、大企業に育ったケースが多い。そうした経営の実態と、企業の形式的な所有構造を近づけるために株式会社への転換が利用される。青春服装廠の場合も李ら従業員が出資をすることによって従業員所有の株式会社に転換しようとした。ところが、新たな出資比率に基づいて最初の配当を出そうとした時に、政府がそれに待ったをかけ、株式会社への転換自体が頓挫してしまった。

この時期には青春服装廠だけでなく、数多くの民間企業が政府の方針の変化に翻弄された。浙江省温州市のバルブメーカー、挺宇集団は一九八一年に設立された当初から実質的には民間企業だったが、当時私営企業という身分では事業を続けることが難しかったので、集団所有制企業として登記された。だが、一九八八年に市政府は、民間企業に対して集団所有制企業を偽装するのをやめて所有権を明確化するように迫った。そこで社長の潘挺宇は会社を自らが所有する私営企業に登記しなおした。ところが、翌一九八九年六月に民主化運動が鎮圧されたのち、民間企業を敵視する保守的な言論が強まり、挺宇集団の営業や借入にも悪影響が出てきた。いずれ「資本家」である自分にも危害が及ぶ怖れを感じた潘挺宇は、会社を部下や娘に託して妻とともにヨーロッパにわたり、一年二カ月にわたってカンフーの指導者として過ごした。幸い彼が一九九二年に帰国した頃には民間企業に対する逆風も収まっていた(石 一九九八、挺宇集団でのインタビュー 一九九八年九月一二日)。

一度は頓挫した青春服装廠の株式会社化も民間企業に対する逆風が順風に変わった一九九三年に実現し、同社は雅戈爾集団股份有限公司と名称を変えた。「雅戈爾」というのは同社の英文でのブランドYoungorの音に漢字を当てたものであるが、Youngorというブランドは同社がもともと帰還青年の受け皿として出発したことに由来している。また、「雅」の字は李如成が農民として働いていた雅渡村に由来するという。ヤンガー集団はアパレルから不動産業や繊維産業にも手を広げて成長を続けた。二〇二一年九月現在、ヤンガー集団の総資産は七三九億元(約一兆四〇〇〇億円)で、その株の二〇%余りを李如成が、一七%弱を娘の李寒窮が直接、間接に保有している。

おわりに

本稿では改革開放期の開始年とされる一九七八年からおおむね二〇〇〇年頃までを視野に入れて、対外開放の始まり、委託加工の展開、農業の変革、そして民間企業の誕生という四つのテーマを論じてきた。この時代には、むしろ中国政府の大方針(例えば一九九二年に「社会主義市場経済」を目指すことを決めた等)、国有企業の改革やリストラなどが中国の政治家や学者の関心の中心であったが、本稿ではあえて取り上げなかった。それは中国の経済発展に対する貢献という観点から言えば、そうした主流のテーマよりもむしろ本稿で取り上げた農業、外国貿易、民間企業の方がはるかに重要だったからである。

一九七九年の時点では就業人口の七割に当たる三億三〇一八万人が農業など第一次産業に従事し、国民の食料をどうにか支えていた。二〇二〇年には第一次産業従事者は一億七七一五万人とほぼ半減する一方、中国の人口は一〇億から一四億に増大したが、それでも大豆以外の農産品は国内でほぼ自給できている。農業の改革が成功し、農業の生産性が飛躍的に高まったのである。農業にかつてほど人手が必要でなくなったため、大勢の農村出身者が工業やサービス業で働くようになった。つまり、農業改革の成功は大勢の労働力を農村から解き放った。農村からの労働力の一部は沿海部の委託加工企業に流れ込んだ。出稼ぎ労働者たちの奮闘により、中国は「世界の工場」になり、輸出額は一九七八年から二〇二〇年の間に二一一倍に拡大した。主要な輸出品も安価な衣服や玩具などからスマートフォンやノートパソコンなどに高度化し、それとともに中国の所得水準も世界銀行の分類でいう低所得国から二〇二一年には高所得国の一歩手前まで上昇した。また、一九七〇年代末には産業の八割以上を国有企業が担い、民間企業といえば零細な個人経営が産声を上げたばかりだった。それが二〇二〇年には鉱工業生産の半分以上を国内資本の民間企業、二六%を外資系企業が生み出し、国有企業は四分の一を占めるだけとなった。「社会主義市場経済」を国是とする中国では、国有企業も資源やインフラ部門などでは依然として大きな存在感を持っているが、インターネットや先端分野では民間企業が先導役となっている。

注

(1) 都市の青年たちを農村に送り込むことを日本では「下放」と呼ぶことが一般化しているが、中国では幹部や知識人を農村や工場や辺境に送って経験を積ませることを「下放」と呼び、中学や高校を出たばかりの青年を農村に送って労働させることは「上山下郷」と呼んで区別している。

(2) 土地改革とは、一九五〇年代初頭に地主から土地を没収して小作人や貧農に分配し、彼らを自作農にしたことを指す。

(3) 曽希聖とはかつての安徽省党委員会第一書記。曽は、一九六一年に「大躍進」後の危機的状況から脱するために省の全域で生産請負制を導入し、これを「責任田」と称した。それによって安徽省の農業生産は急回復したが、曽は「資本主義の復活を目指している」と批判され、翌年に第一書記を解任された。

(4) 政策文書としては、国務院が一九八一年七月に公布した「都市非農業個体経済に関するいくつかの政策的規定」が個人経営を認めた最初のものであるようだが、それ以前から個人経営が存在していた。

参考文献

天児慧（二〇〇四）『中国の歴史11　巨龍の胎動　毛沢東vs.鄧小平』講談社。

上野秀夫（一九七九）「繊維製品の委託加工・「補償貿易」の実態」『日中貿易の新しい取引形態――加工貿易方式』日中経済協会。

厳善平（二〇〇二）『シリーズ現代中国経済二　農民国家の課題』名古屋大学出版会。

小島末夫（二〇一二a）「日中長期貿易取り決めの締結」『日中関係史　一九七二―二〇一二Ⅱ　経済』東京大学出版会。

小島末夫（二〇一二b）「プラント契約問題」『日中関係史　一九七二―二〇一二Ⅱ　経済』東京大学出版会。

関山健（二〇一二）「対中ODAの開始」『日中関係史　一九七二―二〇一二Ⅱ　経済』東京大学出版会。

高原明生・前田宏子（二〇一四）『シリーズ中国近現代史⑤　開発主義の時代へ　一九七二―二〇一四』岩波書店。

陳錦華（二〇〇七）『国事憶述』杉本孝訳、財団法人日中経済協会。

藤本昭（一九七九）「『加工貿易』方式の提起と展開」『日中貿易の新しい取引形態――加工貿易方式』日中経済協会。

前田勲（一九七八）『新日鉄・中国建設隊』こう書房。

丸川知雄（一九八九）「中国――直接投資導入政策の模索過程」『アジアの工業化と直接投資』アジア経済研究所。

丸川知雄（二〇一三）『現代中国経済　新版』有斐閣。

楊天賓（一九七九）「香港商人が中国に工場を設立することは香港経済にどのような作用をおこすだろうか」『日中貿易の新しい取引形態――加工貿易方式』日中経済協会。


陳万豊（二〇〇四）「衣者大鰐、国之経典――雅戈爾服装企業的成長之路」『寧波通訊』第一〇期。

東莞市統計局・東莞市企業調査隊（二〇〇〇）『東莞市外商投資企業暨全部工業資料匯編』中国統計出版社。

李潔（二〇一六）「農村改革過程中的試点突破与話語重塑」『社会学研究』第三期。

任斌武（一九九七）「中国有個雅戈爾」『人民文学』第三期。

石英（一九九八）「学学温州人怎様賺大銭」『焦点』第八期。

唐正芒（二〇一一）「三中全会後包産到戸政策的逐歩確立」『衡陽師範学院学報』第三二巻第一期。

コラム | *Column*

香港返還

谷垣真理子

二〇一九年より前にこのコラムを書けば、今とは違ったトーンになったであろう。そのくらい、二〇一九年の逃亡犯条例改正に反対した大規模抗議活動がもたらした影響は大きい。二〇二〇年に施行された香港版国家安全維持法(以下国安法)施行後、「民主はないが自由はある」と返還前に言われた香港は「自由もなくなった」と報道された。たとえば、香港で民主派支持の論調を展開してきた『蘋果日報』が二一年六月に廃刊し、同年一二月選挙で立法会から民主派は姿を消した。

現在の状況が返還前に予想されなかったわけではない。返還時にイギリス統治下で一五〇年余を経る香港は、返還後、「一国二制度」のもと、特別行政区として五〇年間の現状維持が約束され、国防と外交を除く高度の自治を享受することになっていた。「一国二制度」とは、ひとつの国(中国)の中に、ふたつの制度(中国大陸の制度と香港の制度)を共存させる統合方式であった。柔軟統合方式であったがゆえに、「一国」のもと「二制度」はどこまで尊重されるか懸念された。

なぜ、中国は一方的に香港を社会主義に併合しなかったのか。香港の将来をめぐる中英交渉(一九八二―八四年)当時、五四〇万人の人口しか有さない香港が一〇億の人口を有する中国よりも、貿易規模が大きかった。改革・開放政策に着手して間もない中国にとっては、香港の経済力と国際的なハブとしての機能は温存すべきものであっただろう。

香港返還に関心を示したのは、中国とイギリスだけではなかった。アメリカ議会は一九九二年に香港政策法を通過させ、中英共同声明の履行に関心を寄せた。そもそも、香港は冷戦期より、アメリカは第七艦隊を香港に寄港させ、文化冷戦の一環として香港で「反共的」な文化活動を支援した。

第二次世界大戦後の香港は国際公共財的な存在であった。香港上海銀行やジャーディンマセソングループ、スワイヤグループ(キャセイパシフィック航空が傘下)に代表されるイギリス系企業は香港財界の一大勢力であったが、イギリス本国の企業の香港投資はアメリカや日本に及ばなかった。

問題を複雑にしたのは、香港住民の「心」である。外から見れば、香港返還は「祖国・中国に復帰」するように見える。しかし、当時、中華人民共和国を「祖国」と呼んだ経験を持たない住民は六割近かった。香港は移民社会である。中華人民共和国の成立前後に中国大陸から香港へ膨大な数の移民が流入し、その中には国民党系の軍隊関係者や警察、専門職の人々が多かった。その後も、中国大陸から香港への非合法入境は続いた。いわば、中国共産党下の生活に何らかの形でNOを突き付けた人やその子孫が香港には数多く存在する。

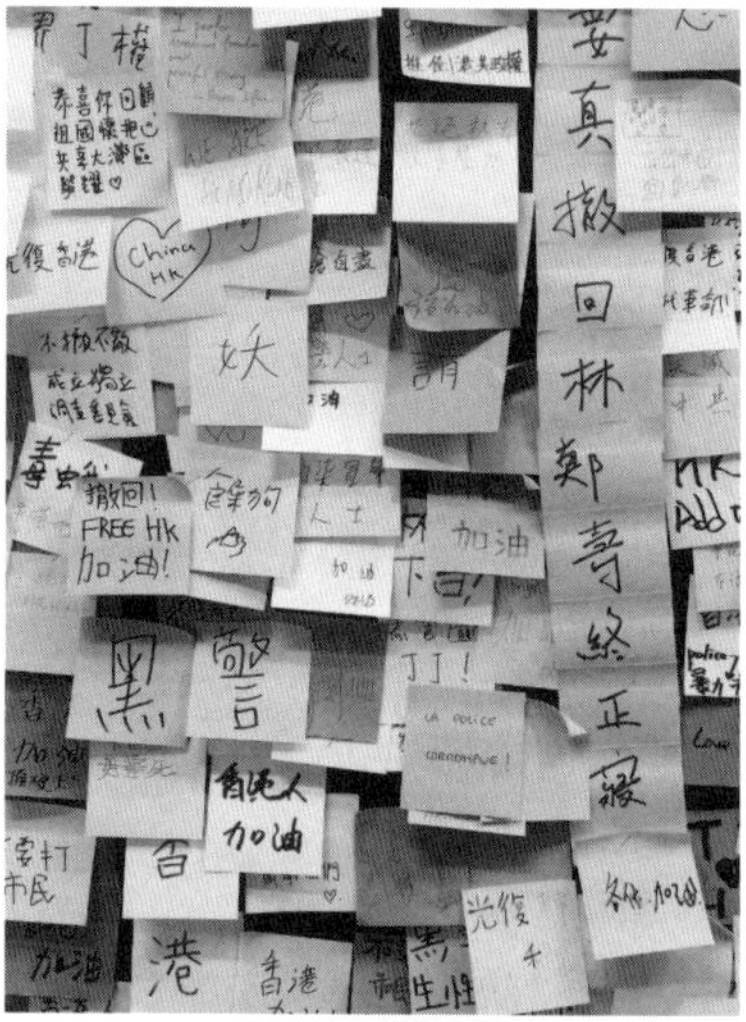

レノン（連儂）ウォール．2019年の大規模抗議活動で人々は自身の思いをカードに書いた（2019年6月著者撮影）

それだからこそ、返還が決まると、香港では自身や家族の将来を保証するために、海外への移民が増加した。カナダのバンクーバーは香港からの移民が多く流入し、ホンクーバーと言われたほどである。一方、香港の民主化を支持する動きも起きた。中英共同声明に明記された「高度の自治」を実現するため、戦後生まれの若手知識人が中心となって政治団体が続々と誕生した。むろん、一九九七年の香港返還の到来を待たずに中国大陸に自らの活路を見出す人々もいた。八五年に香港に隣接する珠江デルタが開放されると、香港の製造業は珠江デルタを中心に生産拠点を移転した。

　返還後、海外への移民で香港がカラになることはなく、多くの人々は香港にとどまった。こうした人々の譲れない一線は何だったのだろうか。中英共同声明も基本法（返還後の香港の小憲法）を読めば、イギリスが返還後の香港における「司法の独立」を重視していたことがわかる。両者は「独立した司法権」と終審裁判権を書きこみ、二重に司法の独立を担保していた。二〇一九年の逃亡犯条例の改正が香港の司法の独立を損ない、自らの生活への脅威となることを感じたからこそ、その後の抗議活動へとつながったのではないか。

　こうした状況に対して、中央政府は二〇二〇年の国安法で「一国」の枠を強化した。振り返れば、第二次世界大戦後、香港住民は三回、中国共産党に対してＮＯをつきつけた。一回目は前述の一九四九年前後の香港への移民であり、二回目は一九六七年の香港暴動の時である。中国を支持する香港左派よりも、人々はイギリス統治下での秩序と安定を支持した。三回目は一九八九年の天安門事件であり、北京の民主化運動を香港の人々は支持し、その後海外への移民が急増した。

　最後に、香港返還は二〇二〇年の国安法ですべて決着するわけではない。香港の法律体系は依然としてコモンロー（英米法）に準拠しており、香港ドルも流通している。中国語標準語（普通話）は香港の公的な場面で使用頻度は増えているが、香港自身はまだ広東語中心の社会である。中国が「強国」と呼ばれ、米中の対立的競争が顕在化する状況下、香港は「一国二制度」の終わる二〇四七年までどのように変容していくのか。香港返還は進行中の未完の国家的プロジェクトである。

集点｜*Focus*

ブラック・パワーとリベラリズムの相剋
――デトロイトの黒人自由闘争

藤永康政

はじめに

二〇世紀の半ばのアメリカ合衆国（以下、アメリカ）では、非暴力直接行動主義に則った公民権運動が一九六四年公民権法や投票権法の制定を勝ち取り、人種隔離制度《ジム・クロウ》は違法化された。この歴史を画する成果をあげた公民権運動に続いて起こったと考えられているのがブラック・パワー運動である。それは、一九六六年六月、学生非暴力調整委員会のストークリー・カーマイケルが抗議集会で使ったスローガン――「ブラック・パワー」――が広く人口に膾炙したことで、大きな政治社会運動としての実体を持ち始め、「人種」の矜持を紐帯にして黒人の文化や経験を賞揚したことに際立った特徴があると考えられている。他方、この運動の興隆と軌を一にして、アメリカの都市では暴動が頻発していた。このような時代の大きな趨勢から、公民権運動は理想主義的な非暴力、ブラック・パワー運動はニヒリスティックな暴力とあわせて想起されることが多い。

本稿は、しかし、近年のアメリカ黒人史研究の議論を踏まえ、右のような公民権運動／ブラック・パワー運動の善悪二元論には立たない。たとえば、ブラック・パワー運動研究を牽引してきたペニール・ジョセフは、公民権とブラック・パワーの二つの運動は、同じ時期に展開された二つのパラレルな運動であり、多くの場合、その特徴と目標には共通点が多かったと論じている。「長い公民権運動論」を提唱した南部史家のジャクリーン・ダウド・ホールもまた、公民権／ブラック・パワーの二元論をはっきりと否定したうえで、六〇年代の一連の運動の淵源は、一九三〇年代の人民戦線の時代の諸運動にあり、この歴史をしっかりと捉えることこそが、普遍的リベラリズムがレイシズムに打ち勝つ、勧善懲悪物語としての公民権運動史、「リベラリズム礼賛のマスター・ナラティヴ」を書き換える重要なポイントであると見なしている(Hall 2005; Joseph 2006)。

かかる問題提起を踏まえて本稿は、まず、初期の公民権運動の興隆を受けて強力な政治連合が形成された第二次世界大戦のころへと遡り、ブラック・パワーの隠れた水脈を辿る。実のところ、ブラック・パワー運動を理解するにあたって最大の障害のひとつは、この運動が六〇年代半ばに突如として現れたものだとする非歴史的な認識にある。かかる認識のなか、ブラック・パワー運動は、公民権運動の理想主義を壊した突発的現象として捉えられてしまい、単純な善悪二元論を下支えすることになっているのだ。そこで本稿は、公民権運動とブラック・パワー運動を重なりあうひとつの運動として理解するために、アメリカでの研究に倣って黒人自由闘争(Black Freedom Movement)という表現を導入してみる(Carson 1986)。本稿の大きな目的は、この黒人自由闘争の過程を、二〇世紀アメリカの社会経済的変容が象徴的に現れている産業都市デトロイトに焦点を絞り、労働運動や都市政治との関連のなかで明らかにすることにある。

一、第二次世界大戦と黒人の運動の変容

一九三〇年代のニューディール労働政策は、産業別組織会議(CIO)に代表される急進的な労働組合の興隆を助け

た。しかし、労働組合は、しばしばヨーロッパにルーツをもつ労働者が自らの「白人性」を確証しつつ「他者」の排斥に与してきた制度・組織でもあり、労働運動に対する黒人の不信感は極めて強かった。このような労働運動と黒人の関係を背景に、自動車産業の世界的中心地であるデトロイト郊外に本社を構えるフォード自動車は、時には自警主義的暴力に拠ってでも労働運動活動家《ユニオニスト》の行動を厳しく弾圧しながらも、黒人コミュニティとは特異な関係を築いていた。特定の教会を金銭的に支援することの見返りに聖職者からは労働者の紹介を受け、黒人労働者を組合運動の「防波堤」として使っていたのである。かくして、一九三〇年代後半には、フォードで雇用されている黒人の数は、同社以外の自動車製造会社上位一〇社で雇用される黒人労働者の総和を上回る約一万一〇〇〇人に上り、デトロイトの黒人成年男子の半数以上がフォードとの何らかの労使関係を持っていた(Bailer 1943; Bates 2010)。つまり、フォードでの労働者組織化の鍵は、黒人が握っていたのである。

このようななか、CIOの中核である統一自動車労働組合(UAW)は、一九三七年、労働運動史に名高い「シットダウン・スト」の結果、ジェネラル・モータース(GM)とクライスラーとの労使協約締結に成功した余勢を駆って、黒人労働者を専従のオーガナイザーに任用し、反労働運動の急先鋒として知られるフォードに狙いを定めた。このUAWの動きは、新たな黒人指導層の台頭を助け、黒人コミュニティの権力関係の再編を促していた。この新世代の指導層を代表する人物が、ホレス・ホワイト牧師とチャールズ・ヒル牧師である。一九三八年、ホワイトは、「誰が黒人教会を所有しているのか」という論説を発表し、フォードから金銭の提供を受けている黒人指導者たちを公然と批判し、他方でヒルは、労働運動や左翼運動と親しい新興の黒人指導者や知識人が中心となって結成していたナショナル・ニグロ・コングレスのミシガン州支部長に就任して、UAWとの連係を強めていた(樋口 一九九七、Dillard 2007)。

そこで起きたのが、一九四一年四月、労働者総数八万人に達するフォード社最大のリヴァー・ルージュ工場でのストライキである。争議の開始直後、黒人労働者約二〇〇〇名がスト参加を拒否して工場内に籠城すると、フォードが黒人をスト破りに大動員するという噂が流れ始めた。こうして白人労働者と黒人の衝突が現実味を帯び始め、労使紛争が人種間衝突に転化する危機が生じることになったのである。

この危機に際してヒルは、黒人の運動の成否と労働運動のそれを同一視して、このストのことを「公民権運動の主戦場」と呼び、ホワイトや黒人ユニオニストと共に黒人労働者の必死の説得に乗り出した。このような新たな黒人指導層による懸命の努力の結果、白人労働者との衝突は回避されることになった。その後、UAWは、労働者代表権を決定する選挙でフォード社が支援するアメリカ労働総同盟(AFL)系の組合を圧倒的票差で破って勝利することになる(Meier and Rudwick 1979)。

二、公民権連合の誕生

公民権ユニオニズムとアメリカニズム

右にみたように労働運動の成否にとって死活的重要性をもったのが黒人労働者の動向であった。一九三五年制定のワグナー法は、労使交渉の過程を整備することでAFLとCIOの競争を激化させ、黒人労働者はしばしばこの競合のあいだで決定権《キャスティング・ヴォート》を握るようになっていった。その結果、ユニオニストたちは人種問題にかつてない強い関心を払うようになり、労働運動と黒人の運動が交差していった。この交差の場に生まれた思潮を「公民権ユニオニズム」と呼ぶ(Korstad and Lichtenstein 1988)。

ソジャーナ・トゥルース住宅騒動は、この公民権ユニオニズムが労働の現場の外で賦活されていった事例である。一九四一年六月、デトロイト住宅委員会は、軍需景気が原因となった住宅不足に対応するため、白人住民が多い地区の隣接地に二〇〇戸の黒人向けの住宅を建設する計画を発表した。先述のホワイトは、この委員会の唯一の黒人メンバーであり、住宅建設への白人の抵抗を予見しながらも、この事業が黒人労働者にとって持つ意味の大きさをしっかりと把握して、この住宅を奴隷制廃止論者《アボリショニスト》の名に因んで「ソジャーナ・トゥルース住宅」と名づけ、黒人の入居の権利を守る運動を始めた。しかしその後、黒人市民の予見どおり、暴力的レイシスト組織、クー・クラックス・クラン(KKK)の存在を誇示して十字架が燃やされる事件が起きる等、白人の反対は激化していった。かくして訪れた一九四二年二月二八日の入居日、一〇〇〇名超の白人の群衆が黒人の入居者を襲撃し、逮捕者一八〇名が出る事件が起きた。このときの逮捕者の内訳をみると、暴行を加えたのはもっぱら白人だったのにもかかわらず、逮捕者に占める白人の割合はわずか三%だった。つまり、警察は白人暴徒の側に明らかに与していたのだ(Johnson 1943)。

ここで重要な役割を果たすのがUAWである。UAWの重要な支持層である白人の労働大衆のなかには、黒人と住宅地を共有したくない者が決して少なくなかった。それでもUAWは、黒人の入居を強く支持する姿勢を示したのだ。かかるUAWと黒人の連帯を眼前にし、市住宅委員会は、その後、冷却期間をおくために住宅への入居日を二カ月延期しながらも黒人の入居の権利を守り、最終的にはミシガン州兵の警護の下で黒人が入居を果たすことになる(Clive 1979)。

このような公民権ユニオニズムにはまた、戦時愛国心が強い影響を与えていた。一九四二年になると、多くの黒人指導層は、国外のナチズムと国内の白人至上主義に対して同時の勝利を目指す「ダブルV」というスローガンの下、積極的な戦争協力と人種差別への活発な抗議を同時に追求する方向で意見を一致させていた。これは戦争への意見が分かれた第一次世界大戦のときとは事情を大きく異にする。ナチズムなどの自民族優越主義を「敵」とした戦争にあっては、普遍主義的な自由と平等を掲げるアメリカの姿が黒人の反戦の声を封じ込め、黒人自由闘争のなかで愛国主義的調べが響くことになっていったのだ。他方でUAWのユニオニストもまた、人種差別的な白人労働者の行為を戦争努力遂行の観点から判断し、それを恥ずべき「利敵行為」だと批判していた。かかる時代の趨勢を背景に、一九四三年四月、公民権団体の中核の全国黒人向上協会(NAACP)とUAWは、デトロイトのキャディラック広場に一万人の群衆を集めた大集会を開催した。その集会は、大西洋憲章に因んで「キャディラック憲章」を採択して戦争への「全身全霊をかけた支援」を誓い、「アメリカが世界に向かって自由の希望を掲げようとする」ならば、「勝利と恒久平和のためにすべての市民が完全で平等な権利をもつことは必須の条件であり、差別的慣行を維持することなどできない」と宣言したのだった("20,000 Members in 1943", *Crisis*, May, 1943)。

反共産主義、人種主義、リベラリズムの交錯と冷戦公民権

右にみた「開明的」な労働組合と黒人自由闘争の共闘の成立をもって、リベラリズムの勝利を言祝ぐのは簡単である。だが、事はそんなに単純ではない。大暴動が起きるのである。

一九四三年六月二〇日午後、デトロイト川に浮かぶ小島にある公園ベル・アイルで、黒人と白人の青年集団のあいだで小競り合いが起きた。同日深夜になると、小島へつながる橋の上から黒人女性が乳児と一緒に突き落とされたとする流言が広まり始め、それを信じた黒人たちが報復として白人を襲撃することで対立は次のレベルに入った。これと同じころ、白人のあいだでも、白人女性が性的暴力を加えられたとする話や、郊外に駐留している黒人兵が市内へ進軍しているという噂が広まっていた。こうして、約一万人の白人と数千人の黒人たちが、ダウンタウンで激突することになった。三日後、連邦軍兵士二五〇〇名の展開で暴動は沈静化するのだが、死者の数は三四名に上って、二〇世紀のアメリカで最大の人種暴動となった。この暴動のなかで焦点があたり、その後の政治対立の原因になっていくのが、ソジャーナ・トゥルース住宅騒動に続いてまた、警察の役割であった。というのも、逮捕者の八五%、死者の二五名が黒人であり、そのうち一七名の死には警官が直接関与していたからである(Capeci, Jr. and Wilkerson 1991)。

この暴動でもＵＡＷは黒人市民の側にはっきりと与していた。まだ暴動が静まる気配すらなかった二一日午前、エドワード・ジェフリーズ市長と地域の黒人有力者との会談に同席していたＵＡＷ会長のＲ・Ｊ・トマスは、市警の人種差別的な行動とそれを制止できない市長の無能を面罵し、特別大陪審の設置を求めて徹底調査を要求したのである。トマスの痛烈な批判に市長は目に涙を浮かべていたと伝えられている（"Claim Mayor in Tears as Citizens Meet", *Michigan Chronicle*, June 26, 1943)。

しかし、このような告発をミシガン州や市の当局は受け容れなかった。州知事が任じた事実調査委員会は、黒人の「敵対的態度」こそが暴動の原因だとし、市警の行為をむしろ称賛して特別大陪審設置を拒否したのだ（Meier and Rudwick 1979; Clive 1979)。ここに生まれた対立が次の市長選挙の政治的な賭金を高めていくことになる。

これより二年前、市長に初当選したジェフリーズの強みは、皮肉にも、ニューディール・リベラルとしての評判でＵＡＷから、そして警察官暴力への対応を約束したということで黒人から支持されたことにあった。しかし、暴動後の一九四三年秋の選挙では、ジェフリーズは、ＵＡＷと黒人双方の支持を失うことになった。するとジェフリーズは、対立候補が勝利すると、白人の高校には黒人が大挙して押し寄せ、白人少女が危険に晒される、それは「人種混淆《ミセジネーション》」につながると、白人至上主義の露骨な「人種カード」を切ったのである。勝利したのはジェフリーズである。この結果を受けて、次の一九四五年の選挙でＵＡＷと公民権団体は、ジェフリーズ放逐に全力を傾注する。ＵＡＷ現職副会長のリチャード・フランケンスティーンを市長選に擁立することになったのである。

するとジェフリーズは、フランケンスティーンがＵＡＷでコミュニストを含む左派のリーダーであることを突いてきた。ＵＡＷを中核とするＣＩＯの躍進によって拡大していたクローズド・ショップ制のもと、労働者の自由が侵害され始めた、なぜならば一般の労働者はＣＩＯの方針に逆らうことができないからであり、その手口はロシアで共産党が行っていることと同じである、という主張を展開し始めたのだ。こうして「黒」と「赤」の二つの恐怖が煽られた結果、白人労働者を岩盤支持層にしたジェフリーズがまたしても勝利したのだった(Meier and Rudwick 1979; Clive 1979)。このときよりUAWと黒人の関係は微妙に揺らぎ始めていく。

ところで、フォード自動車組織化にあたり、組合活動の暴力的弾圧が激しかったリヴァー・ルージュ工場で最も熱心に活動していたのは、実のところ、コミュニストを含む左派であった(Keeran 1980)。ゆえに、同工場を管轄とするUAW第六〇〇支部は、左派のユニオニストと黒人の労働者が共に活動する場になっていた。この第六〇〇支部の黒人たちは、一九四三年秋のUAW大会で、組合活動における人種差別が関わった案件を調査して処罰を下す公正慣行委員会の創設を実現させていた。かくして第六〇〇支部の黒人ユニオニストは、UAWの黒人労働者のリーダー的な存在となり、投票で選ばれる国際執行委員会に黒人を選任することを要求し始めていった(Battle 1968)。

この動きに立ち塞がったのが、GM社の組合支部で頭角を現していたウォルター・リューサーだった――黒人が国際執行委員に就任することには異論はないものの、それはまずは何より委員候補個人の資質によって実現されるべきであり、人種別の特別枠を設けることは、「組合にジム・クロウ車両をつけるがごとき行為」である、とする立場だったのである。黒人労働者の要求を「逆差別」とみなすリューサーの口吻に、二一世紀の保守主義、カラーブラインド主義の似姿を認めるのは難しくはない。しかし、「ニュー・ディール秩序」が打ち立てられたこの時代、リューサーら右派にしてみても、「リベラル」な政治姿勢の持ち主であったことはまちがいなく、彼らの言動に赤裸々なレイシズムを見つけるのは難しい。このような両者の対立を歴史的に考察するときに重要なのは、戦後の直後の労働運動の現場において、人種の問題が左右のイデオロギー対立と絡みあっていった複雑さを捉えることにある。

リューサーの政治的な考え方や態度は、人種と左右の政治イデオロギーが絡みあうなかで形づくられていた。組合内左派の活動は共産党などの外部としばしば連携する。一方でまた、人種問題に取り組む活動も公民権団体と積極的に協力する。このように、公民権ユニオニズムの強みは、狭義の労使問題以外の課題と取り組むところにあった。だが、リューサーら右派にとっては、この点がまさに大問題だった。急進的な政治が組合の外から持ち込まれることを憂えていたのだ。こうして、一九四五年、リューサーら右派は、国際執行委員会への黒人の任用を拒否すると同時に、効果的組織ガヴァナンスの観点から公正慣行委員会の廃止をむしろ提案するに至ったのである(Lichtenstein 1995)。

他方、一九四一年の独ソ開戦によって左派がそれまでの戦争非協力(つまり労働者の争議権重視)の姿勢を文字通り一八〇度転換すると、左派の信用と勢力は急に失墜することになった。対するリューサーは、終戦直後の一九四五年秋、一一三日に及ぶGMのストライキを指導してUAWのなかでの地歩を確かなものにし、この翌年に会長に就任すると左派の追放に着手した。それはまた第六〇〇支部の黒人労働者が貴重な同盟者を失うことでもあった(Battle 1968)。

UAWは、その後、リューサーの手腕に導かれて三度の大規模な争議を有利に展開し、一九五〇年、GM、クライスラー、フォードの三社と、退職後の年金と医療保険を経営側が負担し、賃金上昇を物価指数に連動させて決定する五年間の長期労使協定を結んだ。これ以後、戦後に盛んに行われたストライキは一気に減少することになる。こうして冷戦時代の「軍産複合体」を支えていく労資協調の体制、すなわちフォーディズムが完成をみた。このとき、公民権ユニオニズムが活気づけていた黒人自由闘争は、リベラリズムを是として体制批判を禁じ手とする、歴史家メアリー・ドゥージアクらがいう「冷戦公民権」へと変質していったのだ(Dudziak 2000)。

三、ブラック・パワーの挑戦

デトロイトのブラック・パワー

戦後のいわゆる「コンセンサスの時代」のリベラリズムは「黒人問題」をこう考える——人種問題は、アメリカ社会への黒人の統合によって解決し、その統合に向けた努力はもっぱら黒人が行うものである(Myrdal 1944)。終戦直後から一九七〇年に没するまでUAWを会長として率いたリューサーは、戦後のリベラリズムの「申し子」であり、UAWは公民権運動を最も熱心に支援した労働組合であった。しかし、一九六〇年代に黒人自由闘争が急進化していくと、UAWと黒人労働者が対立する機会は増え、かかる対立がリベラル・コンセンサスの土台を大きく揺さぶることになっていく。本節はその具体的な過程を検討する。

一九五五年一二月一日、アラバマ州モントゴメリーで、ローザ・パークスがバスの席を白人に譲ることを拒否し、市の人種隔離条例に違反したとして逮捕された。これに端を発する運動が、マーティン・ルーサー・キングの台頭をみるバス・ボイコット運動であり、三八一日にわたるボイコットの結果、人種隔離条例は撤廃された。それは、赤狩りでかつての活力を失ったCIOが保守的なAFLと合併し、労働運動がアメリカ社会の変革を牽引した時代が幕を降ろして一〇カ月後に起きたことだった。この一連の出来事を歴史の後知恵はこう教える――一九五五年、労働運動から公民権運動へ、労働者階級から人種的マイノリティへと社会運動の中心が変わった、と。

その後の一九五七年、北部のデトロイトでは、南部キリスト教指導者会議がキングを会長にして誕生したことに刺激を受け、労働組合指導者会議（TULC）が結成されることになった。初代の会長に就いたロバート・バトルは、リヴァー・ルージュ工場ストライキのときより第六〇〇支部の黒人たちのリーダー的存在であった。ゆえに、このような行動が、「分派活動」を嫌悪するリューサーの意向に逆らうことであるのは十分承知のことだった。

そのTULCは一九六一年の市長選挙で早速その政治的な力を発揮する。現職市長ルイス・ミリアーニは、黒人コミュニティをターゲットにした犯罪取締りを強化し、黒人市民の広範な層から強い反発を受けていた。このような警察行政に関する問題は選挙戦でも焦点になり、市長候補のジェローム・キャヴァナフが警官暴力へ対応を約束すると、TULCは、現職支持を決定していたUAW幹部の意向に逆らって、キャヴァナフの支援活動を開始した。市長選に勝ったのは、黒人有権者の八割以上から支持を受けたキャヴァナフだった。一九四五年とは異なり、「黒人の力《ブラック・パワー》」は無視できなくなっていたのである。

それはまた、都市の人口構成の変化の政治的表現でもあった。一九五〇年に一五四万五〇〇〇人を数えた白人人口は、郊外化が加速度的に進行するなか、一九六〇年までに三六万二〇〇〇人も減少していた。他方、黒人の人口は、これと同じ時期に一八万一〇〇〇人の増加を記録し、市の総人口に占めるその比率は三割に達しようとしていたのである。

都市の政治環境がこのように変化するなか、南部公民権運動が戦闘的《ミリタント》になっていくと、デトロイトの黒人自由闘争も急進化の度合いを強めていった。ここで運動の前面に出てきたのが、ウェイン・ステイト大学の学生たちである。彼らは、キューバからアメリカの黒人に武装蜂起を訴えていた公民権運動家《アクティヴィスト》、ロバート・ウィリアムスの活動を熱心に追いかけ、トロツキスト系の社会主義労働者党の活動家が催していた勉強会に参加して国際情勢と急進主義を学んでいた(1)。そのような学生たちが一九六三年に結成したのがＵＨＵＲＵ《ユフルー》という名の組織である(ＵＨＵＲＵとは、スワヒリ語に語源があり、「自由」や「国民の独立《ナショナル・インディペンデンス》」という意味を持つ)。黒人青年たちは、会衆派教会の牧師アルバート・クラーグや、社会主義労働者党のジェイムズとグレイスのボッグス夫妻らとしばしば協働していて、彼ら彼女らの集合的な活動は、デトロイトの黒人自由闘争のなかで独特の存在感を示していた(Boggs 1998)。このＵＨＵＲＵのことを、歴史家のアンジェラ・ディラードは、「ブラック・ナショナリズムと世界規模で展開している〔脱植民地化の〕革命が熱心に語られた」場であり、その後のブラック・パワーへとつながる「多様な政治的知的潮流の最初の組織的表現」だったと評している(Dillard 2003: 165)。

一九六三年、このような黒人たちの行動でデトロイトの公民権運動は大きな転換点を迎える。この年の春、キングはアラバマ州バーミングハムで大規模な運動を実施し、非暴力に徹したデモに襲いかかる警官隊の姿が世界に衝撃を与えた。非暴力直接行動主義の運動は全米中へ広がり、デトロイトでは、有名な黒人シンガーのアレサ・フランクリンの父で、自身もゴスペルシンガーとして全国的に知られていたC・L・フランクリン牧師らが、「自由への行進」と銘打った大集会を企画することになった。当初この「自由への行進」は、キャヴァナフやリューサーらも参加して、白人と黒人が団結を示すイベントになるはずだった。しかし、クラーグやUHURUのメンバーら新世代のアクティヴィストたちは、この運動が黒人だけのものになることを強く要求し、リヴァー・ルージュ工場ストの際のホワイトの主張を捩《もじ》るならば、「誰が公民権運動を所有しているのか」を問うたのだった。このような意見対立のために一時は集会の実現が危ぶまれ、なんとか成立した合意のもとで、企画の意思決定に白人は関与せず、リューサーらは単なるゲストとして行進のみに参加することになった。かくして実施された集会前のデモ行進には、一〇万人とも評される「巨大な黒人の群衆」が、一九四三年の暴動の激突の場だったデトロイトのダウンタウンを闊歩することになったのである。

この後のデトロイトでは新世代の黒人たちの勢いがいっそう増していった。彼らは、同年一一月、北部グラスルーツ指導者会議という組織を結成し、その創設集会の基調演説者にマルコムXを招いた。この後、マルコムXは、アフリカの反植民地闘争とアメリカ黒人の運動を結びつける主張を行って本格的に政治活動を開始し、その後にブラック・パワー運動という名を得る運動に巨大な影響を与えることになる(2)。

重要なことに、これら一連の動きは、キングが「私には夢がある」と雄弁に語ったのと同じ年に起きていた。実のところ、キングのあの演説は、ワシントン行進に先立つこと約二カ月、デトロイトの「自由への行進」直後の集会で、もっぱら黒人の群衆を前に最初に語られたものだったのだ(藤永 二〇一二、二〇二二)。

リベラル・コンセンサス再考

そのデトロイトで、一九六七年七月二一日、再び「暴動」が起きる。しかも、それは、約七〇〇〇名の逮捕者と四三名の死者を出して、四三年の暴動を圧倒する規模になった。二つの事例とも警官や州兵の人種差別的国家暴力が問題となった点は同じである。だが、六七年の暴動には、単なる暴力の激化に留まらない大きな変化があった。四三年の暴動では、白人と黒人の市民同士が文字通り殴りあっていた。他方、六七年の場合には、建造物破壊による被害が目立っていた。白人の郊外化の進展を受けて、デトロイトのインナーシティは、皮肉にも「人種」が激突する場ではなくなっていたのだ。それゆえデトロイト市民のなかには、六七年の「暴動」のことを、人種憎悪に駆られた徒党が暴れる「人種暴動」ではなく、都市の人種差別的構造に対する「叛乱」(Rebellion)と呼ぶ者が少なくなかった。このような世情のなか、デトロイトの黒人自由闘争は急進化の度合いをよりいっそう深めていくことになる(Thompson 2001; Kurashige 2017)。ブラック・パワーの時代が訪れるのだ。

一九六八年五月二日、クライスラー傘下のダッジ自動車工場でスピードアップに抗議するストが発生した。それはUAWが承認しない「ワイルドキャット・スト」であり、組合幹部は、これを次の労使交渉の障害になると考えて苛烈に抑え込み、ストの「首謀者」を解雇や停職などの処分に付した。罰せられた労働者の七名全員が黒人であり、彼らは、このような幹部の動きを受けて、ダッジ革命的労働組合運動(DRUM)の結成に動いた。それは当然、黒人を主体とする「組合」であり、このように動きが早かったのは、彼らに黒人自由闘争の経験があったからだ——UHURUの中核的メンバーたちであり、自らの活動はリベラルな労働運動のなかでのブラック・パワーを求めるもの、すなわちブラック・パワー運動の最前線に立つものだとはっきりと理論武装していたのだった。また、DRUMという組織名には、単なる略称でない象徴的な意味もあった。DRUMとは、反乱を教唆するという理由で、奴隷制の下では禁止されていた打楽器の名でもある(Hamlin 2012)。このDRUMの労働運動批判の最も鋭利な牙は、公民権運動のリベラルな盟友、UAWの白人幹部に向けられた。また、注目すべきことに、黒人労働者の支払う組合費は別会計の基金とし、黒人コミュニティの自治権の促進のために役立てること、南アフリカのクライスラー工場の黒人労働者に白人と同等の賃金を払うことなど、ローカルな問題とグローバルな視点が重なり合った要求を行っていた。さらに、インドネシアのゴム工場、ボリビアの鉱山労働者、ビアフラの油田労働者から、ミシシッピ・デルタの農民やクライスラー社長邸やホワイトハウスの家事労働者まで、抑圧された有色の人びと――このみながDRUMにとっての「ブラック」だった――のグローバルな組織化を訴えていたのである(Geschwender 1977; Georgakas and Surkin 1998)。

ここで問題なのは、かかる主張の実現可能性ではない。愛国的なアメリカ人として抗議の声をあげていた一九四〇年代の公民権運動と異なり、六〇年代後半の黒人の運動は、自らを「第三世界」の労働者として定位させていた。ブラック・パワーの時代の黒人たちの植民地主義やリベラリズムへの批判は、このような自己規定の変化や、それに伴う人種意識の高まりを反映したものだったのだ。

その後、DRUMの主張に共鳴する黒人労働者の抗議活動はデトロイト都市圏の自動車工場に急拡大し、各工場に誕生していた新組合を統合して革命的労働者組合連盟(LRUW)が結成されるに至る。

LRUWの黒人労働者たちにとって、UAW幹部は、白人だけが住むのを許された郊外で豪邸に住まう「労働貴族」だった。他方、UAWにしてみれば、LRUWの主張は黒人の利害だけに関心を持つものであり、そのような姿勢こそが人種差別的であった。極めて興味深いことに、それはまた、共産主義的なものでもあった。都市暴動が頻発し、ニューレフトの学生たちの叛乱が続くなかにあって、LRUWの活動は、「コミュニストに教唆されたブラック・パワー運動が、掠奪と放火から、大学キャンパスでの叛乱を煽り、黒人労働者を革命的行為に引き込もうとする方法へシフト転換した」のを示すものだったのだ(Geschwender 1977: 104-105)。UAW幹部はさらにこうも述べている。

UAWは、その歴史の最初から、人種、信条、肌の色に拠らず、すべての人びとの平等な権利のために闘ってきました。〔中略〕正義と道徳の問題として、肌の色ではなく、個人の人格によってすべての人びとが判断されるべきです。われらUAWは〔人種問題解決のために〕分離した答えはないと信じています。白人の答えもなければ、黒人の答えもありません。答えはひとつだけ、人間性を共有する者には共通のひとつの答えがあるだけ、そう信じているのです。

(*Ibid.*: 110)

つまり、普遍主義的リベラリズムの正義が人種的な正義たり得るかをUAWが疑うことはなかったのだ。このUAWの声明は、二〇一四年に「ブラック・ライヴズ・マター」の声があがったとき、「主張すべきはオール・ライヴズ・マターであって、ブラックと述べるのは差別だ」と説き、この新たな運動を否定した人びとの声と半世紀の時を経て奇妙に共鳴している。二一世紀、かかる立場の人びとを、わたしたちは「保守」と呼ぶ。ここに、ブラック・パワー運動が何を問いかけ、何を変えたのか／変えられなかったのかが示されている。

おわりに

本稿冒頭で述べたように、ブラック・パワー運動に関わる大きな誤謬のひとつは、この運動が突然として現れたと見るところにある。だが、右にみたように、六〇年代にブラック・パワー運動の名を得る黒人の闘争は、より大きな黒人自由闘争のなかで、人種統合を求めるリベラルな公民権運動と共存していた。このような歴史を踏まえると、ブラック・パワー運動の興隆は、第二次世界大戦後のリベラル・コンセンサスの厚い地層に埋もれて見え難くなっていた水脈が地表に現れてきたものであると考えることができるだろう。

他方、UAWのリューサーに代表されるリベラルな指導層は、人種的マイノリティの特殊な利害を認めようとせず、アメリカ社会を基本的には健全なものだとみなし続けた。こうして六〇年代後半に黒人の運動が、人種的マイノリティの経験や文化を紐帯に自己主張を強めていくと、両者の懸隔はさらに拡がっていった。黒人の経験からみると、普遍的リベラリズムの正義は抑圧的幻想にほかならなった。ブラック・パワーの声は、この幻想からの目覚めを意味したのである。

注

（1）著名な黒人知識人でトロツキストのC・L・R・ジェイムスは、一九五〇年代にはSWPの一員としてデトロイトで活動しており、SWP系知識層が人種問題への関心を高めるのに貢献し、同地の黒人労働者や学生たちに強い影響を残した。また、ロバート・ウィリアムスの活動等、デトロイト以外での急進的な黒人の運動については、拙稿（藤永 二〇二二）を参照。

（2）マルコムXが所属していたネイション・オヴ・イスラームは、政府による弾圧を恐れて政治活動を禁止していた。マルコムXの名はこれ以前にも広く知られていたが、それはもっぱら非暴力の黒人指導層を批判する「過激な言辞」ゆえのことだった。

参考文献

樋口映美（一九九七）『アメリカ黒人と北部産業――戦間期における人種意識の形成』彩流社。

藤永康政（二〇一二）「「公民権物語」の限界と長い公民権運動論――ウィリアムス、キング、デトロイト・グラスルーツの急進主義に関する一考察」油井大三郎編『越境する一九六〇年代――米国・日本・西欧の国際比較』彩流社。

藤永康政（二〇二二）「マルコムXの軌跡――黒人自由闘争の歴史（四）」『思想』一一七四号。

Bailer, Lloyd H. (1943), "The Negro Automobile Worker", *Journal of Political Economy* 51 (Jan.).

Bates, Beth Tompkins (2010), *The Making of Black Detroit in the Age of Henry Ford*, Chapel Hill, University of North Carolina Press.

Battle, Robert (1968), Oral History Interview, Blacks in Labor Movement Archive, Walter P. Reuther Library, Wayne State University.

Boggs, Grace Lee (1998), *Living for Change: An Autobiography*, Minneapolis, University of Minnesota Press.

Capeci, Jr., Dominic J. and Martha Wilkerson (1991), *Layered Violence: The Detroit Rioters of 1943*, Jackson, University Press of Mississippi.

Carson, Clayborne (1986), "Civil Rights Reform and the Black Freedom Struggle", Charles W. Eagles (ed.), *The Civil Rights Movement in Amer-*

ica, Jackson, University Press of Mississippi.

Clive, Alan (1979), *State of War: Michigan in World War II*, Ann Arbor, University of Michigan Press.

Dillard, Angela D. (2003), "Religion and Radicalism: The Reverend Albert B. Cleage, Jr., and the Rise of Black Christian Nationalism in Detroit", Jeanne F. Theoharis and Komozi Woodard (eds.), *Freedom North: Black Freedom Struggles Outside the South, 1940-1980*, New York, Macmillan.

Dillard, Angela D. (2007), *Faith in the City: Preaching Radical Social Change in Detroit*, Ann Arbor, University of Michigan Press.

Dudziak, Mary L. (2000), *Cold War Civil Rights: Race and the Image of American Democracy*, Princeton, Princeton University Press.

Fine, Sidney (1989), *Violence in the Model City: The Cavanagh Administration, Race Relations, and the Detroit Riot of 1967*, Ann Arbor, University of Michigan Press.

Georgakas, Dan and Marvin Surkin (1998), *Detroit: I Do Mind Dying*, Cambridge, South End Press.

Geschwender, James A. (1977), *Class, Race, and Worker Insurgency: The League of Revolutionary Black Workers*, New York, Cambridge University Press.

Hall, Jacquelyn Dowd (2005), "The Long Civil Rights Movement and the Political Uses of the Past", *Journal of American History* 91 (March).

Hamlin, Michael (2012), *A Black Revolutionary's Life in Labor: Black Workers Power in Detroit*, Detroit, Against the Tide Books.

Johnson, Charles S. (1943), *To Stem This Tide: A Survey of Racial Tension Areas in the United States*, Boston, Pilgrim Press.

Joseph, Peniel E. (ed.) (2006), *The Black Power Movement: Rethinking the Civil Rights-Black Power Era*, New York, Routledge.

Keeran, Roger (1980), *The Communist Party and the Auto Workers' Union*, New York, International Publishers.

Korstad, Robert and Nelson Lichtenstein (1988), "Opportunities Found and Lost: Labor, Radicals, and the Early Civil Rights Movement", *Journal of American History* 75 (December).

Kurashige, Scott (2017), *The Fifty-Year Rebellion: How the U. S. Political Crisis Began in Detroit*, Berkeley, University of California Press.

Lichtenstein, Nelson (1995), *Walter Reuther: The Most Dangerous Man in Detroit*, Urbana, University of Illinois Press.

Meier, August and Elliott Rudwick (1979), *Black Detroit and the Rise of the UAW*, New York, Oxford University Press.

Myrdal, Gunnar (1944), *An American Dilemma: The Negro Problem and Modern Democracy*, New York, Harper and Brothers Publishers.

Sugrue, Thomas J. (1996), *The Origins of the Urban Crisis: Race and Inequality in Postwar Detroit*, Princeton, Princeton University Press.

Thompson, Heather Ann (2001), *Whose Detroit?: Politics, Labor and Race in a Modern American City*, Ithaca, Cornell University Press.

コラム｜Column

イギリス帝国、アメリカ帝国、「ビートルトピア」

武藤浩史

ビートルズの誕生と発展はイギリス帝国の解体およびアメリカ帝国の勃興と同期する。そして、音楽を通して世界制覇を果たした彼らは、「力の帝国」に堕した一九六〇年代のアメリカ合衆国に対抗して、新しい共同体のヴィジョンを提示して、風のように去っていった。

ビートルズを生んだイングランド北西部の港町リヴァプールは長くグレートブリテン島に最も近いイギリス帝国植民地だったアイルランド島と地理的に近く、貧しさに耐えかねたアイルランド人の渡航先として、人気があった。そこを経由地としてアメリカに渡る者も多数いたが、リヴァプールに居を定める者もいて、そのアイルランド系住民の多さからリヴァプールはアイルランドの外に位置しながら「アイルランドの首都」と呼ばれることがある。ビートルズのメンバー四人の内三人――ジョン・レノン、ポール・マッカートニー、ジョージ・ハリスン――にはアイルランドの血が流れていて、歌とおしゃべりの国でもあるアイルランド文化の特徴が彼らの活動の源にあると考えることもできる。

そして、第二次世界大戦後の一九五六年のスエズ危機に象徴されるようなイギリス帝国の没落と同期して、ビートルズは新興アメリカ帝国の音楽の強い影響下に誕生した。イギリス帝国の没落、アメリカ文化の世界化、アメリカに近い大西洋側の港町リヴァプールの位置、アイルランド系住民の親米感情などさまざまな要因が重なり、進学校に通うジョン・レノンは不良青年の音楽として英米両国の大人に危険視されるロックンロールに夢中になり、不良のライフスタイルをあえて取り入れ、初めは学校の級友と結成したバンドに、他の進学校に通う才能豊かなポールやジョージを誘いこんだ。ビートルズの誕生である。

しかし、彼らはアメリカ帝国の啓蒙理念の下に隠された力の論理に唯々諾々と従う輩ではなかった。一九六二年に全英デビューを果たし、翌六三年にはイギリスで「ビートルマニア」と呼ばれる熱狂の渦を巻き起こした彼らは、六四年にはアメリカ公演を成功させ、世界を制覇した。その個性は音楽を通して表されるだけではない。映画でも、インタヴューでも、彼らの機知あふれる型破りの楽しさと非マッチョなエネルギーが若者たちに新しい生き方を示した。そして、当時の芸能人にはあり得ないような政治的発言も辞さなかった。

大騒ぎになった一九六六年の来日時（六月三〇日、七月一日と二日に計五回公演、詳細は https://www.yomiuri.co.jp/special/thebeatles/chap02.html を参照）の記者会見でも、ジョン・レノンがビートルズを代表してベトナム戦争反対を唱え、「成功を収めた今

「アワ・ワールド」収録時のビートルズ，1967年6月（写真：Shutterstock/アフロ）

何が欲しいか」という質問には、「平和」と答えている。

遠因として、一九五八年に始まり全国的な盛り上がりを見せたイギリスの核兵器廃絶運動（CND）の影響があるのではないか。多感なティーンエイジャーだった五〇年代の彼らがCNDの反核デモ行進に参加したという記録はない。当時の彼らはロックンロールに夢中だったわけで、CND文化の核を成すフォークソングやジャズを嫌っていたことも関係しているのかもしれない。しかし、六〇年代半ばになってベトナム戦争が激化し、その惨状が広く伝えられるようになると、イギリス反戦運動の伝統が彼らの中に姿を現して、前述の発言に結実した。そして、ロックンロールのパワーとジョンやポールの知性の合体が生み出す未曽有の「喜ばしき知恵」が、世界中に広がった。ロックと呼ばれる新しい芸術ジャンルが誕生した。

その頂点は、来日の翌年、一九六七年に来る。同年発表の音楽アルバム『サージェント・ペパーズ・ロンリー・ハーツ・クラブ・バンド』、そして映画『マジカル・ミステリー・ツアー』では、喜びに基づく自由かつ平等で平和な新しい文化をみんなで一緒に作る姿が描かれた。六月に放映された世界初の多元衛星中継番組「アワ・ワールド」でも、イギリスを代表してビートルズがスタジオの観客とともに「愛こそすべて」を一緒に歌って、同様のメッセージを伝えた。ここに、一八世紀啓蒙理想の、あるいは一八二四年初演のベートーヴェン「歓喜の歌」の二〇世紀版が新たに生まれた。

そして、同年一二月にはロンドンにアップル・ブティックを開き、翌六八年初頭のアップル・コーなる会社の設立に繋げた。いずれも、さまざまな形を取りながらも、「ビートルトピア」と称し得る新しい自由で平等な共同体のヴィジョンの表現を目指すものだった。

その後、オノ・ヨーコとの活動が中心になるジョン・レノン、インド思想への傾倒を深めるジョージ・ハリスンなど、手だてはばらばらに、各人各様になってゆくものの、それぞれがそれぞれの方法で、一九六七年に表出されたこの「ビートルトピア」のヴィジョンを展開していった。それが、ビートルズが人々に与えたとポール・マッカートニーが信じる「自由」の中核を成していて、その普遍性が今でも思わぬ場所で人々の生き方を動かしている。

焦点｜*Focus*

福祉国家とジェンダー
——欧米諸国における「男性稼ぎ主モデル」の変容

佐藤千登勢

はじめに

第二次世界大戦は、参戦国に未曽有の人的・物理的被害をもたらし、戦争の終結後も、戦時の総動員体制から平時の国民生活への転換には多くの困難が伴った。戦後、欧米諸国は、持続的な繁栄と平和を実現するような政策体系の確立を目指したが、その中で、国民生活に直結するシステムとして重要な位置を占めたのが社会保障制度であった。すでに戦前から社会保険が導入されている国もあったが、加入できる職種が限定されていたり、企業や産業単位で制度が運営されていたり、普及に地域的な偏りがあるなどの難点があった。戦後はこれらの問題を克服して、失業や疾病による所得の喪失を補償し、老後の生活を経済的に支えるような包括的な社会保障制度を設立することが各国の政府に求められた。

戦後、こうした社会保障制度を設立した国々は、ケインズ主義的福祉国家としばしば称されてきた。これは、ケインズ主義的な財政・金融政策によって完全雇用の実現を目指しながら、基本的な生活保障を国民に与えるような制度を持つ国家を意味している。ここで完全雇用の対象となるのは生産年齢にある男性であり、その男性が家庭で唯一の稼得者としてフルタイムで働き、社会保障制度に加入することが前提とされている。それに対し、女性は独身の間は働いても結婚後は専業主婦として家事・育児・介護に専念し、夫の被扶養者として制度に加入することが想定されている(田端 二〇〇四：九九頁)。

本稿では、このような性別役割分業を軸にした「男性稼ぎ主モデル」(Lewis 2001: 153)に依拠した社会保障制度が、第二次世界大戦後、欧米諸国でいかなる形で定着し、その後、一九九〇年代までにどのような変容を遂げたのか、ジェンダー関係や家族のあり方に焦点を当てながら論じていく。「男性稼ぎ主モデル」は、欧米諸国の社会保障制度に特有のものではないが、日本のように一九六〇年代に入ってから国民皆保険が実現した国々と比べると、欧米諸国では戦後かなり早い時期にこのモデルが確立されており、その先駆性ゆえに独自の考察対象となりえる。また、ソヴィエト連邦のように、男性と同じように女性も職種や勤続年数によって社会保障の給付額が決められ、多くの子どもを産み育てた女性は、早期に年金の受給を開始できた社会主義国の制度とは、全く異なる発想に基づいていることから、「男性稼ぎ主モデル」は、西側諸国の資本主義を支えたシステムのひとつであると見ることができる。

本稿では、社会保障制度のなかでも特にジェンダーと密接に関わりながら発展した所得保障制度に焦点を当てる。以下では、第一節で、第二次世界大戦直後に設立された社会保障制度にジェンダーがどのように組み込まれていたのかを見る。第二節では、経済成長が続いた社会で、豊かさの中の貧困への関心が高まり、家族やジェンダー関係の変化によってもたらされた「新たなリスク」への対応として、家族・児童手当が重要性を増したことを論じる。第三節では、一九七〇年代以降、経済状況の悪化や新自由主義の台頭に際して、各国の制度が「男性稼ぎ主モデル」からどのように離脱してきたのかを検討する。

一、福祉国家の成立——社会保険とジェンダー

「男性稼ぎ主モデル」が定着した要因のひとつに、戦後のいわゆるベビーブームによる出生率の上昇があった。先進欧米諸国では、第二次世界大戦終結後から一九五〇年代にかけて、出生率の上昇が見られた。一九四五年と五五年の女性一人当たりの子どもの数を比べると、イギリスでは二・〇四から二・二二へ、フランスでは二・二八から二・六八へ、ドイツでは一・五三から二・一三へ、アメリカでは二・四八から三・五〇へと増加している(Gauthier 1996: 61)。夫婦と二—三人の子どもから成る核家族が「標準家庭」とされ、戦後の混乱が収束すると、社会的な安定の基盤として家族の重要性が強調されるようになった。当時の心理学や社会学が生み出した「科学的知見」は、親密な母子関係が子どもの健全な成長に不可欠であることを説き、性別役割分業への批判を封じ込めた。多くの国々で家族の価値を擁護する団体が設立され、異性愛と法的な結婚の重要性が強調された(*Ibid.*: 63-64)。

戦時期には軍需産業などを中心に働く女性の数が急増したが、終戦とともにその多くは解雇され、家庭へ戻るように促された。一九五〇年代には女性の労働参加率は全体的に低い水準にとどまり、特に、既婚女性の就労率は低迷した。一九五〇年代末に就労していた既婚女性の割合は、イギリス、ドイツ、アメリカで、いずれも三〇%程度にすぎなかった(Ortiz-Ospina, Tzvetkova & Roser 2018)。

戦後、欧米諸国で形成された社会保障制度は、さまざまな形で社会保険に「主婦」の概念を組み込みこむことで、「男性稼ぎ主モデル」を確立した。その代表と言えるのが、専業主婦と働く既婚女性を異なる条件の下に置いたイギリスの社会保険であった。イギリスでは、国民の戦争協力に応える形で、厚生官僚のウィリアム・ベヴァリッジを中心に社会保障制度が構想され、その骨子は一九四二年に『社会保険と関連サービス』として報告された。そこでは、

自由な市場経済が解決することができない窮乏や疾病などの「悪」に対処するために、均一額の保険料の拠出に基づいた均一額の給付を行い、ナショナル・ミニマムを保障するような制度の確立が提唱された。この報告書をもとに、労働党のアトリー政権下で一九四六年に国民保険法(労働災害と失業)と国民年金法が成立し、働くことができる人が就労を通じてひとつの社会保険に加入する普遍主義的な制度が設立された。

しかし、ナショナル・ミニマムの保障は、必ずしも個人を単位としたものではなく、婚姻関係に基づいて加入者に異なる条件が課された。ベヴァリッジは、既婚女性を「主婦としての仕事」に従事している者と見なし、「特殊なニード」に応じるような給付を行うことを提唱した。戦後になって設立された社会保険では、既婚女性はたとえ就労していても、夫の被扶養者として加入することが推奨された。働く妻は、夫の被扶養者として拠出を免除されるかわりに、失業・疾病・障害給付の請求権を放棄し、年金も夫と共同にするか、あるいは単身女性と同額の拠出をしながら、失業・疾病・障害給付が三分の一減額され、自分が六〇歳以降に退職してから夫が六五歳になるまでの間は単身で年金を受給し、その後は夫と共同年金にするかの選択肢が設けられた。こうした規定は、一九七〇年代半ばに廃止されたが、それまでは働く既婚女性の約四分の三が、前者を選んだ(大沢 一九九五：九九、一〇〇頁、高島 一九九一：六二頁)。

このような被扶養配偶者に関する規定は、婚姻関係が生涯に亘って続くこと、夫は定年まで安定した仕事に就き、そこから十分な収入を得られることが大前提とされており、イギリス以外にもフランスなどで一九五〇年代までに設けられた。ドイツでは、一九五七年に年金改革が行われたが、妻の被扶養規定は導入されず、結婚や出産を機に仕事を辞めた女性は、自主的に拠出することで受給の条件を満たさなければならなかった。こうした状況に鑑みると、戦後の社会保障制度の揺籃期に主婦の「特殊なニード」に応じたイギリスの規定は、夫を通してではあれ、女性を社会保険にアクセスさせた画期的な措置であったと評価することもできる。

二、福祉国家の変容──豊かな社会のパラドックス

欧米諸国は戦後の復興を経て一九六〇年代前半までに、持続的な経済成長を実現した。景気変動が比較的少ない状態が続き、一九六〇年代初めには年平均四－五％ほどの経済成長が達成され、雇用が拡大した。そうした中で、社会保険の加入率は急速に上昇した。総労働力に占める老齢年金の加入者の割合は、一九七〇年にドイツで八一％、フランスで九三％、イギリスで八三％、スウェーデンで一〇〇％に達した(白鳥・ローズ 一九九〇：六六頁)。戦後、社会保障制度の設立に際して前提とされたのは、雇用が拡大して社会保険に加入する者が増えれば、ほとんどの国民がそれによって生活を安定させることができるという見通しであり、税を財源とする公的扶助を受給するのは、何らかの理由で働くことができないごく少数の者だけになると想定されていた。

しかし現実には、この時期に繁栄を謳歌していた国々でも低所得者の数は増加傾向にあり、公的扶助の受給者数は減少しなかった。なかでも、女性の貧困は看過できない問題だった。女性は婚姻関係を通じて夫の被扶養者として社会保険に加入するものと想定されていたために、そこからこぼれ落ちた女性は、必然的に経済的な困難に見舞われる可能性が高かった。単身女性、高齢女性、母子家庭が直面する問題は、以前から存在していたが、とりわけ一九六〇年代半ばから七〇年代にかけて、婚姻率の低下、婚外子の増加、離婚率の上昇によって「貧困の女性化」が際立った形で進み、何らかの政策的な対応が求められるようになった(Oláh 2015: 7, 8, 12; Sorrentino 1990: 44, 45, 50)。

貧困の「再発見」と女性

一九六〇年代に先進欧米諸国で貧困が「再発見」されたことが、低所得の女性や子どもに対する政策の重点化を進

めるひとつの契機になった。イギリスで一九六五年に出版されたブライアン・エイベル＝スミスとピーター・タウンゼントの『貧困者と極貧者』は、女性の二九％、母子家庭の五七％が生活に困窮しており、夫が低賃金労働者で子どもが三人以上いる家庭の九三％が貧困状態にあると論じた。こうした実態は、公的扶助の受給者の増加にも反映されていた。イギリスでは一九四八年に国民扶助が導入され、一九六六年に補足的給付（SB）へと改称されたが、全人口に占める受給者の比率は、一九四八年の三％から、一九六一年の五・一％、一九七一年の八・五％へと上昇を続けた（一圓 一九八二：一〇二頁）。

アメリカでもこの時期に、マイケル・ハリントンの『もうひとつのアメリカ』などの著作によって、都市のスラムに住む黒人や高齢者、母子家庭の貧困の実態が明らかになった。アメリカは世界で最も豊かな国でありながら、人口の二割強にあたる約四〇〇〇万人が経済的に困窮した生活を余儀なくされ、世代を超えて貧困が連鎖していることが指摘された。また、ダニエル・モイニハンが一九六五年に出した黒人家族に関するレポートでは、貧困と人種の関係に焦点が当てられ、黒人女性による婚外子の出産が多いことが問題視された。

アメリカでは、一九三五年社会保障法の下で児童扶助（ADC）が導入され、母子家庭への現金給付が行われてきたが、当初は夫の死後、寡婦が家庭で子どもを養育できるようにすることが目的とされていた。ところが、戦後は多くの州で夫と離婚した場合も受給の対象とされるようになり、一九六一年以降は父親が失業中の家庭にも受給が認められたため、受給者は増加の一途をたどった。名称も要扶養児童家族扶助（AFDC）へと変わり、公民権運動や全米福祉権団体などの活動に後押しされて、白人のシングルマザーに加えて、多くの黒人女性も受給するようになった（Gordon & Batlan 2011）。

「新しいリスク」への対応――家族・児童手当の拡充

家族形態の変化に伴い、「男性稼ぎ主モデル」に基づいた社会保険を主軸とする社会保障制度では、単身女性や母子家庭が抱える問題に対処することが困難であることが明らかになった。こうした中で、家族の「機能不全」や子どもの貧困という「新しいリスク」に対処するために、多くの国々で家族手当や児童手当への関心が高まった。

イギリスでは戦前から、エレノア・ラスボーンらにより家族手当の導入を求める運動が行われ、戦後間もなく、多子家庭の貧困問題への関心から家族手当法が成立し、国庫負担により、第二子以降につき一律〇・二五ポンドが支給された。一九五〇年代に入ると、何度か給付額が引き上げられたが、給付水準は低く、二人の子どもがいる家庭に給付される手当が製造業の男性労働者の平均賃金に占める割合は、一九六一年には二・九％にすぎなかった(Gauthier 1996: 74; 浅井 二〇一一：六〇、六一頁、樫原 一九八〇：六五頁)。

一九六〇年代に貧困問題への関心が高まると、子どものいる家庭の経済的な負担を減らすべく家族手当を拡充する必要性が叫ばれるようになった。労働党政府は、多子家庭や母子家庭への給付の増額を目指して家族手当法の改正に踏み切ったが、その一方で児童扶助控除の額を引き下げたため、期待されたほどの成果を生まなかった(福島 一九八三：一九七、二〇三、二〇四頁)。その後、一九七一年に保守党のヒース政権の下で、家族所得補足制度(FIS)が導入され、低所得家庭に対し第一子から現金が給付された。開始からわずか一年で受給者数が一〇万世帯を越え、総受給世帯に占めるひとり親世帯(その大半が母子家庭)の割合は、一九七一年には三二％だったが、一九七五年には五〇％を越えた(同：二〇八、二一〇、二一一頁)。

スウェーデンでも、この時期に国庫負担による家族手当が拡充された。一九三四年にミュルダール夫妻が『人口問題の危機』を出版し、出生率の低下が深刻な問題として捉えられると、その対策として家族手当への関心が高まった。戦後になると、社民党政権の下で、「国民の家」という理念を背景に社会保障制度が整備され、一九四八年に児童手当が導入された。所得に関係なく一六歳未満の子どもを扶養する母親に現金を給付するという形がとられ、親の就労と家族手当を切り離す方針が明確にされた(浅井 二〇一一:六四頁)。だが、給付水準は低く、二人の子どもがいる家庭に給付される家族手当が製造業の男性労働者の平均賃金に占める割合は、一九四九年に九・六%、一九六一年に六・四%と低迷した(Gauthier 1996: 74)。

一九六〇年代になると、低所得の家庭が非常に多く、貧困が深刻であること、現金の移転が十分な再分配の効果を生んでいないことが問題視されるようになり、ひとり親家族や大家族への重点的な施策が検討された(*Ibid.*: 87)。その結果、所得制限のある選別的な手当てが拡充されるのではなく、全体的な児童手当の引き上げとともに、男女が等しく子育てに携わることができるような制度作りが進められていった。一九七一年に男女分離個人別納税方式が採用され、一九七四年に新設された両親保険によって、すべての親に出産・育児休業中の所得が保障されるようになった。また、公的保育など、雇用と育児を両立させるための社会サービスの充実が図られ、「男性稼ぎ主モデル」から「共働き家族モデル」へと大きく舵が切られた(浅井 二〇一三:二五三頁、都村 一九九九:一九〇、一九一頁)。

三、福祉国家の再編――「共稼ぎ家族モデル」の模索

戦後、欧米諸国で確立されたケインズ主義的福祉国家は、「男性稼ぎ主モデル」を定着させたが、その一方で、経済成長によって労働力が不足するようになり、女性の就労を促すという側面があった。**表1**に見られるように、イギリス、ドイツ、アメリカでは一九六〇年代以降、未婚女性のみならず既婚女性の就労率が上昇し続け、一九八〇年には四割から五割に達した(Ortiz-Ospina, Tzvetkova & Roser 2018)。

一九七〇年代には、ベトナム戦争による経済の疲弊や「ドル危機」によるブレトン・ウッズ体制の終焉、二度の石油危機によって、世界的に景気が後退した。スタグフレーションが深刻化する中で、男性労働者の所得が減少し失業

も増えたため、働く女性の数はさらに増え続け、「男性稼ぎ主モデル」に依拠した福祉国家は変化を余儀なくされた。この時期には、欧米を中心に女性の解放を求める運動が広がり、避妊の普及や人工妊娠中絶の合法化に加えて、雇用における男女平等を求める動きが活発になったことも、こうした動きに拍車をかけた。国連も女性差別撤廃条約(一九七九年)やＩＬＯの「家族的責任を有する男女労働者の機会および待遇の均等に関する条約」(一九八一年)などの締結を進め、家庭や職場での性差別をなくしていくための取り組みを本格化させた。

ただし、女性の就労の増加に伴い、雇用上の性差別や男女間の賃金格差が解消され、それに対応するように福祉国家が再編されていくという単純な道筋をたどったわけではなかった。働く女性の増加の背後にあったのは、低成長下での雇用状況の悪化だった。有期雇用、パートタイム、派遣労働が増加し、女性は非正規雇用で圧倒的多数を占めた。雇用形態の男女間格差は、賃金格差につながり、女性は賃金労働のかたわら、家庭では家事や育児などの無償労働の大半を担うことが当然とされた(Olah 2015: 7, Figure 15)。

さらに、先進諸国の資本主義が大きな危機を迎えたことで、ケインズ主義的な政府の市場への介入が、経済の機能不全をもたらしているとして、緊縮財政や規制緩和を進める動きが多くの国々で見られた。市場での自由競争を増すことによって経済の効率化を図ろうとする新自由主義(ネオリベラリズム)が台頭し、小さな政

表1　既婚女性の就労率(%)

	1960	1970	1980
イギリス	30.1(1961)	42.9(1971)	47.2(1981)
ドイツ	32.4(1960)	35.6(1970)	40.6
アメリカ	32.0	42.0	50.0

出典：Ortiz-Ospina, Tzvetkova & Roser(2018)

表2　社会保障費と家族関連支出の対 GDP 比(%)(1993)

	①社会保障費(対 GDP 比)	②家族関連支出(対 GDP 比)	②／①
イギリス	13.2	1.3	9.8
フランス	23.1	2.0	8.7
ドイツ	26.2	1.3	5.0
スウェーデン	39.6	6.4	16.2

出典：白波瀬(1999)

府への転換が図られるとともに、自助努力や家族の価値といったような保守的な道徳観が復活した。

このような福祉国家をめぐる諸変化への対応には、国によって大きな違いがあり、また一国の中でも多層的で時には矛盾する動きが見られた。**表2**のように、「新しいリスク」への対処に充てられた家族関連支出の額や内容も国によってかなり異なっている。以下では、イギリス、アメリカ、フランス、ドイツ、スウェーデンについて、一九八〇年代から九〇年代にかけて行われた福祉改革や家族・児童手当を中心とした家族政策の変化を見ていく。

イギリス

イギリスでは、一九七〇年代半ばから労働党政府が児童給付制度を導入し、原則一六歳以下の子どものいる家庭を対象にした給付が開始された。これは所得に関係なく、中産階級も含めた普遍的な児童給付であり、当初の給付額は、第一子に週一ポンド、第二子以降は週一・五〇ポンドと定められた。その後、給付額の引き上げが続き、ひとり親家庭には追加的な給付が与えられるようになった(福島 一九八三：二一二、二一三頁)。

新自由主義的な改革が進められたサッチャー政権期には、必ずしも大幅な福祉削減は実現しなかったが、質的な面からの福祉国家の変容は、この頃から次第に進んだ(大村 二〇一三：二五一、二五二、二五五頁)。そのような方向性は、福祉プログラムの受給資格を厳格化し、ワークフェアの導入により就労を促し、福祉の受給期間を可能な限り短くするような取り組みに顕著に見られた。こうした福祉改革が本格化したのは、一九九七年にブレア政権下でニューレイバーによる「第三の道」が取られるようになってからだった。なかでも、多くの女性が影響を受けたのは、「ひとり親のためのニューディール」である。就学年齢の子どものいるひとり親家庭(その大半が母子家庭)が所得補助を受けるに際して、求職活動や職業訓練への参加が促された。イギリスでは、それまで政府の支援による保育制度の拡充が遅れていたが、この時期に三、四歳児の保育の無償化が進められるなど、幼い子どもを持つ女性の就労を支援する取り組みがなされた(Millar 2000: 336, 337; 原 二〇一八：二一、二二、二七、二八頁)。

アメリカ

アメリカではレーガン政権期にAFDCを中心とした福祉の削減が提唱されたが、イギリスと同様、実際にはそれほど支出は減少せず、本格的な福祉改革は、一九九〇年代に入ってから行われた。大きな転換は、クリントン政権期の一九九六年に個人責任就労機会法が制定されたことから始まった。同法の下で、AFDCが廃止され、その代替的なプログラムとして「貧困家族のための一時的扶助」(TANF)が導入された。そこでは、受給開始から二年以内の就労が義務づけられ、求職活動や職業訓練への参加が求められた。TANFの受給者の大半は母子家庭であり、母親の就労を促すために、保育サービスへの補助が行われたが、公的な保育は普及しなかった。さらに、福祉への依存が、両親が揃った「健全な家族」の形成を妨げているとされ、結婚や婚姻の継続を促すプログラムが実施された。婚外子の妊娠・出産を減らすための教育活動に多くの補助金が充てられ、伝統的なジェンダー規範への回帰が明確に打ち出された(佐藤 二〇一四：第一章)。

アメリカでは、ヨーロッパ諸国で導入されているような家族・児童手当は存在せず、フードスタンプによる食費の補助や、医療扶助であるメディケイド、子どものいる勤労世帯を対象とした勤労所得税額控除(EITC)など、低所得者を対象としたプログラムは分散している。さらに、州や地方へ福祉行政の権限が委譲されているため、地域による制度の違いや給付額の差が大きい。アメリカでは、平等主義・個人主義の観点から雇用面におけるジェンダー平等はかなり達成されているが、公的な社会サービスが充実しておらず、保育への支援も少ない。そのため、高所得の女性だけが民間のサービスを利用して、フルタイムの雇用と家事と育児を両立させることができるような状況が生まれ、女性の間での格差の拡大につながっている(田端 二〇〇四：一二四、一二五頁)。

フランス

フランスでは、戦後早い時期から二人以上の子どもをもつすべての家庭に家族手当が給付されてきたが、子どもを育てている低所得の家庭への追加的な支援として、一九七八年に家族補足手当が導入された。三歳未満の子どもがいる、あるいは三人以上の子どもを扶養している家族が対象とされ、家庭内の有業者の数、子どもの数によって支給額が決められた(浅井 二〇一三:二五五頁)。

また同じ頃、ひとり親手当(API)も導入され、所得が一定額以下のひとり親家庭に現金が給付されるようになった。APIの受給者の大半は母子家庭で占められた。就労の義務などの規則がなかったので、福祉への依存を助長しているという批判もなされたが、母親が就労して所得を得るよりは、子どもが幼いうちは育児に専念する方が望ましいという考え方が根底にあった(Martin 2009: 10)。

その後、一九八八年には、参入最低所得(RMI)制度が設立され、二五歳以上のすべての人に最低所得が保障されるようになった(扶養する子どもがいる場合、あるいは出産予定の場合は、年齢に関係なく受給できる)。給付額は、保障所得と世帯所得の差に基づき決定され、貧困を解消するための社会政策として定着した(浅井 二〇一三:二六二—二六四頁、出雲 二〇〇七:五二、五三頁)。

このようにフランスでは、家族の多様化に対応する一方で、家庭で家事や育児に専念するか、外で働くか、「自由な選択」を女性に委ねるというスタンスがとられた。基本的には家族による子育てが理想とされ、一九九〇年代まで保育への補助も自宅保育や保育ママへの支援が中心だった(Martin 2009: 72)。

ドイツ

ドイツでは、児童手当が家族関連支出の大半を占め、一九七〇年代半ばからは一八歳までのすべての子どもが支給の対象とされた。それに加えて、子育て世帯を対象とする税額控除によって、「家族負担の調整」(子どものいる家庭の経済的な負担を子どものいない家庭との間で国家が調整すること)をし、有子家庭への経済支援を行った。

一九八五年には、コール政権の下で「新しい母性」政策がとられ、育児手当・休暇法が制定された。その背景には、出生率の低下への懸念があった。同法によって、子どもを養育しており、週の労働時間が一九時間以下の親に対し、子どもが二歳になるまで月額六〇〇マルクを上限とする育児手当が給付された(原 二〇〇一:七六頁)。しかし、育児手当の額が低かったため、夫よりも収入の低い妻が育児休暇を取得するケースが圧倒的に多く、男性の育児休暇取得はほとんど進まなかった(齋藤 二〇一二:二一〇頁)。

一九九〇年のドイツ統一後は、景気が後退し、雇用状況は悪化した。東ドイツでは、公的保育が充実し、男女間の賃金格差も西ドイツに比べて小さかったが、統一後は、西ドイツの制度が主流となったため、雇用におけるジェンダー平等はなかなか進まなかった。特に三歳未満の子どもに対する保育サービスの拡充が遅れ、母親は家庭で育児に専念するか、働いてもパート労働にとどまる者が多かった(Klammer 2009: 97, 102)。こうした状況は、二〇〇〇年代に入り、メルケル政権下で両親手当と子育て支援法が成立し、次第に変わっていった(近藤 二〇一三:二四〇、二四一頁、齋藤 二〇一二:二〇一頁)。

スウェーデン

スウェーデンでは戦後、国庫負担で原則一六歳未満のすべての子どもを対象に児童手当が給付され、所得制限は設けられなかった。給付額は、長い間、子ども一人当たり定額だったが、一九八二年からは第三子以降には、多子加算制度が導入された(都村 一九九九:一九三、一九四頁)。

一九七四年には両親保険が導入され、その後は政府主導で父親の育児休業取得が推進された。しかし、父親の育児休業の取得日数はそれほど伸びず、子どもの世話をすることが父親の「義務」ではなく「権利」として捉えられていると批判された。妻が夫よりも収入が低く、パートタイム労働であることも多いため、その後も母親が父親よりも育児休業日数を多くとるという傾向が続いた(都村 一九九九:一九六、一九七頁、善積 二〇一一:二〇〇、二〇一頁)。

スウェーデンでは、一九九一年に政権についた穏健党のビルトによって、「新しいスタート」と称された政策体系の中で、市場経済を強化し、大企業を優遇するような新自由主義的な構造改革が進められた。インフレの抑制と財政の削減を図る中で、両親保険による所得補償率が九〇%から八〇%へ削減された(浅井 二〇一八:二七七、二七八頁)。しかし、福祉国家の再編という観点から見ると、スウェーデンでは新自由主義の影響は限定的だった。その理由としては、普遍主義的な福祉国家が早くから確立され、有権者の多くが社会サービスの受益者であるため、大幅な支出削減を断行するのが難しいことがあった。イギリスやアメリカのように、福祉改革の名の下に低所得者に対する支援が一九九〇年代に大きく削減された国とは異なり、スウェーデンでは、福祉国家の構造的な特徴ゆえに、政策上の変化が限定的なものに抑えられたと見ることができる。

おわりに

第二次世界大戦後に欧米諸国で確立された社会保障制度は、「男性稼ぎ主モデル」に基づいたものであり、その後の福祉国家の変容は、そのモデルからの離脱の歴史だった。設立当初、社会保障制度は、拠出制の社会保険と税を財源とする公的扶助という、二つの異なるプログラムから構成されていた。その後一九六〇年代に入り、家族形態の変化や女性の就労率の上昇が進むと、既存の二層構造の制度では対応しきれない「新しいリスク」が注目を集めるようになった。女性や子どもの経済的な困窮が深刻な問題として受け止められ、家族手当や児童手当といった、それまで重視されてこなかった所得保障プログラムの整備が急がれた。

一九七〇年代以降の経済状況の悪化や、新自由主義的なイデオロギーの台頭によって、福祉国家の再編が進められる中で、各国の政策的な対応は政治的な要因に大きく左右され、多岐にわたった。だが、大きな潮流としては、家族政策への関心が高まり、その一環として子どものいる家庭への経済支援が重点化されていく動きが見られた。

こうした状況の下で、本稿で取り上げた事例の中では、スウェーデンの社会保障制度が、一九九〇年代までに最も「男性稼ぎ主モデル」から離れ、「共働き家族モデル」へと移行した。それに対し、フランスとドイツでは、普遍性が高い家族・児童手当が導入され、子どもを持つ家庭への支援は進んだが、一九九〇年代までは、女性の完全な労働参加を促すような政策への転換は行われず、「男性稼ぎ主モデル」が部分的に修正されるにとどまった。こうした特徴は、脱商品化に加えて脱家族化という指標を用いたイエスタ・エスピン＝アンデルセンの福祉レジーム論においても指摘されている(Esping-Andersen 2000)。

一方、エスピン＝アンデルセンが自由主義レジームとして括っているイギリスとアメリカは、一九九〇年代に福祉改革が進み、母子家庭など特定のターゲットを持つプログラムの受給資格が厳格化され、ワークフェアへの動きが見られたという点では類似している。しかしアメリカでは家族・児童手当が存在しないのに対し、財政規模が小さいとはいえ、イギリスでは、子どものいる家庭への経済支援が重視されており、その点において両国は大きく異なっている。

「男性稼ぎ主モデル」が変容を遂げて行き着く先として展望されているのは、家族を単位とせず、ジェンダーによる差異を生み出さない個人モデルである。ダイアン・セインズベリーが提唱する稼得とケアの個人モデルでは、ジェンダーに関わりなく稼得とケアの提供者となり、そのことが社会権として認められ、個人の主体性が尊重されるような政策が必要であるとされている(Sainsbury 1999: Chapter 8; 田中 二〇一七：四三頁)。最も先進的なスウェーデンにおいても、労働市場への女性の参加は進められてきたが、無償のケア労働に対する責任はいまだ女性が主に担っていることが指摘されている(Lewis 1992: 169; 深澤 一九九四：一四頁)。ジェンダー中立的な形で稼得とケアの提供を可能にするようなシステムを組み込んだ社会保障制度が確立されてはじめて、福祉国家は「男性稼ぎ主モデル」からの離脱を完了するのである。

参考文献

浅井亜希(二〇一一)「人口問題にみる福祉国家の比較政治――スウェーデン・フランス・イギリス」『社会政策』第三巻第三号。

浅井亜希(二〇一三)「スウェーデンとフランスにおける脱家族化への家族政策の転換」『日本比較政治学会年報』第一五号。

浅井亜希(二〇一八)「新自由主義の家族政策は可能か――スウェーデンとの比較から」『立教法学』第九八号。

出雲祐二(二〇〇七)「フランスの所得格差とRMI」『海外社会保障研究』第一五九号。

一圓光彌(一九八二)『イギリス社会保障論』光生館。

大沢真理(一九九五)「『福祉国家比較のジェンダー化』とベヴァリッジ・プラン」『社会科学研究』第四七巻第四号。

大村和正(二〇一三)「イギリス――自由主義的福祉国家の発展と変容」鎮目真人・近藤正基編著『比較福祉国家――理論・計量・各国事例』ミネルヴァ書房。

樫原朗(一九八〇)『イギリス社会保障の史的研究Ⅱ』法律文化社。

近藤正基(二〇一三)「ドイツ――変わりゆく保守主義型福祉国家」鎮目真人・近藤正基編著『比較福祉国家――理論・計量・各国事例』ミネルヴァ書房。

齋藤純子(二〇一二)「ドイツ社会国家と家族政策」原伸子編著『福祉国家と家族』法政大学出版局。

佐藤千登勢(二〇一四)『アメリカの福祉改革とジェンダー――「福祉から就労へ」は成功したのか？』彩流社。

白鳥令、R・ローズ編著(一九九〇)『世界の福祉国家――課題と将来』新評論。

白波瀬佐和子(一九九九)「西欧諸国における家族政策——育児支援対策の視点から」『季刊年金と雇用』第一八巻第一号。

高島道枝(一九九一)「イギリスの女子労働と社会保障——所得保障に限定して」『季刊社会保障研究』第二七巻第一号。

田中弘美(二〇一七)『「稼得とケアの調和モデル」とは何か——「男性稼ぎ主モデル」の克服』ミネルヴァ書房。

田端博邦(二〇〇四)「福祉国家と労働政策——ジェンダーの視点から」大沢真理編『福祉国家とジェンダー』明石書店。

都村敦子(一九九九)「家族政策・社会扶助・住宅手当等」丸尾直美・塩野谷祐一編著『先進諸国の社会保障5 スウェーデン』東京大学出版会。

原俊彦(二〇〇一)「ドイツの家族政策の特徴とその変容」『現代社会学研究』第一四巻。

原伸子(二〇一八)「イギリスにおける福祉改革と家族——「困難を抱えた家族プログラム」とジェンダー」『大原社会問題研究所雑誌』第七一六号。

深澤和子(一九九九)「福祉国家のジェンダー化——一九八〇年代以降の研究動向(欧米を中心として)」『大原社会問題研究所雑誌』第四八五号。

福島勝彦(一九八三)『イギリスの社会保障政策——戦後の展開』同文館。

善積京子(二〇一一)「スウェーデンの家族変容——家族政策と生活実態」『家族社会学研究』第二三巻第二号。

Esping-Andersen, Gosta (2000), *Social Foundations of Postindustrial Economies*, Oxford, Oxford University Press.(渡辺雅男・渡辺景子訳『ポスト工業経済の社会的基礎——市場・福祉国家・家族の政治経済学』桜井書店、二〇〇〇年)

Gauthier, Anne H. (1996), *The State and the Family: A Comparative Analysis of Family Policies in Industrialized Countries*, Oxford, Oxford University Press.

Gordon, Linda & Felice Batlan (2011), "The Legal History of the Aid to Dependent Children Program", *Social Welfare History Project* (https://socialwelfare.library.vcu.edu/public-welfare/aid-to-dependent-children-the-legal-history)最終閲覧日二〇二二年四月四日。

Klammer, Ute (2009), "Germany: Poverty as a Risk for Women Deviating from the Male Breadwinner Norm", Gertrude Schaffner Goldberg (ed.), *Poor Women in Rich Countries: The Feminization of Poverty over the Life Course*, Oxford, Oxford University Press.

Lewis, Jane (1992), "Gender and the Development of Welfare Regimes", *Journal of European Social Policy*, Vol. 2, No. 3.

Lewis, Jane (2001), "The Decline of the Male Breadwinner Model: Implications for Work and Care", *Social Politics* (Summer).

Martin, Claude（2009）, "Feminization of Poverty in France: A Latent Issue", Gertrude Schaffner Goldberg（ed.）, *Poor Women in Rich Countries: The Feminization of Poverty over the Life Course*, Oxford, Oxford University Press.

Millar, Jane（2000）, "Lone Parents and the New Deal", *Policy Studies*, Vol. 21, No. 4.

Oláh, Livia Sz.（2015）, Changing Families in the European Union: Trends and Policy Implications（https://www.un.org/esa/socdev/family/docs/egm15/Olahpaper.pdf）最終閲覧日二〇二二年四月四日。

Ortiz-Ospina, Esteban, Sandra Tzvetkova & Max Roser（2018）, Women's Employment（https://ourworldindataorg/female-labor-supply）最終閲覧日二〇二二年四月四日。

Sainsbury, Diane（1999）, *Gender and Welfare State Regimes*, Oxford, Oxford University Press.

Sorrentino, Constance（1990）, "The Changing Family in International Perspective", *Monthly Labor Review*（March）.

集 点 *Focus*

宗教と現代政治

森本あんり

一、近代の誤算

宗教性の横溢

一九七九年二月一日、テヘランの空港にルーホッラー・ホメイニー師が到着した。七九歳のイスラム教シーア派指導者は、一五年前にパフラヴィー皇帝(シャー)を批判して国外追放の身となっていたが、彼を追放したその皇帝は二週間前に国外へ逃亡しており、入れ替わるように帰国して凱旋を果たしたのがホメイニー師である。空港で歓呼のうちに彼を出迎えた一二〇〇人の中に、シャーの政府を代表する者は一人もいなかった。帰国後の第一声でホメイニー師は、国内に滞在しているすべての外国人とその協力者に即時退去を求め、従わなければ彼らの手を切り落とす、と警告した。その後二一世紀の今日に至るまで世界の情勢を大きく左右することになる「イスラム革命」の歴史的宣言である。

中東やイスラム圏だけではない。アメリカでは一九七七年に福音派のカーター大統領が登場し、「モラル・マジョリティ」や「クリスチャン連合」といった保守系政治団体が選挙や政策を大きく左右するようになった。ラテンアメリカでは、一九七〇年代からカトリック教会の民衆神学者が下からの改革を求めて左派政治家とともに「解放の神学」による活動を展開したし、フィリピンのカトリック教会は、一九八六年の選挙不正に正面から非難を向けてマルコス大統領を失脚させた。ポーランドでは、労働組合組織「連帯」がカトリック教会の祝福を受けて活動し、同国出身の教皇ヨハネ・パウロ二世がワレサ氏と共に祈って共産主義政府への抵抗を示した。一九八九年にベルリンの壁が崩壊したのは、東ドイツのルター派教会が社会主義政党の弾圧に屈することなく開き続けた平和的な抗議集会に、何万という人びとが集まるようになったことがきっかけである。南アフリカでは、デズモンド・ツツ聖公会大司教の仲介努力により、白人支配を正当化し続けてきたオランダ改革派教会が姿勢を改め、ついに一九九四年にアパルトヘイト体制の終焉に至っている。他方、インドではヒンドゥー至上主義が台頭し、一九九八年に人民党が政権を取得すると、それまでの世俗主義を捨てて排他的な宗教政策を推し進めるようになり、スリランカでは民族的多数派が仏教信仰を優遇して少数派に対する武力闘争を展開した。

宗教と政治の深い連関を示すこうした出来事は、二〇世紀の終わりが近づくにつれて世界各地で立て続けに起きている。国際政治を専門とする研究者たちも、その連関に必要な注意を払ってこなかったわけではない。だがその視線は、旧ユーゴで起きた民族殺戮や九・一一の同時多発テロ攻撃といったセンセーショナルな個別事象に向けられており、それらが実は幾重にも積み重なった宗教史の地政学的な帰結であって、二一世紀へ続く対立と紛争の要因ともなっている、という相互連関的な構造の全体には向けられていない。

おそらくそこには、近現代の啓蒙主義的な歴史認識が自覚されぬまま作用しているだろう(McDougall 2020: 26)。その認識からすると、宗教は過ぎ去りゆく時代の遺物にすぎない。現代政治のゲームを担っているのは経済力や軍事力というリアルパワーであって、宗教が前景に見えている場合にも、それは別の世俗的要素へと還元されてこそ、より本来的な解釈が可能となる、と考えられてきた。宗教的要素は、はじめから関心の外にあるか、さもなくば当惑をもって眺めるべき一時的で局地的な散発現象にすぎなかったのである。

近代啓蒙の前提

たしかに、一九七〇年代以降、西欧諸国ではどこでもキリスト教の主要教派が長い坂を転げ落ちるように構成員数を減少させている。世俗化と都市化、工業化と商業化は、どれほど組織宗教が順応と追従の努力を払おうとも、容赦なく侵蝕作用を及ぼし続けた。かつて神聖で不可侵とみなされていた宗教的な権威は、民主主義と自由主義の興隆により、否応なく問いに付されるようになった。多くの伝統的な社会で王権や貴族階級と結びついていた宗教指導者の権力は、平等を求める大衆社会から当然の批判を受けることになった。神的な奇跡のわざと思われていた諸現象は、いとも簡単に科学で説明し尽くされ、マルクス、ニーチェ、ダーウィン、フロイトらの思想が近代以前の残滓を一掃してくれるかに思われたのである。西欧社会が推し進めてきた「政教分離」原則に対する楽観的な信念も、政治と宗教が不可分の関係にあるという認識を妨げてきた。近代ヨーロッパが経験してきた宗教戦争を振り返り、宗教が政治化すると不可避的に不寛容と殺戮が結果する、という教訓を引き出した現代社会は、宗教を公的世界から締め出せばこのような危険を避けることができる、と考えるようになった。

もっとも、ここで前提されている「宗教」という概念は、それ自身が近代思想の発明物である。それは、個々人が私的に信奉する教義やイデオロギーの体系として理解されているが、そのような意味における宗教は、歴史的に生きられてきた人々の生活実態には存在しない。近代のいわゆる「宗教戦争」は、ミサにおけるパンとぶどう酒の聖変化をどのように解釈すべきかをめぐって戦われたわけではない(Thomas 2005: 23)。そのような誤解が前提されている限り、現代世界で宗教が果たしている役割も同じように誤解され続けることであろう。

一九九六年に起きたペルーの日本大使公邸占拠事件では、四カ月にわたる困難な解放交渉の役を担ったのはカトリック教会の大司教ファン・ルイス・シプリアーニ氏であった。犯人側と政府側の双方に信頼され、かつその双方に権威と説得力をもって語ることができたのは、彼だけだったからである。しかし、日本などから派遣されたオブザーバーの中には、カトリック教会の聖職者が交渉役に起用されたことを理解できない者が多かったという(ジョンストンほか一九九七：一二頁)。二〇一七年に逝去した宗教社会学者ピーター・バーガーは、晩年に自分の業績を振り返って、自分が「大きな間違いを犯した」と告白している(Berger 1998: 782)。彼は、一九六〇年代までの他の多くの研究者と同様に、近代世界では宗教が衰退してゆくだろう、と信じていたのである。しかし、二一世紀のとば口に立った世界は、彼の予想に反し旺盛な宗教性を示して止まなかった。

世俗化論は、単に宗教の自己把持力を低く見積もった、という点において誤っていただけではない。より深刻な誤算は、世俗化論が世界規模で宗教を衰退させる要因と見なしてきたもの——民主主義の伸展、人権意識の高まり、科学技術の進歩、交通や通信手段の進化、人々と情報の自由な交流と交換など——が、かえって宗教のエンパワーメントに貢献する、ということを予測できなかった点にある(Toft et al. 2011: 7)。民主主義の前進は、宗教を窒息させるどころか、逆にキリスト教の宗教右派、ヒンドゥー至上主義、トルコのイスラム主義などが政治的な勢力を獲得する格好の手段となった。インターネットと携帯電話は、国際的なテロ組織アルカーイダやカタールのテレビ放送局アルジャジーラにとり、欠くことのできない運営手段となった。バチカン教皇庁が洗練されたウェブサイトで情報発信を続けるかたわら、「空飛ぶ教皇」は専用ジェット機に乗って世界各地を訪れ、大衆の心に直接語りかけて人間の尊厳や平等な権利を求める運動を支援している。

こうした事例を、宗教組織が現代的な手段を利用して巧みに自己拡大を遂げた結果と解釈することもできる。しかし、どれほど潤沢な供給があろうとも、そもそも需要がなければこれほど大きな文化横断の構図は出来上がらないだろう。晩年のバーガーが再認識したように、人間の世界関与は不可避的に宗教性を帯びる。あるいは、エルンスト・

カッシーラーのように、人間を「象徴を操作する動物」と定義し、言語・神話・芸術・宗教・科学といった文化現象をひとつづきに解釈することもできる。なかでも、政治と宗教の交錯は深い。ナチズムの蛮行を正面から見据えたカッシーラーは、現代人が自然を支配する力としての呪術を斥けながら、人間集団を支配する「社会的呪術」には依然として囚われたままであることを指摘した。二一世紀の言論空間をにわかに席巻した「ポスト真実」や「フェイクニュース」なども、この延長線上で理解されよう(森本 二〇二〇：一一六頁)。

ただし、人間の宗教的な特質が不変であるとしても、その表現形態は時代ごとに異なり得る。かつてその宗教性は、具体的な歴史的形成物としての諸宗教組織の活動に表現されたが、今日それは所属もなく名前もない精神性として表現されることが多い。現代の西欧社会で「宗教的ではないがスピリチュアル」であることを自認する人が増え、既成宗教の構成員数に算入されない多くの人がなお「超越的な力の存在を信ずる」と回答しているのも、同じ理由である(Lipka and Gecewicz 2017)。

宗教再興の背景

世俗化の進展と宗教の再興という二つの矛盾した事象を統合的に説明するには、さらに二つの要素を勘案しなければならない。その一つは、二〇世紀が経験した時代史的な変遷である。農耕を基盤とした近代以前の社会では、人間の生活は土地や天候といった自然の変化に大きく左右される。この世界が自分の理解の及ばない超越的な力に支配されている、という理解をもつのは自然なことだった。しかし工業化の伸展につれて、生産の拠点は屋内へと移動する。寒くなれば暖房を入れ、暗くなれば電灯を点けるように、人は環境をコントロールする能力を手中に収めるようになる。人間の創意工夫と努力次第で、生産効率は飛躍的に向上する。すると、科学技術の進歩こそが成功と幸福の鍵を握っている、という考えが生まれ、これが次第に伝統的な宗教を駆逐することになるのも、また当然の流れだろう

(Inglehart 2006)。世俗化論は、主にこの時代局面の描写としては妥当だし、今日も工業化の水準が未達な社会では有効性を失っていないはずである。

だが、二〇世紀の後半以降、先進工業国ではもう一段の構造的な変化が進んだ。情報やサーヴィスといった第三次産業を中心とする「脱工業化」社会の到来である。ダニエル・ベルが最初にこの言葉を提唱したのは、一九六二年であった。工業化の恩恵により基本的な生活基盤が整序されて経済的なゆとりが生まれた社会では、人々の関心は生存のための労働や物質主義的な利潤追求を離れ、より文化的な軸をもつ生の意味や目的の探求へと移行する。もちろん、貧富の差は消失することも縮小することもないが、投票行動などに表現される人々の政治意識は、経済や階級の問いから次第に生の価値や自己表現の問いへと遷移してゆく。二〇世紀中葉の工業化社会における政治的議題が、産業の国有化、政府の規制、課税の公平性、所得の再分配などであったのに対し、二〇世紀末の脱工業化社会における政治的議題は、妊娠中絶、男女平等、性的少数者の尊重、国家や民族や個人のアイデンティティといった文化価値に関わるものが中心である。

このような社会の変容に伴って、宗教は人々の意識の中で存在意義を増すようになり、宗教の提供する価値軸に沿った判断や行動が顕在化することになった。既成宗教から離れた人々がそのまま昔ながらの教団へと回帰することは少ないにしても、宗派を超えた霊性やスピリチュアリティといった語彙は広く人々の心を捉えるようになった。アメリカ合衆国で始まった「ニューエイジ」運動は、既存の社会体制や科学的合理主義への反発を養分として発展し、神智学や仏教思想などを取り込みつつ、世代を超えて受け入れられた。女優のシャーリー・マクレーンが自身の神秘体験を出版したのが一九八三年である。その著書は世界的なベストセラーとなり、今日のセラピー経験やポジティヴ思考へと成長する萌芽となった。宗教的真理が宿るのは、組織や集団ではなく個人の内心なのである。

宗教学的に見ると、情報化社会の思考様式にはそれ自身で宗教と親和的なところがある。工業化の内実は「機械化」だが、そこでは原因と結果の連鎖が可感的で、合理性がそのまま理解可能なプロセスとして提示される。しかし脱工業化の内実たる「情報化」においては、そのような可感性や合理性は隠されている。入力と出力の間はブラックボックスとなり、使用者はその仕組みを理解することもできなければ理解する必要もない。アルゴリズムの論理は、人間が感覚的に理解できる範疇を超えるほどに高速で効率的でなければ、本来の用をなさないからである。呪術が宗教より科学に近いことを指摘したのは、比較神話学者のジェームズ・フレイザーであった。

統計に見る世界の宗教性

脱工業化のプロセスと同時に世界規模で進行したのが、出生率の劇的な低下である。出産による家族の増加は、主要な諸宗教で共通に是認されていることの一つだが、子どもの死亡率が高かった時代には適切な指針であったに相違ない。しかし、衛生環境や栄養状態が改善すれば、多産に意義を認めることは難しくなる。教育費の大幅な負担増、女性の社会進出と晩婚化などの影響で、今日の先進諸国における合計特殊出生率は、人口の再生産が可能とされる数(二・一)をかなり下回っている。二一世紀に入り、出生率の低下は途上国でも見られるようになったが、アフリカや中東地域ではなお四から七と大きい。この出生率のギャップが、先進国では世俗化が進んでいるにもかかわらず、世界全体としては宗教人口がむしろ増加傾向にある、という統計の不思議を説明するいま一つの鍵である。

現代世界が帯びている宗教性は、統計資料にも表れている。一九一〇年から二〇一〇年までの一〇〇年間に、世界人口の推計は一八億から六九億へと増加したが、その人口の内訳を見ると、宗教伝統ごとに浮き沈みはあるものの、全体として宗教を信ずる人びとの割合にはあまり変化がないことがわかる。各宗教の概観では、キリスト教徒が三五%から三三%と微減、イスラム教徒が一三%から二三%へと大きく伸びた。ヒンドゥー教徒と仏教徒は、それぞれ一三%前後と七%前後を維持しており、いずれも人口増加のペースとほぼ肩を並べて増加しているため、全体に占める割合にはそれほど変化がない(Johnson and Grim 2013: 10)。

世俗化論の観点からしてとりわけ興味深いのは、無宗教者の割合だろう。「無宗教」と答えた人は、カテゴリー上は「不可知論者」と「無神論者」に分類されるが、一九一〇年の段階ではどちらも一%未満であったのに対し、二〇一〇年にはそれぞれ一三%と二%へと増加している。ただし、これらの数字を年代別にもう少し詳しく見ると、増加がけっして一方的でないことも明らかになる。途中一九七〇年の段階では、これら二つのカテゴリーに属する人はもっと多く、それぞれ一五%と五%であった。つまり、無宗教者の数は二〇世紀後半の三〇年で顕著に低下しているのである(*Ibid.*: 12)。この変化には、明らかに共産主義国家群の誕生と終焉という世界史的な出来事が関係しているだろう。一九一七年のロシア革命を経て成立したソビエト連邦の執権を握ったのは、科学的唯物論を掲げて宗教を否定するマルクス・レーニン主義であった。その後東欧やアジアへと拡大した共産主義圏の諸国家でも無神論や無宗教が国是とされたため、その公称数を反映させたのが一九七〇年の数字である。

しかし、一九八九年以降これらの共産主義政権が次々に崩壊すると、イデオロギー的な統制が解かれて無神論や無宗教は大きく減少することになった。七〇年間という無神論政権の支配は、一〇〇〇年に及ぶロシア正教の歴史の中ではほんの小さなエピソードにすぎなかったことになる。それを証しするかのように、旧ソ連では政治指導者から一般大衆まで多くの人が教会へ復帰し、注意深くではあるが着実な宗教復興の担い手となっていった。

二一世紀に入っても、世界の宗教人口は減少するどころかむしろ増加することが予想されている。二〇六〇年の予測を見ると、キリスト教徒とイスラム教徒が現在より増えるのに対し、無宗教(無所属)の比率はむしろ低下する(Hackett et al. 2017: 11)。こうした近未来的な予測は、過去半世紀ほどの予測値と実測値の偏差が小さかったことから推定すると、かなり正確であると考えてよい。地域ごとの人口増の差がここでもその主要因であるが、二一世紀の世界はなお深く宗教的であり続けることになる。「世界が非宗教化する」という西洋中心的な思い込みは、統計からも修正を余儀なくされている。

二、イスラム革命から九・一一へ

革命前のイラン

理性と調和と繁栄の祝福を受けて始まるはずだった二一世紀は、実際には二〇〇一年九月一一日の同時多発テロ攻撃という衝撃的な事件により幕を開けた。アメリカ国内にとどまらず、全世界の宗教情勢を一挙に流動化させたこの出来事は、今日も深くわれわれの日常生活を規定し続けている。しかし、あの出来事は脈絡なく唐突に起きたわけではない。以下、冒頭に触れたイスラム革命を結節点とし、それ以前から同革命まで、同革命から九・一一までとそれ以降の展開を連続的に概観しておきたい。

近代国家イランは、レザー・ハーンが武力により政権を掌握した一九二五年に始まる。初代シャー(皇帝)を名乗った彼は、祖国の西洋化と近代化を願い、その資源としてイギリスとソ連に支配されている自国の石油資源を取り戻そうとした。シャーは助力を願ってナチス・ドイツに接近したが、当然ながら英ソ両国はこの選択を喜ばなかった。一九四一年にドイツがソ連へ侵攻すると、対独戦の同盟関係となった英ソ両国はともにイランへ侵攻、シャーを退位させて息子のモハンマド・レザー・パフラヴィーを即位させた。一転して連合国側についたパフラヴィー二世は、テヘランで会談した米英ソ指導者から戦後復興の支援保証を取り付ける。しかし、ソ連は約束に反し、自国の国境保全に重要な戦略的拠点となったイラン北部に駐留を続けた。スターリンはさらに、イラン国内のクルド人とアゼルバイジャン人の反乱を幇助して傀儡政権を成立させる。やがてその二つの小国が崩壊した後の国境には、分断されたままの二つの民族とソ連の軍事的支配が残るばかりだった。

独力でソ連に対峙できないイランは、解決を求めて国連安全保障理事会に提訴する。これは、同理事会が扱った事実上最初の国際紛争案件となった（決議二、三、五：一九四六年）。トルーマン大統領は、ソ連との融和的関係を崩そうとしなかった前任のローズヴェルトとは打って変わり、断固たる態度を取った。後に「冷戦」と呼ばれるようになる米ソの軍事的対立は、イランをめぐって最初に表面化したと言うことができる。

冷戦構造の固定化

一九四七年三月に発表された「トルーマン・ドクトリン」は、世界各地で外部からの征服勢力に抵抗している自由な民族を支援する、というアメリカの宣言である。背景には、ソ連の拡張主義をここで抑制し封じ込めておかなければ、世界のどの地域でも共産主義のドミノ現象が起こり得る、という切迫した認識がある。アメリカはここで、一九世紀以来のモンロー主義から大きな政策転換を行い、大戦で疲弊したイギリスに代わって世界の平和と秩序を保障する役割を引き受けたことになる。同年六月には「マーシャル・プラン」が発表され、それに続いて「北大西洋条約機構」（NATO）と「ワルシャワ条約機構」（WPO）が成立したことに鑑みると、この年が東西の色分けを鮮明にする節目であったことがわかる。

一方、英ソの後押しを受けて即位した二二歳のシャーは、父の絶対的な権威を継承することができず、国内に「西欧的な世俗教育を受けたエリート知識人層」と「イスラム主義に立つ伝統的な中間層」という二つの対立勢力を生じさせてしまった。その均衡の上で首班に指名されたモハンマド・モサッデクは、アングロ・イラニアン石油会社（AIOC）の国有化を宣言して石油利権を取り戻す、という賭けに出る。これに危機感を抱いたのがアメリカである。一九五三年に就任したばかりのアイゼンハワー大統領は、イランのソ連接近を怖れたため、中央情報局（CIA）を使ってクーデタを起こし、モサッデクを失脚させてシャーの勢力を復権させた。

かくしてイランは、体制の安定化と引き換えに、英米を軸とする国際石油資本に支配されることになる。王政復古により独裁的な権力を掌握したシャーは、ますますアメリカへの依存度を強めてゆく。アメリカは冷戦下で重要な戦略的拠点を得たが、イラン国民には横柄な介入者として記憶され、後の米国大使館占拠事件につながる反米感情が醸成された。

一九六一年に就任したケネディ大統領も、ソ連の影響力を慮ってイランの親米政権を維持することに腐心し、経済支援を注入して近代化と西洋化を指導した。しかし、シャーの断行した「白色革命」は、農地改革で宗教的な土地共有制を解体し、女性の参政権やヘジャブ着用禁止を打ち出したため、イスラム的な伝統主義者を逆撫でることになる。批判を受けたシャーは強権化して秘密警察による締め付けを強め、国民の反発はいっそう高まってゆく。その一方で、シャーはアメリカ政府に対しては自分が民主的な改革者であることを印象づけ、ソ連侵攻の怖れを繰り返して軍事援助を引き出した。イラン政府への肩入れはアメリカ政権内部でも疑問視され、最新鋭の戦闘機を供与した際には、国務省から「ソ連を挑発しすぎる」と危惧が伝えられたほどである(Summitt 2004: 563)。

一九七三年には第四次中東戦争が勃発する。石油価格は急騰し、イランには巨額のオイルダラーが流入するが、裨益したのは一部の特権階級だけで、一般大衆の生活はインフレーションによりかえって苦しくなった。しかしイランは、アラブ諸国が実施したアメリカへの石油禁輸にも同調しなかったことで、ワシントンの信頼をさらに高める結果になった(レンツォウスキー 二〇〇二:二八〇頁)。アメリカの対イラン政策は、かくして見直されることなく固定化した。カーター政権ではほとんど関心も失われて、イラン国内に鬱積する反政府感情がワシントンへ報告されることもなかった。CIAですら、イランが革命前夜であることにまったく気づいていなかったのである(McDougall 2020: 24)。一九七七年の大晦日、テヘランで優雅な晩餐会に招かれたカーター大統領はパフラヴィー皇帝の政治的指導力を賞賛していたが、革命への暴動が始まったのはその翌月である。

起きるはずのなかった革命

イスラム革命は、イランのような民主国家には「起きるはずのなかった革命」である。少なくともそれが、当時のアメリカ国内のイラン観だった。革命につながる暴動が始まった一九七八年一月においてすら、暴動を現政権に対する一時的な反発と受け止める者が多く、その対応策もシャー支配の存続を前提に考えられていた(Thomas 2005: 2)。アメリカ政府が宗教の影響力をいかに軽視していたかがよく理解できる。ホメイニー師はすでに逮捕され国外へ追放されていたが、本来なら対立するはずの宗教勢力と民主化勢力は、同師のカリスマ的な指導力のもとで一つに合流し、王制そのものの廃止を求める国民的な運動へと発展していった。亡命先でホメイニー師が現体制への抵抗を説くと、その説教は無数のカセットテープに吹き込まれて本国へ送られ、各地のモスクで繰り返し流された。不信心な堕落した君主に対して蜂起することは、神の意志に適った行為なのである。油田や銀行などの国営機関で働く者はストライキを実施し、政府の官僚ですら、妻や娘たちにヘジャブを着用させてイスラムへの帰依を表明させた(レンツォウスキー 二〇〇二:二八九頁)。

革命による体制転換の可能性にアメリカが気づいたのは、ようやく七八年の一一月のことである。かくして、半世紀にわたり近代化の模範だった親米国家イランは、一挙にイスラム原理主義を掲げて反米路線へと転換する。「アヤトラ」ホメイニー師は最高指導者となり、皇帝擁護派を粛清してイランを「イスラム共和国」と宣言した。国民が外国勢力の駆逐を求めていたため、反米を掲げながらもソ連を招き入れることにはならなかったのが、アメリカにとってはせめてもの救いだった。

一方、国外へ逃亡したパフラヴィー二世は、病気療養を理由にアメリカへ入国を求めて受け入れられる。すると、これに怒った学生たちはテヘランのアメリカ大使館を襲撃して占拠し、大使館員とその家族を四四四日にわたって人質にする。カーター大統領は、外交努力のかたわら軍事的な救出作戦を決行したが、これはあえなく失敗して砂漠に無残なヘリコプターの残骸を晒すことになった。大統領の支持率は急落し、カーター氏は再選を果たせずにレーガン大統領へと時代が移る。大使館の人質が解放されたのは、そのレーガン氏が就任した一九八一年の一月二〇日のことである。

九・一一までとその後

一方、イラン革命が自国内の独立運動を活発化させることを怖れたソ連は、一九七九年の暮れに隣国アフガニスタンへ侵攻する。アフガニスタンでは、前年に共産主義政党が誕生していたが、これに抵抗するイスラム勢力（ムジャーヒディーン）の蜂起が続いて手を焼いていたため、ソ連の軍事介入は歓迎された。これに対してアメリカは、極秘にムジャーヒディーンへ資金や武器を提供して反ソ戦を支援する。やがてそのムジャーヒディーンにサウジアラビアから馳せ参じた義勇兵の一人が、ウサマ・ビン・ラーディンである。

翌一九八〇年には、イラクのサダム・フセイン大統領が革命で混乱した隣国へ侵攻し、「イラン・イラク戦争」が勃発する。アメリカはイランを極秘に援助したが、そのイランとの密約が後に「イラン・コントラ事件」として暴露されることになる。同戦争の終結後わずか二年後、今度はイラクがクウェートへ侵攻するが、時代の舞台は中東世界の外で大きく回りつつあった。ブッシュ大統領（父）とゴルバチョフ書記長は、前年のマルタ会談で冷戦の終結を宣言していたのである。米ソ両国は一致して国連安全保障理事会の決議に加わり、多国籍軍を組織して九一年にイラクへ侵攻して「湾岸戦争」となる。

アメリカ軍はその後も友好国サウジアラビアに駐留を続け、そこからボスニア、パレスチナ、レバノンなどのムスリム地域に空爆を加えた。ビン・ラーディンにとり、これはムハンマドの言葉に対する背信行為である。彼はアメリカ軍ではなくムジャーヒディーンを駐留させるべきだと主張したが、サウード家はこれに同意せず、代わりに彼のサウジ国籍を剝奪した。そのため、彼はスーダンへ、そしてアフガニスタンへと活動拠点を移してゆく。九・一一のテロ攻撃は、本人の言葉によれば、アメリカがイスラエルを援助してレバノンの高層住宅ビルを破壊したことへの報復であった(Washington Post: Nov. 1, 2004)。

テロ攻撃を受けたアメリカは、当時アルカーイダの拠点があるとされたアフガニスタンに首謀者ビン・ラーディンの引き渡しを求めた。しかし、同地を実効支配していたタリバンは、客人保護というイスラム慣行に則って引き渡しを拒否したため、アメリカは「対テロ戦争」の名目のもとに派兵し、ただちにタリバン政権を崩壊させる。その後二〇年にわたるアフガン介入の始まりである。もともとアフガニスタンは、「帝国の墓場」と呼ばれてきた。すでに記した通り、イギリスとソ連とドイツの綱引きの後は、ソ連の一〇年にわたる軍事介入が続く。ソ連は一九八九年に撤退したが、この際の疲弊が二年後のソ連崩壊を招いたとされる。次にアメリカが二〇年の歳月と三兆ドルとも言われる戦費を注ぎ込んだが、二〇二一年にはアフガンからの完全撤退を余儀なくされた。撤退時の混乱はベトナム戦争終結時の混乱を想起させ、発足したばかりのバイデン政権は国内外からの批判に晒《さら》された。

その間にも、ブッシュ大統領(子)は二〇〇二年にイラン・イラク・北朝鮮を「悪の枢軸」と名指しし、大量破壊兵器の査察拒否を根拠としてイラクを攻撃、フセイン大統領を拘束した。イランでは新たに核開発疑惑が浮上し、国連安全保障理事会の決議を経て二〇一五年には包括的な核合意が締結される。しかし、イランの反発や経済制裁の駆け引きが続き、二〇一八年にトランプ大統領は合意からの一方的離脱を宣言している。

アメリカとイランの関係には、常にイスラエルの影がつきまとっている。レバノンのシーア派組織ヒズブッラーは、イランの軍事的・経済的援助を受けてイスラエルを窺い続けており、イスラエルはしばしば中東におけるアメリカの非公認エージェントを務めてきたからである。今後の中東情勢に緊張が高まれば、その力学には必ず中国やロシアも関与することであろう。

三、神学的考察

近代化の矛盾

二〇世紀中葉は、インドのネルー首相、エジプトのナーセル大統領、インドネシアのスカルノ大統領などの優れた指導者たちが近代化路線を推し進めた時代である。高等教育を受けたエリート支配者たちは、西洋諸国を模範としたリベラルな民主社会を建設し、国家を経済的に発展させることに少なからず貢献した。

しかし、彼らにとって近代化とはすなわち西洋化を意味していた。西洋化に内包される世俗主義は、その結果として伝統的な宗教の靭帯を弱める。近代化は、政治や経済の基礎構造の成熟に裏打ちされてこそ有効に機能するが、後発国がそのような時間的恩恵に浴することは稀である。発展の陰で、政権内部には構造的な汚職と腐敗が進行し、民衆の反感と批判は鬱積する。すると、権力は安定を求めていっそう独裁化し、強圧的な手法に頼るという悪循環に陥る。市場経済も、十分に自律的な発展を謳歌する余地が少なく、公正な競争が阻害されて格差と不平等が拡大し、これも民衆の不満と反発を招く結果となる。やがて「国父」とも呼ばれるこれら第一世代の有能な指導者が退くと、カリスマは制度化されることなく混乱が生じ、深刻な試練が若い指導体制を襲う。その混乱と空白の中で、世俗化で脇へ押しやられていた伝統的な宗教が復権し、政治的な活動の舞台へと再進出する。西洋の後追いをした結果は、期待されるような経済発展や民主主義や平和ではなく、さらなる抑圧と不平等と紛争だった。インドやスリランカ、中東やエジプトなどで次々に興隆した宗教的ナショナリズムは、いずれもこうした民衆の不満をすくい取り、西洋化＝近代化＝世俗化こそが不幸の原因であると名指して非難した。

宗教的ナショナリズムの興隆には、別の要因も絡んでいる。西洋への反発は、はじめ反植民地主義として表現された。それは、西洋への反発であっても、反発の原理そのものは自由や独立や平等といった西洋由来の理念に基づいている(Thomas 2005: 42)。しかし、二〇世紀末に見られる反発の原理は、文化的な自己決定である。そこに伝統的な文化を担う宗教の再主張が随伴するのも、当然のことだろう。ソ連解体末期に進んだペレストロイカ(改革)は、その後二一世紀初頭に各地で起きた「アラブの春」にも道を開き、民族的な自己決定の運動を促す結果となった。

冷戦終結後の世界では、西洋のリベラルな民主主義と資本主義こそが世界標準の普遍的な文明の大原則である、とする議論もあった。テロを起こすような過激分子は、宗教的なスローガンを口にしつつも、実際に宗教的な動機に突き動かされているわけではなく、その憤激はむしろ腐敗した支配者や非民主的な政府に向けられている。だからテロをなくすには、国際援助と自由貿易により経済を発展させ、貧困や抑圧を減らすことが大切だ、とも論じられてきた。しかし、九・一一テロの実行犯の多くは貧困層の出身ではなく、サウジアラビアやアラブ首長国連邦やエジプトといった国の上中流階層の出身である。彼らが高い教育を受けて専門職に就いており、多くは西洋へ留学した経験も有していることに鑑みると、こうした指摘は必ずしも説得的ではない。

過激化の神学的要因

諸宗教における原理主義の出現形態を論じたヴェルナー・フートは、初期イスラム史における勝利と成功の圧倒的な経験に注目している。六二二年のヒジュラ(聖遷)以降、ムハンマドの武装戦線は他に例を見ないほどの勢力拡大を導いた。この此岸的な成功は、その後何世紀にもわたって軍事や政治だけでなく文化面でも続くことになる。これに対して、初期キリスト教は迫害下にあった期間が長く、四世紀までは地上の権力と無縁だった。この不遇の時代に、キリスト教は現世における成功や失敗が信仰の問題とは直結しないことを学んでいる。敬虔な人が不幸になり、不信仰な者が栄華を手にする、というこの世の現実を受け止める神義論が形成されたのである。

ところが、成立当初から外面的成功に恵まれ続けたイスラム史には、こうした神学的な準備と熟成のための時間が十分に与えられなかった。そのため、近代以降その成功曲線が下向きになると、不遇の現実を受け止めることが困難になる。理解しがたい現実を説明する力を失った信仰は、世俗化に失敗の原因を求め、信仰を深めることで再び成功を手にしようと努めることになる。イスラム思想の原理主義化を推し進めたのは、この絶望感であったという。とりわけ、政教分離による世俗化を推し進めてきた西洋志向の政府指導者たちは、不信仰の極みとして激しい嫌悪の対象となった(フート 二〇〇二:一四一頁)。

このことを「壊滅的に」明らかにしたのが中東戦争である。一九四八年にイスラエルが建国を宣言すると、アラブ諸国はパレスチナへ自国軍を派遣したが、総兵力数で優るはずのアラブ側は繰り返し敗北を喫した。イスラエル軍が英米の強力な支援を受けていたためでもあるが、アラブ側でも各国の身勝手な思惑から足並みが揃わなかった。手痛い敗北を喫したアラブ諸国では、指導者層への不満が鬱積して各地に革命の連鎖が起きる。一九五二年にはエジプトでナーセルが無血クーデタを成功させ、王政を廃止して民族主義を唱える共和国が成立する。五八年にはイラクが親英派の王家を打倒し、共和制へと移行する。高まる民族主義はシリア、レバノンやクウェート、イエメンへ波及する構えを見せたが、汎アラブ主義を唱えるエジプトやシリアに対し、ヨルダンやサウジアラビアが反発して協調路線は失速した。特に「六日戦争」と称された一九六七年の第三次戦争では、アラブの民族的プライドが大きく傷つけられ、イスラム原理主義の興隆を招いた(Thomas 2005: 38)。

宗教への無理解が生む帰結

もともとイスラム世界には、国家や国籍や国境といった概念が稀薄である(中田 二〇一一:一四二、一九一頁)。国家という組織には支配者が必要であり、神ならぬ人間にそのような権威を認めるのは反イスラム的だからである。冷戦構造の固定化に際しても、アラブ諸国は国家ごとに資本主義か共産主義かのどちらかを選択することを求められたが、イスラム体制にとってはそのような選択自体が無意味であった。民主主義もまた、善悪の判断基準を神の意志と無関係に人間の多数派が決定するシステムであるから、イスラム信仰とは相容れない。というより、イスラム原理主義随一の理論家サイイド・クトゥブによれば、イスラムは欧米の頽廃した人間中心主義に対する別の選択肢として近代世界に提示されているのである(クトゥブ 二〇〇八:一六、六二、一七〇頁)。二〇世紀後半の世界が作り上げた東西冷戦という構造の中に、イスラム諸国が唯々諾々と組み込まれることを拒んだのも、その宗教的特性を考慮に入れるなら当然のこととして理解できる。

最後に、対立軸のもう片方の極にあるアメリカの国内事情にも留意しておこう。なぜアメリカは、これほどまでにイランの宗教的特性に無感覚で無理解だったのか。おそらくそこには、時を同じくしてアメリカ国内に沸き起こったキリスト教原理主義が関係していよう。福音派のジェリー・ファルウェルが保守的政治団体「モラル・マジョリティ」を創設したのは、イラン革命と同じ一九七九年だった。当時の国内メディアや政界は、その台頭を近代化への不合理な反動とみなし、正面から取り上げようとはしなかった(Wuthnow 1992: 428)。それと同じように、中東に興った宗教的熱狂も、歴史的進歩という必然への不毛で短命な反動として理解されたのである。その根底には、本稿冒頭で触れた近代啓蒙の偏見、すなわち「宗教やそれにかかわる一切を知的に取り扱うことに対する学問的抵抗感」(ジョンストンほか 一九九七:三六頁)があった。

その後もこうした西洋的な無理解は続く。アメリカは、紛争解決と国益保護を掲げてイスラム圏への軍事介入を繰り返したが、そのたびに若いムスリムたちの血を沸き立たせ、国境を越えて世界各地でイスラムの大義のために死をも辞さない行動へと駆り立てている。宗教への無理解が蒔いた種を刈り取るのは、苦悩する世界全体である。

参考文献

クトゥブ、サイイド(二〇〇八)『イスラーム原理主義の「道しるべ」』岡島稔ほか訳、第三書館。

ジョンストン、ダグラスほか編(一九九七)『宗教と国家——国際政治の盲点』橋本光平ほか監訳、PHP研究所。

中田考(二〇二一)『タリバン 復権の真実』ベスト新書。

フート、ヴェルナー(二〇〇二)『原理主義——確かさへの逃避』志村恵訳、新教出版社。

森本あんり(二〇二〇)「政治的神話と社会的呪術——なぜ人はファクトよりフェイクに惹きつけられるのか」『世界』九二九号。

レンツォウスキー、ジョージ(二〇〇二)『冷戦下・アメリカの対中東戦略——歴代の米大統領は中東危機にどう決断したか』木村申二ほか訳、第三書館。

Berger, Peter L. (1998), "Protestantism and the Quest for Certainty", *The Christian Century*, Aug. 26-Sept. 2.

Hackett, Conrad, et al. (2017), "The Changing Global Religious Landscape", Pew Research Center.

Inglehart, Ronald (2006), "Is There a Global Resurgence of Religion?", Pew Research Center.

Johnson, Todd M. and Brian J. Grim (2013), *The World's Religions in Figures: An Introduction to International Religious Demography*, Hoboken, NJ., John Wiley & Sons.

Lipka, Michael and Claire Gecewicz (2017), "More Americans now say they're spiritual but not religious", Pew Research Center.

McDougall, Walter A. (2020), "The Myth of the Secular: Religion, War, and Politics in the Twentieth Century", *The Foreign Policy Research Institute's Quarterly Journal of World Affairs*, 64-1.

Summitt, April R. (2004), "For a White Revolution: John F. Kennedy and the Shah of Iran", *The Middle East Journal*, 58-4.

Thomas, Scott M. (2005), *The Global Resurgence of Religion and the Transformation of International Relations: The Struggle for the Soul of the Twenty-First Century*, London, Palgrave Macmillan.

Toft, Monica Duffy, Daniel Philpott, and Timothy Samuel Shah (2011), *God's Century: Resurgent Religion and Global Politics*, New York, W. W. Norton & Company.

"Transcript: Translation of Bin Laden's Videotaped Message", *The Washington Post*, November 1, 2004.

Wuthnow, Robert (1992), "The World of Fundamentalism", *The Christian Century*, April 22.

【執筆者一覧】

芝崎祐典（しばざき　ゆうすけ）
1970 年生．中央大学大学院法学研究科非常勤講師．国際関係史．

齋藤嘉臣（さいとう　よしおみ）
1976 年生．京都大学大学院人間・環境学研究科准教授．国際関係史．

小沢弘明（おざわ　ひろあき）
1958 年生．千葉大学理事．ヨーロッパ現代史．

松井康浩（まつい　やすひろ）
1960 年生．九州大学大学院比較社会文化研究院教授．ソ連史・冷戦史．

福田　宏（ふくだ　ひろし）
1971 年生．成城大学法学部准教授．中央ヨーロッパ政治史．

原山浩介（はらやま　こうすけ）
1972 年生．日本大学法学部教授．日本現代史．

高木佑輔（たかぎ　ゆうすけ）
1981 年生．政策研究大学院大学准教授．地域研究（東南アジア）・政治学．

丸川知雄（まるかわ　ともお）
1964 年生．東京大学社会科学研究所教授．中国産業経済．

藤永康政（ふじなが　やすまさ）
1966 年生．日本女子大学文学部教授．アメリカ黒人史研究．

佐藤千登勢（さとう　ちとせ）
1963 年生．筑波大学人文社会系教授．アメリカ現代史．

森本あんり（もりもと　あんり）
1956 年生．国際基督教大学名誉教授，東京女子大学学長．神学・宗教学・アメリカ研究．

星乃治彦（ほしの　はるひこ）
1955 年生．福岡大学名誉教授．ドイツ近現代史．

真鍋祐子（まなべ　ゆうこ）
1963 年生．東京大学東洋文化研究所教授．朝鮮研究．

玉田芳史（たまだ　よしふみ）
1958 年生．京都大学名誉教授，放送大学特任教授．タイ地域研究．

谷垣真理子（たにがき　まりこ）
1960 年生．東京大学大学院総合文化研究科教授．現代香港論．

武藤浩史（むとう　ひろし）
1958 年生．慶應義塾大学名誉教授．英文学．

【責任編集】

中野　聡(なかの　さとし)
1959年生．一橋大学学長．アジア太平洋国際史．『東南アジア占領と日本人——帝国・日本の解体』(岩波書店，2012年)．

木畑洋一(きばた　よういち)
1946年生．東京大学・成城大学名誉教授．イギリス近現代史・国際関係史．『帝国航路(エンパイアルート)を往く——イギリス植民地と近代日本』(岩波書店，2018年)．

岩波講座　世界歴史　23　　第20回配本(全24巻)

冷戦と脱植民地化 II　20世紀後半

2023年6月29日　第1刷発行

発行者　坂本政謙

発行所　株式会社 岩波書店　〒101-8002 東京都千代田区一ツ橋2-5-5
電話案内 03-5210-4000　https://www.iwanami.co.jp/

印刷・法令印刷　カバー・半七印刷　製本・牧製本

　ISBN 978-4-00-011433-2

岩波講座

世界歴史

A5 判上製・平均 320 頁（黒丸数字は既刊，＊は次回配本）

全㉔巻の構成

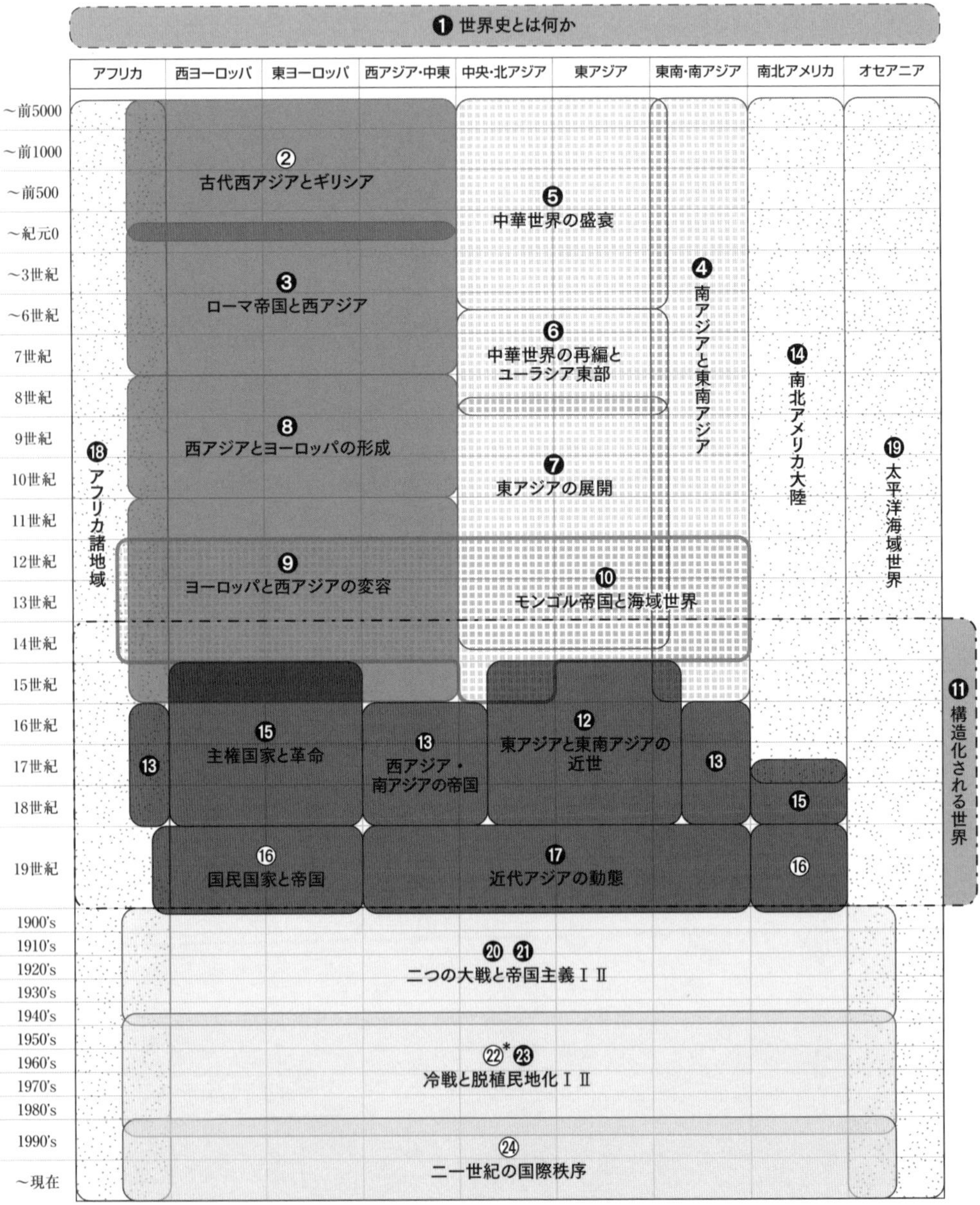

※本図は各巻の内容を厳密に反映したものではなく，便宜的に図示したものです．